PUBLIUS VIRGILIUS MARO
zwischen den Musen Klio und Melpomene
Mosaik, gefunden 1897 in einer römischen Villa zu Hadrumetum
(Nordafrika)

PÖSCHL / DIE DICHTKUNST VIRGILS

VIKTOR PÖSCHL

DIE DICHTKUNST VIRGILS

Bild und Symbol in der Äneis

MARGARETE FRIEDRICH ROHRER VERLAG

INNSBRUCK · WIEN

n den Gedichten des Virgil tritt uns der Symbolcharakter der Poesie in einer Helligkeit entgegen, die eine neue Stufe in der Geschichte der abendländischen Dichtkunst bezeichnet. Hier liegt eine der Ursachen für die Wirkung, die der römische Dichter im Mittelalter und in der Renaissance übte. Die Menschen dieser Zeiten hatten ein feines Gefühl dafür, wie sehr er ihren eigenen Neigungen nach sinnbildlicher Deutung entgegenkam.

Wie die Hirtengedichte und die Bücher vom Landbau weit Bedeutsameres enthalten, als ihre Titel verraten, so ist die Äneis mehr als eine epische Erzählung. Sie ist ein Gleichnis: eine Deutung der römischen Geschichte und ein Sinnbild des menschlichen Lebens. Auch die großen Vorbilder Virgils, die Epen Homers, sind wie jede echte Dichtung gleichnishaft. Aber Homer weiß es nicht in dem Maße. Er ist symbolisch *malgré lui*. Virgil ist es in bewußter Absicht. Vollends fern liegt dem griechischen Dichter das Spiel mit der Transparenz eines tieferen, ‚eigentlichen‘ Sinnes, die Erfindung von Bildern und Szenen, in denen das Symbol in Allegorie übergeht. Er ist frei von jedem ‚Symbolismus‘, wenn

5

man darunter die beabsichtigte Verwandlung einer Aussage in ein Symbol versteht.

Symbolismus und Transparenz sind Merkmale einer reifen Kunstgesinnung, eines Spätstadiums in der Entwicklung der Künste. Es sind Aspekte jenes wachen Bewußtseins der Form als Ausdruck, das wir mit dem Begriff des Klassischen verbinden. Dieses Bewußtsein durchdringt die Äneis in erstaunlichem Maße. Sie ist daher eine in ausgezeichnetem Sinne klassische Dichtung, die Ilias ist es nicht, und das rechtfertigt den Versuch, die Kunst Virgils durch eine Betrachtung zu beleuchten, die die poetische Symbolik in die Mitte rückt. Wem die Bezeichnung ‚Symbol' bedenklich scheint. mag eine andere wählen. Ich wüßte keine, die besser zum Ausdruck bringt, daß Kunstformen nicht Gefäße sind für einen Inhalt, der eine von ihnen abgetrennte Existenz hat, sondern selber Inhalt, ja, nach Hebbels Wort, der höchste Inhalt.

Die Grundsymbole der Poesie sind Bild und Klang. Ich beschränke mich im wesentlichen auf das Bild, wobei die versteckteren Erscheinungen symbolischen Charakters besonders berücksichtigt werden sollen. Es ist jedoch nicht meine Absicht, eine möglichst vollständige Morphologie der Bilder und Gleichnisse zu entwerfen, die in der Äneis begegnen. Meine Absicht ist vielmehr, zu untersuchen, inwieweit die Grundthemen des Gedichtes und die Schicksale und Charaktere seiner Hauptgestalten sich bildhaft aussprechen und welche Kunstprinzipien hiebei wirksam sind. Durch eine solche Betrachtung wird, hoffe ich, nicht nur die Erklärung des römischen Dichters gewinnen, sondern es wird auch auf

einige Grundfragen der Dichtkunst ein helleres Licht
fallen. Die Geschichte des Bildes in der Dichtung, dem
Hermann Pongs ein anregendes, wenn auch etwas ver-
wirrtes Buch gewidmet hat, wird an einem kultur-
historisch entscheidenden Punkte klarer hervortreten,
und es wird die bisher kaum gewürdigte Bedeutung
Virgils für die innere Geschichte der Poesie wenigstens
ahnungsweise deutlich werden.

Es gibt kaum einen Satz der Äneis, der keine Metapher,
und keine Szene, die kein Gleichnis, keine Geste von bestimmter Ausdrucksbedeutung enthielte. Was die Häu-
figkeit der letzteren betrifft, so beruht sie auf dem
inneren Gesetz der von Homer geschaffenen epischen
Form, ihrer ,Plastik', um einen oft wiederholten Ausdruck Goethes zu gebrauchen. Diese Form erheischt,
nicht Gedachtes und Gefühltes, sondern Geschautes und
Gehörtes darzustellen: die Empfindungen und Gedanken
der auftretenden Personen müssen aus ihren Gebärden
und Reden abgelesen werden. Diese Stiltendenz hat im
Bunde mit dem bildnerischen Talent der Antike, ihrem
mythen- und symbolschaffenden Geist und ihrer Begabung, das Leiblich-Sichtbare als Ausdruck eines
Seelisch-Unsichtbaren oder vielmehr beides als Einheit
zu schauen, die antike Kunst dazu geführt, eine Fülle
von Formen zu erfinden, in denen sich Sinnliches beseelt
und Seelisches versinnlicht. Virgil ist der Erbe dieser
Tradition und in gewissem Sinne ihr Vollender. Zugleich
aber ist er der Beginner einer neuen, folgenreichen Entwicklung. Denn die Verinnerlichung des Poetischen,
die die lange griechische Entwicklung kennzeichnet,
ist bei ihm noch um ein Beträchtliches fort-

geschritten und seitdem nie mehr ganz verloren gegangen. Durch die sinnliche Materie der dichterischen Sprache scheint die Empfindung stärker durch als bei den Griechen, ja, irre ich nicht, so hat die Symbolkraft der Sprache, ihre Funktion als Gefühlsmetapher, bei ihm eine ganz neue Intensität gewonnen.

Die Welt der Seele entfaltet sich in einer Innigkeit und Nuancierung, die weder bei Homer noch im klassischen oder hellenistischen Griechentum ihresgleichen hat. Und zwar vollzieht sich diese Entfaltung nicht sosehr dadurch, daß mehr von Gefühlen gesprochen wird als bei den älteren Dichtern, sondern das Gefühlhafte ist, weil der Dichter jene Stiltendenz beibehielt, in der Form selbst verborgen. Sie ist zarter und reicher geworden, ein sensibleres Instrument, das feinere Schwingungen wiedergibt. Die Plastizität der homerischen Gestaltung, die die spätere Entwicklung gemildert, aber nicht aufgehoben hatte, ist malerisch und musikalisch aufgelockert und von Empfindung durchströmt. Sie ist einem Lyrismus gewichen, der für die abendländische Dichtung seitdem kennzeichnend ist. Auch das, was Homer naiv anschaut, wird von ihm erfühlt und beseelt. Was dort wörtlich gemeint war, wird für die symbolische Deutung geöffnet.

Alles nimmt teil an einem inneren Geschehen, alles wird zum Reflex der vom Dichter mitempfundenen Regungen der auftretenden Gestalten und seines mitfühlenden Wissens um das Schicksalshafte der Begebenheiten. Alles wird Zeichen der Seele. Die Landschaft, der Morgen und der Abend und die Nacht, Kleidung und Waffen, jede Geste, jede Bewegung, jedes Bild, der Tonfall eines jeden Verses ist von einem seelenhaften Fluidum umstrahlt und in die Gefühlsfärbung der Erzählung einbezogen. Welcher Fortschritt, welche Erweiterung der Dichtkunst darin liegt, wieviel bisher Unsagbares dadurch sagbar gemacht wurde, wieviel alle späteren Dichter dem Virgil verdanken, ist für jeden, der weiß, worauf es in der Dichtkunst ankommt, so deutlich, daß angesichts dessen der Zweifel an der ‚Originalität' Virgils, der das hochmütige Urteil über den Dichter in den Ländern deutscher Zunge auch heute noch bestimmt, als der Gipfel der Torheit erscheint. Er entspringt einem tiefen Mißverständnis der virgilischen Poesie und des Poetischen und Schöpferischen überhaupt. Die souveräne Gleichgültigkeit gegenüber der Neuheit des Inhalts, ja, des Motivs, die schon die Griechen dazu geführt hatte, das ganze Gewicht auf die Neuheit der Form, die Neuheit der Nuance zu legen — und eine neue Nuance ist immer das Sichtbarwerden einer neuen Seele —, bekundet einen tiefen Instinkt für das Wesen der Kunst.

Die Durchseelung der Form ist als Grundphänomen der Dichtung Virgils von neueren Erklärern gewürdigt und wohl schon immer empfunden worden. Aber die genaue Beobachtung des einzelnen wurde für die Äneis bisher nicht in Angriff genommen. Die Aufgabe ist eine der wichtigsten und schwierigsten, die der Virgilinterpretation gestellt sind. Gilt es doch, Kunsterscheinungen zu beschreiben, deren Sinn nicht eigentlich bewiesen, sondern nur fühlbar gemacht werden kann. Wer sich zum Ziel setzt, die Bedeutung poetischer Formen zu ergründen, wird ja immer in Bezirke vorstoßen, wo

Phänomene maßgebend sind, die sich dem Zugriff des Verstandes entziehen. Diese Schwierigkeit hat die Literaturwissenschaft mit den anderen Kunstwissenschaften gemein, ja mit allen Wissenschaften, die Erscheinungen der Seele und des Lebens zum Gegenstand haben und daher neben der rationalen Form der Erkenntnis auf die intuitive angewiesen sind. Ganz falsch aber wäre es, deshalb das Poetische von der wissenschaftlichen Betrachtung auszuschließen. Vielmehr kann uns nur die Einstellung auf den Kunstcharakter eines Dichtwerks instand setzen, seines eigentümlichen Gehaltes gewahr zu werden. Ein Gedicht ist wie jedes Kunsterzeugnis an sich immer nur ein Fragment, ein schwebendes Anerbieten, ein Text ohne Melodie, aus dem erst der Betrachter ein Ganzes macht. Nur wer, nach Goethes Ausdruck, ‚supplieren‘ kann, vermag es adäquat aufzunehmen. Dazu aber muß der Kritiker jene Fähigkeit mitbringen, von schönen Dingen tief bewegt zu werden, die der englische Ästhetiker Walter Pater als das bezeichnet, worauf es bei der Kunstkritik ankomme. Er muß das innere Ohr und das innere Auge für die leise Sprache der Poesie empfänglich machen, in der sich das Unaussprechliche ausspricht. Sonst bleibt ihm die Dichtung in ihrem Wesen verschlossen. Was Virgil und die antiken Dichter betrifft, so muß der Betrachter außerdem noch ein großes Hindernis wegräumen, das sich seiner Aufgabe immer wieder in den Weg stellt. Es ist dies, um es mit Freimut auszusprechen, der ‚Schulstaub der Jahrhunderte‘, die lange angehäuften Verirrungen einer für alles Künstlerische blinden Philologie, die Sedimente eines kunst- und lebensfremden Rationalismus, die sich auf die strahlende und zarte Schönheit der virgilischen Dichtung abgelagert haben und von denen wir sie erst befreien müssen, um ihres reinen Glanzes und bewegenden Zaubers ansichtig zu werden. Der Rationalismus ist auch heute nicht überwunden und er wird wohl nie verschwinden. Gehört er doch zum Wesen der philologischen wie jeder Wissenschaft und zum Begabungstypus ihrer Vertreter, ja, wie manche Philosophen glauben, zur natürlichen Beschaffenheit des menschlichen Intellekts selber. „Ob es nun darauf ankomme", sagt z. B. Bergson, „das Leben des Körpers oder das Leben des Geistes zu behandeln, immer verfährt der Intellekt mit der Schärfe, der Starrheit, der Brutalität eines Werkzeugs, das zu solchem Gebrauch nicht geschaffen ist. Der Intellekt charakterisiert sich durch eine natürliche Verständnislosigkeit für das Leben" (Schöpferische Entwicklung, Leipzig 1912, S. 169). Es kann daher gar nicht verwundern, daß wir auch im Bereiche der Virgilforschung, der älteren wie der jüngeren, überall den Spuren solch groben Verfahrens begegnen. Die Kommentare von Servius angefangen bis zu den neuesten haben für das Poetische selten ein Auge. Dagegen schleppen sie ein schweres Gepäck von Vorstellungen mit, die sich aus der Erklärungsweise des Altertums herleiten, ohne zu ahnen, daß die Berufung auf die antike Poetik und Rhetorik nicht immer eine Empfehlung ist. Denn die antike Kunsttheorie blieb hinter der antiken Kunst erheblich zurück, so daß z. B. Benedetto Croce dem Altertum die theoretische Einsicht in die Ästhetik schlechthin absprach und diese erst mit Gianbattista Vico beginnen

11

ließ[1]. Die Exegeten des Altertums und ihre modernen
Nachfolger treten mit dem kalten Blick des Verstandes,
nicht mit dem liebevollen des Herzens an den Dichter
heran. Sie erklären sprachliche Erscheinungen und stoffliche Motive nach ihrem rational faßbaren Inhalt, nicht
nach ihrer Form, während es die Kunst primär immer mit
der Form zu tun hat, und zwar mit der individuellen
Form, wenn ich mich so ausdrücken darf, denn der
Formentypus, die Gattung, der rhetorische Tropus,
unter den sich eine Erscheinung subsumieren läßt, sagt
über ihren Kunstwert nicht das geringste aus. Die Form
aber ist, wie Goethe sagte, ‚den meisten ein Geheimnis'.
Immerhin hat die Ästhetik, die Kunstgeschichte, die
Literarforschung einiger neuerer Sprachen die Grundlagen einer wissenschaftlichen Kunstbetrachtung seit
einem halben Jahrhundert hinreichend geklärt[2]. Trotzdem geht die herkömmliche Philologie mit einer ebenso
befremdlichen wie hartnäckigen Teilnahmslosigkeit an
den elementarsten Resultaten dieser Wissenschaften
vorüber, ja sie verstockt sich schon gegen den Begriff
der Ästhetik, in dem sie einen wissenschaftlichen und
beinahe einen moralischen Makel erblickt. Sie fährt fort,
die außerhalb ihrer Mauern wohlbekannte Tatsache,

---

[1] Julius Stenzel stellte fest, daß die Griechen es erst sehr
spät zu einer einigermaßen zulänglichen Beschreibung des
ästhetischen Phänomens gebracht hätten (Die Gefahren
modernen Denkens und der Humanismus, Die Antike 4,
1928).
[2] Ja, im Grunde hat schon das Zeitalter der deutschen
Klassik die rationalistische Betrachtung des Sprach-
kunstwerks überwunden. Humboldt meinte damals, ‚die
Kunst von ihrem wahren Standpunkt zu betrachten, sei
keiner Nation wie der deutschen gelungen' (in seinem
Aufsatz über Schiller).

12

daß für ein Kunstwerk andere Bedingungen gelten als für einen Tatsachenbericht oder eine wissenschaftliche Abhandlung zu ignorieren, indes doch niemand ohne die Kenntnis der besonderen ‚Optik' der Kunst in ein Dichtwerk eindringen kann[1]. Das gilt selbst für das Buch Richard Heinzes über ‚Virgils epische Technik' (3. Auflage Berlin 1915), das für seine Zeit eine hohe Leistung darstellte, aber in seiner Grundrichtung immer noch viel zu rationalistisch verfährt.

Das gleiche gilt von Eduard Nordens berühmtem Kommentar zum sechsten Buch der Äneis, der einer kunstwissenschaftlichen Ergänzung bedürftig wäre[2]. Die Aufgabe, die Friedrich Klingner der Virgilforschung gewiesen hat[3], bleibt für die Äneis in allem wesentlichen noch zu leisten. Während für die Eklogen und die Georgica in den Arbeiten Klingners[4] Studien vorliegen,

---

[1] Karl Voßler macht in einem Aufsatz über ‚Benedetto Croces Sprachphilosophie', Deutsche Vierteljahresschrift für Literatur und Geistesgeschichte, 1941, 126, darauf aufmerksam, man könne sehr wohl ein Gedicht philologisch auf seine metrischen, rhythmischen, syntaktischen, morphologischen und lautlichen Sprachformen hin untersuchen, nur müsse man sich bewußt sein, daß man damit die Atmosphäre der Poesie verlasse. Doch nicht die Tätigkeit der Zergliederung an sich entferne von dem Zusammenhang mit der Poesie. Ästhetische Analyse könne das dichterische Werk sehr wohl aufschließen. Auch die Gewohnheit, Dichter als Zeugnis oder Dokument für irgendwelche Anschauungen zu gebrauchen, schließe die Würdigung eines dichterischen Monuments in seiner besonderen Eigenart aus.
[2] Auch das Werk Cartaults L'art de Virgile dans l'Eneide, Paris 1926, erfüllt die Erwartungen nicht ganz, die der Titel weckt
[3] Zuletzt in seinem Virgilaufsatz, Das neue Bild der Antike, Berlin 1942.
[4] Sie sind zum größten Teil in seinen gesammelten Aufsätzen vereinigt, die unter dem Titel ‚Römische Geisteswelt', Leipzig 1943, herausgegeben wurden.

13

die für die Betrachtung der Kunst Virgils bahnbrechend
sind, ist für das Hauptwerk des Dichters so gut wie
nichts geschehen. Auch ihm tut nach so reicher Durch-
forschung der Sprache und der Technik, nach soviel
Quellenanalyse und Ideen- und Motivgeschichte vor
allem ästhetische Kritik not.

Durch die Ungunst der Zeit war mir die außerhalb des
deutschen Sprachbereichs entstandene neuere Virgil-
literatur zum Teil unzugänglich, was umso beklagens-
werter ist, als die romanische und angelsächsische Forschung im ganzen den genannten Verirrungen nicht so
stark erlegen ist wie die deutsche und gerade für das
Verständnis Virgils Bedeutendes geleistet hat, obwohl
auch sie viel zu sehr der rationalistischen Betrachtungs-
weise huldigte und Sainte-Beuves meisterliche ‚Studie
über Virgil‘, soweit ich urteilen kann, keine gleich-
wertige Nachfolge gefunden hat[1].

Was nun die Methode betrifft, so ist der vorzüglichste
Weg zur Erschließung der virgilischen Kunst der Vergleich mit Homer, den der Dichter selbst fast mit jedem
Vers herausfordert. Die Gegenüberstellung einander zugeordneter Formen ist ja immer der wichtigste Weg, um
geistige Schöpfungen in ihrer Eigenart zu begreifen. Bei
der Äneis, in der sich Odyssee und Ilias wiederholen
(Donat, Virgilvita: *quasi amborum Homeri carminum
instar*), muß die Konfrontation mit dem griechischen
Vorbild geradezu zu einem Angelpunkt der Kritik wer-

---

[1] Durch die außerordentliche Liebenswürdigkeit von
Harald Fuchs in Basel, der mir in aufopfernder Weise aus-
führliche Exzerpte zusandte, war ich imstande, diesem
Mangel teilweise abzuhelfen.

den. Von hier aus lassen sich die Prinzipien der virgilischen Kunst am leichtesten fassen.

Die ältere Virgilforschung hat den Wert dieses Verfahrens im Anschluß an die antike Kritik, deren Zeug-
nisse namentlich bei Gellius und Macrobius aufbewahrt
sind, deutlicher erkannt als die neuere. Ich erinnere vor
allem an die höchst lesenswerten Kapitel im fünften
Buch der Poetik des Julius Caesar Scaliger, jenes Grund-
buches der Renaissancedichtkunst, wo die Poesie
Virgils durch den Vergleich mit Homer, Apollonius
Rhodius und Theokrit an Einzelstellen erläutert und
eine Fülle von bleibenden Erkenntnissen zutage ge-
fördert wurde. Kann man ihm auch in seinem Verdikt
pro Virgil contra Homer nicht folgen, so muß man doch
seine Frage wieder aufnehmen: wie verhält sich Virgil
zu Homer?

Nicht nur vom Standpunkt der ästhetischen Kritik ist
dies das Hauptproblem, sondern auch von dem der
geisteswissenschaftlichen Betrachtung aus. Denn wenn
Virgil mit Homer verglichen wird, so werden nicht nur
zwei Kunstformen, sondern zwei Stufen der Geschichte
des menschlichen Geistes einander gegenübergestellt.
Die merkwürdige Wiederholung Homers in der Äneis,
die Bewahrung des homerischen Gutes im Bau eines
bleibenden Kunstwerks, das zu schaffen der Dichter
beansprucht[1], ist an sich schon ein höchst nachdenkens-

---

[1] Hat man je bemerkt, daß in den berühmten Versen des
sechsten Buches über die griechische und die römische
Kulturleistung die Dichtkunst nicht unter den Dingen
erwähnt wird, die bei den Griechen vortrefflicher seien?
Sainte-Beuve vermißt im sechsten Buch das Auftreten
Homers und meint, die chronologische Schwierigkeit hätte

15

wertes Phänomen. Denn die abendländische Dichtung von Dante bis Hofmannsthal hat immer wieder ähnliche Metamorphosen älterer Dichtung vollzogen. Das große Vorbild solcher Umwandlung, das über der europäischen Geistesgeschichte steht, ist die Einschmelzung Homers in die Äneis. Sie hängt mit dem virgilischen Bewußtsein der Form als Symbol aufs engste zusammen. Denn nur ein Dichter, der von dem Gleichnischarakter eines geformten Gedankens, von dem Symbolwert jedes menschlichen und geschichtlichen Vorgangs tief durchdrungen ist, kann bei so hoher schöpferischer Begabung in solchem Ausmaß zitieren, das heißt: Fremdes als Ausdruck des Eigenen empfinden. Doch ist damit nur eine Seite des geistigen und künstlerischen Vorgangs beleuchtet. Die Frage nach dessen Wurzeln könnte erst eine Geschichte des Formbewußtseins in der griechischen Dichtung gültig beantworten, wobei der alexandrinischen Entwicklung vielleicht eine besondere Bedeutung zukäme. Eine wichtige Voraussetzung liegt jedoch im Römischen selbst. Virgils Homeridentum ist verwandt mit der Ehrfurcht vor der Autorität geprägter Formen, die wir im Leben der Römer auch sonst finden. Wie eine politische Handlung daran gemessen wurde, ob sie mit der ,auctoritas maiorum' übereinstimme, so beurteilte man ein philosophisches oder poetisches Werk darnach, ob es der großen griechischen Vorbilder würdig sei. Nach der römischen Auffassung ist es überhaupt nur dort möglich, etwas Vollendetes zu schaffen, wo man

---

umgangen werden können. Über das Verdienst Virgils, in seinem Werk, das in Ewigkeit dauern werde, älteres Dichtungsgut bewahrt zu haben, Macrobius VI 1, 5.

an ein langsam Gewachsenes, historisch Gewordenes an-
knüpft, wo man vergangene Leistungen in neuer Form
fortsetzt und wiederholt, und in der Tat schließt ja der
Begriff der Vollendung den der Originalität aus.

Die Römer waren es daher auch, die den Begriff des
Klassischen im Sinne des ‚Maßgebenden‘ zuerst geprägt
und in ihrem Verhalten zu den griechischen Schöpfungen
fruchtbar gemacht haben. Daran war also nicht nur das
besondere Schicksal der römischen Literatur schuld,
die sich aus Übertragungen der griechischen entwickelte,
dann wäre diese höchst eigentümliche Entwicklung
nur das Ergebnis eines kulturgeschichtlichen Zufalls,
und auch nicht, was z. B. Richard Heinze für das Entscheidende hielt, der Mangel an Phantasie, dann wäre
sie nur die Folge eines nationalen Begabungsdefektes,
sondern eben jener Zug des römischen Geistes, das einmal gefundene Große und Wahre nicht versinken zu
lassen, zu ihm sich immer neu emporzuheben und es
so zu bewahren. Wie die Generationen des Römervolkes
durch die politischen Ordnungen der alten Res publica
hindurchschreitend jene Ordnungen unablässig ver-
jüngten und durch sie geprägt wurden, so war auch das
Leben des römischen Geistes bestrebt, sich in den alten
Formen der Griechen neu zu erfüllen und in sie die
eigenen Lebensgehalte einströmen zu lassen. Die
politische und religiöse Gebundenheit des Römertums
an den ‚mos maiorum‘ hatte in der geistigen Gebundenheit an die griechische Form ihr Analogon. Hier wie
dort herrschte die gleiche Selbstbescheidung, die gleiche
entsagungsvolle Zucht. Es ist eine Haltung, die die
gesunde Gebundenheit bäuerlicher Volkskultur mit den

sublimsten Errungenschaften des hellenischen Geistes zu vereinen weiß. Dieser glücklichen Konstitution des römischen Wesens verdanken wir das Zustandekommen der abendländischen Kultur. Aber während im politischen und religiösen Bereich die *exempla maiorum* von altersher das Dasein der Römer geprägt hatten, ist die Neuverwirklichung der poetischen Form der Griechen erst das Ergebnis des langen Prozesses, der das römische Schrifttum von den tastenden Versuchen eines Livius Andronicus bis zur augusteischen Höhe führte. Die griechische Form konnte erst in dem Augenblick würdig erfüllt werden, da die Menschen für sie innerlich reif geworden waren. Erst im Zeitalter des Augustus wurde das Gleichgewicht zwischen griechischer Form und römischem Gehalt erreicht, auf dem die neue klassische Kunst der Augusteer beruht. Die Krönung der Entwicklung im Römerepos des Virgil — für Horaz ließe sich Ähnliches aufweisen —, liegt darin begründet, daß hier zum ersten Male ein Dichter sich des Homer als des Inbegriffes griechischer Kunst und griechischen Menschentums bemächtigte, der nicht nur ein Thema von nationaler Bedeutung vorzutragen hatte — dies konnte auch schon von Naevius und Ennius gelten —, und nicht nur einer der größten Künstler war, die je gelebt haben, sondern der aus der Fülle des eigenen Daseins dem Homer an Großheit und seelischer Bewegtheit, an Schönheitssinn und Leidensfähigkeit Ebenbürtiges entgegenzubringen hatte und so zu jener Tiefe des Menschlichen vordringen konnte, die eine Intimität über den Abgrund der Zeiten ermöglicht. Das Glück der historischen Weltstunde trat hinzu. War es doch der fruchtbare Augenblick zwischen dem Jahrhundert der römischen Revolution und dem Frieden der Kaiserzeit, für den in ausgezeichnetem Maße gilt, was Hippolyte Taine in seiner ‚Italienischen Reise‘ als allgemeines Gesetz formulierte: ‚‚Das, was die Kunstwerke hervorruft, ist ein bestimmter zusammengesetzter und gemischter Zustand, der sich in der Seele einstellt, wenn sie zwischen zwei Epochen gelegen und zwischen zwei Gefühlsordnungen geteilt ist: sie steht im Begriff, den Sinn für das Große um des Sinnes für das Angenehme willen zu verlassen, aber während sie von dem einen zu dem anderen übergeht, vereinigt sie alle beide. Sie muß noch den Sinn für das Große haben, das heißt für die edlen Formen und tatkräftigen Leidenschaften, ohne welche ihre Kunstwerke nur gefällig sein würden, und sie muß schon den Sinn für das Angenehme haben, das heißt, das Bedürfnis nach Freude und die Sehnsucht nach Schmuck, ohne welche sie sich nur mit Taten beschäftigen und nicht an Kunstwerken ergötzen würde. Darum sieht man die flüchtige und kostbare Blume nur an dem Zusammenfluß zweier Zeitalter entstehen, zwischen den heroischen und den epikureischen Sitten, in dem Augenblick, in welchem der Mensch irgendein langes und mühevolles Kriegs-, Gründungs- oder Entdeckungswerk beendigend, anfängt, sich auszuruhen, um sich schaut und darauf sinnt, zu seinem Wohlgefallen, das große kahle Gebäude zu schmücken, dessen Grundsteine seine Hände gelegt und dessen Mauern sie aufgeführt haben. Vorher wäre das zuviel gewesen: er gehörte ganz und gar der Anstrengung und dachte nicht an Genuß, etwas später würde es zu spät sein: er denkt dort nur noch an

19

Genuß und kennt keine Anstrengung mehr. Zwischen diesen beiden findet sich ein einziger, mehr oder weniger langer Augenblick, in welchem die noch starken, feurigen, zu erhabener Erregung und kühner Unternehmung noch fähigen Menschen ihren gespannten Willen nachlassen, um auf prachtvolle Weise ihren Geist und ihre Sinne zu erheitern."

So war es dem Virgil vergönnt, nicht nur die Form Homers über die Zeiten zu retten, sondern auch etwas von seinem Geist, der ja von der Form untrennbar ist. Er stand erschüttert vor den Gedichten Homers wie sein Held vor den Reliefs des karthagischen Junotempels, die die tragischen Ereignisse des trojanischen Krieges schildern:

> *mentem mortalia tangunt.*

Andererseits hat er durch die Macht der griechischen Form, die er sich anverwandelte und mit Elementen altrömischer Dichtung verschmolz, und durch die beseelende Kraft seiner Kunst der lateinischen Sprache eine neue Schönheit verliehen, so daß sie seitdem etwas von der *anima Vergiliana* in sich trägt. Der augusteischen Humanität hat er so eine Wirkung gegeben, die auch heute noch nicht ganz erloschen ist, ja neue Möglichkeiten der Begegnung bereithält. In der Gewalt dieser Wirkung, im Ruhm Virgils, von dem Dante kündete, er werde dauern solange die Welt besteht, hat sich jene römische Grundüberzeugung bewährt, daß nur das Dauer hat, was sich an ein bereits Bewährtes und Dauerndes anschließt. So wächst die Synthese der griechischen und römischen Kultur, deren Frucht und

Symbol die Äncis ist, wächst die christliche Kultur, die sich aus jener Synthese entwickelte, und die Kontinuität des Abendlandes, die Einheit des ‚hellenozentrischen Kulturkreises' (Werner Jaeger) aus der gleichen Wurzel wie die römische *Res publica* und das römische Imperium : aus dem Römerwillen zur Dauer und aus der besonderen Art, in der er sich ausprägt.

Für eine solche Römerhaltung, wie sie sich dann in der christlich-mittelalterlichen Ordnung und im romanischen Traditions- und Formgefühl festsetzt, mußte Virgil der unüberbietbare Ausdruck des Dichtertums sein, wie er andererseits dem ewig ‚strebenden' modernen, und namentlich dem deutschen, Geist wie jene Ordnungen selber — die römische und die christliche — immer fremder und leerer erschien. Der Romanist Ernst Robert Curtius, der große Vorkämpfer für eine abendländische Bildung, dem wir einen der anmutigsten Beiträge zum Virgiljahr 1930 verdanken (‚2000 Jahre Virgil' in „Neue Schweizer Rundschau" 1930), schrieb im Jahre 1924: „Ein junger Deutscher, der Virgil liebt, ist ein interessanter Sonderling, ein ästhetischer Individualist, um nicht zu sagen ein Eigenbrötler. Die faustische Griechensehnsucht des deutschen Geistes macht ihn blind für die reinste Form der Latinität. Die Herrschaft Virgils im heutigen Abendland ist unbestritten vom jonischen Meer bis zum kaledonischen Strand. Jenseits des Limes ist sie nicht fest gegründet." (Französischer Geist im neuen Europa, S. 209). Heute ist es an der Zeit, dies zu ändern und das alteingewurzelte Vorurteil gegen Virgil zu überwinden. Der Streit, ob Homer oder Virgil größer sei, ist freilich müßig. Es gilt

einen Standpunkt zu gewinnen, der über dem romanischen steht, der auch heute noch dem Römer die Palme
reicht, und dem deutschen, dem dieses Urteil schlechthin unverständlich erscheint und der über das ,*nescio
quid maius nascitur Iliade*' immer nur lächelt. Es geht
dabei um mehr als nur um Virgil. Es geht um die Grundlagen der abendländischen Bildung. Zu ihr wollen wir
zurückkehren, das Gemeinsame, das Verbindende
suchend[1]. Wir müssen daher auch der Äneis als einer der
Bibeln des Okzidents in unserem Bildungsbewußtsein
wieder einen festen Platz erobern. Als ein Beitrag hiezu
möchte die vorliegende Arbeit angesehen werden.

---

[1] Denn Virgil ist der Klassiker Europas in dem tiefen
Sinne, wie es der Dichter T. S. Eliot in seiner Rede zur
Gründung der englischen Virgilgesellschaft verkündete:
What is a Classic ? Adress delivered before the Virgil
Society on the 16th of October 1944, London 1945. Deutsche
Übertragung in der Zeitschrift Merkur 1948, 1 ff.

I. KAPITEL: GRUNDTHEMEN

1. Die erste Szenenfolge (I 8—296)
als symbolische Antizipation
des Ganzen

er erste Höhepunkt des Gedichtes ist der Seesturm, der Äneas an die Küste Karthagos verschlägt. Er ist schon durch seine Stellung am Anfang des Ganzen mehr als eine Episode im Schicksal der heimatlosen Trojaner. Er versetzt die Seele des Lesers in den Zustand großgestimmter Erregung, der sie zur Aufnahme des gewaltigen Geschehens bereit macht, das an ihr vorüberziehen wird. Die Atmosphäre wildbewegter Pathetik der tragische Atem, der ihn erfüllt, verkörpert in höchster Steigerung und Verdichtung den Gefühlscharakter, von dem das Ganze getragen ist. Er ist gleichsam das ‚musikalische‘ Motiv, das dem Geschehen von Anfang an das Gepräge leidenschaftlicher Größe und dämonischer Schicksalsgewalt verleiht[1]. Nur das Bild höchster, wildester Bewegung aus der Natur, hindurchgegangen freilich durch das Medium Homers und erst durch dieses zur Würde der Kunst erhoben, erschien dem

---

[1] Statius hat das Motiv am Anfang der Thebais in dem nächtlichen Sturm nachgebildet, der Tydeus und Polyneikes in das Haus des Adrast treibt. Die Geschichte des ‚Sturmes‘ als tragisches Element und Eingangssymbol ließe sich über Shakespeare in die Moderne verfolgen. Eine große Rolle spielt es in der Oper.

23

Dichter zur Eröffnung des Römerepos genügend wuchtig
und groß.

Schon dieser Beginn zeigt, daß seine Kunst nach dem
Höchsten greift. Einmal gefunden, hat er etwas unmittelbar Überzeugendes. An sich war er jedoch keineswegs selbstverständlich. Homer bot nichts Ähnliches.
Die Odyssee setzt weit ruhiger ein. Eher könnte die Pest
des Iliasanfangs verglichen werden, wie denn die Äneis
an dramatischer Wucht der Ilias näher steht als die
Odyssee. Doch eilt dort Homer in raschem Drängen
dem Streit zwischen Achill und Agamemnon als dem
Ausgangspunkt der eigentlichen Handlung zu, ohne das
Motiv in stimmungsmäßigem Sinne zu nützen. Das
hellenistische Epos des Apollonius vollends, das in bei-
läufigem Erzählerton mit dem anekdotischen, fast das
Komische streifenden Orakel von dem ‚Mann mit dem
einen Schuh' anhebt, hat nichts von dieser symbolischen
Kraft. Es ist entgegen der landläufigen Meinung erheblich weiter entfernt von der Kunstauffassung Virgils
als die Epen Homers.

Die vom Seesturm beherrschte Szenenfolge (I 8—296)
ist jedoch nicht nur stimmungsmäßig, sondern auch ge-
danklich eine Antizipation des Ganzen. Sie ist gleichsam
das Präludium des Werkes, in dem wie in einer Ouvertüre[1]
seine Grundmotive vorweggenommen werden. Dies bedarf näherer Erklärung.

---

[1] Man fühlt sich bei Virgil oft an Vorgänge aus der Oper
erinnert. Dies hat seinen Grund nicht nur in der großen
Geste und dem Pathos der virgilischen Szenen, in dem Eindruck der Theatralik, der aus einer kunstvoll geordneten
Handlungsbewegung und auf die Wirkung hin arrangierten

Das Gedicht setzt nach dem Prooemium als Motiv des Hasses der Juno ihren Gegenplan auseinander, der die Weltherrschaft Karthagos zum Ziele hat. Gleich in den Worten, mit denen die geschichtliche Nebenbuhlerin Roms eingeführt wird, kündigt sich der Gegensatz zwischen den beiden Weltmächten an:

Carthago Italiam contra (I 23).

Das ,contra' ist nicht nur lokal, sondern vor allem symbolisch gemeint. Leicht verändert kehrt es im Fluche der Dido wieder (IV 628):

Litora litoribus contraria, fluctibus undas
Imprecor, arma armis, pugnent ipsique nepotesque.

Das Ringen zwischen Rom und Karthago um die Herrschaft der Welt erscheint so von Anfang als ein Hauptthema. Der Kampf der Juno gegen die Fata des Helden ist seine symbolische Vorwegnahme. Insbesondere sind die Kämpfe der zweiten Äneishälfte gewissermaßen eine Antizipation des Entscheidungskampfes zwischen Rom und Karthago, wie es der Dichter durch Jupiters Mund ausdrücklich verkündet (X 11). Dieses historisch entscheidende Ringen ist aber selbst nur ein stellvertretendes Symbol für alle großen und schweren Kriege der

---

Bilder- und Gebärdensprache notwendig erwächst (von der modernen Kritik, namentlich der deutschen, oft rein negativ gewertet, und einer der Hauptgründe für die ,Ablehnung' Virgils), sondern auch darin, daß Virgil sowohl durch die Äneis wie durch die Bucolica auf die Entstehung der Oper in Italien direkt und indirekt einen großen Einfluß gehabt hat. Zur allgemeinen Orientierung hierüber vgl. Romain Rolland, L'origine de l'Opéra in ,Musiciens d'autrefois'.

römischen Geschichte. Daneben ist die zweite Äneishälfte auch ein Sinnbild des Kampfes zwischen Rom
und den Italikern und ein Gleichnis der römischen
Bürgerkriege. Darüber hinaus enthält sie eine tiefe
Deutung des Wesens der Politik und ihres unheimlichen
Doppelcharakters: der dunklen Dämonie der Leidenschaften in Turnus stellt sich die leuchtende Kraft des
Geistig-Sittlichen in Äneas entgegen. Die römische Geschichte erscheint als der Kampf zweier Prinzipien und
der Sieg Roms als der Sieg einer höheren Idee. Die
zweite Äneishälfte ist also in ganz verschiedenem Sinne
symbolhaft, und es gehört zum Wesen des Symbols,
und dies zu erkennen ist zur Beurteilung der hier be-
handelten Erscheinungen von größter Wichtigkeit, daß
es verschiedene Deutungen gestattet, ja verlangt. Es ist
das Hauptmerkmal der symbolischen Relation, daß die
Beziehung des Zeichenseins für etwas, die in ihr liegt,
nicht streng, sondern schwebend ist, daß sie eine unendliche Perspektive eröffnet. ,,Symbolische Gegenstände", schreibt Goethe an Schiller in einem Brief vom
16. August 1797, ,,sind eminente Fälle, die in einer
charakteristischen Mannigfaltigkeit als Repräsentanten
von vielen anderen dastehen, eine gewisse Totalität in
sich schließen, eine gewisse Reihe fordern, Ähnliches
und Fremdes in meinem Geiste aufregen und so von
außen wie von innen an eine gewisse Einheit und Allheit
Anspruch machen." ,,Die Symbolik verwandelt die Erscheinung in Idee, die Idee in ein Bild, und so, daß die
Idee im Bild immer unendlich wirksam und unerreich-
bar bleibt und selbst in allen Sprachen ausgesprochen,
doch unaussprechlich bliebe" (Goethe, Maximen und

Reflexionen, Jubiläumsausgabe, 35. Band, S. 326)[1].
„Jedes echte Kunstwerk ist ein geheimnisvolles, viel-
deutiges, in gewissem Sinne unergründliches Symbol"
(Hebbel, Tagebücher, herausgeg. von Bamberger I 236).
Juno ist also zunächst die mythische Verkörperung der
geschichtlichen Macht Karthagos. Als solche greift sie
ein und verursacht den Seesturm und die Landung der
Schiffbrüchigen auf karthagischem Boden. Es ist be-
zeichnend, daß auch ihr leidenschaftlicher Haß aus
Liebe entspringt. Man hat die Äneis das Epos des
Schmerzes genannt. Man könnte sie auch den Helden-
gesang der Liebe nennen. Denn die tiefste Tragik aller
Gestalten ist es, daß sie ‚zuviel liebten‘, wie es der
Dichter von Euryalus sagt (IX 430):

Infelicem nimium dilexit amicum[2].

Dies gilt von Juno wie von Venus, von Turnus wie von
Dido, von Latinus (XII 29: *Victus amore tui.. vincla
omnia rupi*) wie von Amata, von Laokoon und Euander.
Liebe ist die bewegende Kraft alles dessen, was Äneas
tut. Selbst der Untergang des Unholds Mezentius ist
von dem Schmerz um den Tod seines Sohnes Lausus
verklärt. Es ist im Grunde ein Selbstmord aus Liebe.

---

[1] Den Hinweis auf diese Goethestellen verdanke ich
Richard Meister. Eine weitere Bestimmung des Symbols
findet sich in Goethes Aufsatz über Philostrats Gemälde,
Weimarer Ausgabe, 1889ff., Bd. 49, 141. Vgl. auch Fer-
dinand Weinhandl, Über das aufschließende Symbol,
Sonderhefte der Deutschen Philosoph. Ges. 6, 1929.
[2] Wjatscheslaw Iwanow, Vergil, Aufsätze zur Geschichte
der Antike und des Christentums, Berlin 1937, S. 66, macht
auf das merkwürdige Zusammentreffen mit dem ‚quoniam
dilexit multum‘ des Lucasevangeliums (VII 47) aufmerksam.

Auf der Ebene des menschlichen Geschehens setzt Äneas als das Urbild des Römertums diesem Schicksalsschlag den festen Willen entgegen, durch alle Fährnisse hindurch dem Ziel der Fata zuzustreben (I 204 ff.), auf der Ebene der göttlichen Handlung aber offenbart Jupiter der Venus die Entscheidung des Konfliktes:

> Ihre Pläne wird sie zum Besseren wenden und mit mir zusammen die Römer liebend schützen, die Herren der Welt, das Volk in der Toga.

> *Consilia in melius referet mecumque fovebit*
> *Romanos rerum dominos gentemque togatam.*

Wie die Handlung im höchsten Sinne zwischen Juno und Jupiter ausgetragen wird, so ist der erste Sinnabschnitt der Äneis von den Erscheinungen der beiden obersten Gottheiten umrahmt: die Komposition ist notwendiger Ausdruck eines inneren Sachverhalts, das äußere Gleichgewicht der Szenen Bild und Zeichen einer inneren Ponderation der Kräfte. Die Einbettung der menschlichen Handlung in die göttliche ist nicht nur ein künstlerisches Mittel, sondern Ausdruck eines Tatbestands. Damit ist eines der wesentlichen Geheimnisse der klassischen Komposition bezeichnet. Die Form ist nicht nur dem autonomen Gesetz der Schönheit unterworfen, sondern auch im Gegenstande selbst begründet, der durch die Aufgliederung in klare Antithesen in seinem Wesen erfaßt wird. ‚Die formale Vollendung ist nur ein anderer Aspekt der geistigen Durchdringung' (Ernst Robert Curtius).
Auch der Kontrast zwischen der heiteren Ruhe des Gottes (I 255) und der schmerzvollen Leidenschaft der

Juno unterstreicht die innere Spannung. Der leiden-
schaftflammenden Göttin steht der virgilische Jupiter
als der hohe Weltenherrscher gegenüber[1], als der erhabene Geist, der über den Leidenschaften und Leiden
thront. Deutlicher noch verkörpert sich dieser Aspekt
der höchsten Gottheit in den Versen des zehnten Buches,
die der Entscheidung vorangehen, die Jupiter im Streit
der Göttinnen fällt (X 100):

> Da hub an der allmächtige Vater, der die höchste
> Macht über die Welt hat,
> bei seinen Worten verstummt der Götter hohes Haus
> und die Erde, die
> in ihren Grundfesten erbebt, es schweigt der steile
> Äther. Da
> ruhen die Zephyrwinde, die Gewässer zwingt das
> Meer zum Frieden.

> *Tum pater omnipotens, rerum cui prima potestas,*
> *Infit, eo dicente deum domus alta silescit*
> *Et tremefacta solo tellus, silet arduus aether,*
> *Tum Zephyri posuere, premit placida aequora pontus.*

---

[1] Schon aus diesem formalen Grunde — und das formale
Kriterium hat bei einem klassischen Dichter primum
gradum certitudinis — scheint der Gedanke von Friedrich,
Exkurse zur Äneis, Philologus 1940, indiskutabel, daß
Virgil geplant haben könne, in der endgültigen Fassung
des Gedichtes, nachdem er die Heldenschau des sechsten
Buches entworfen hatte, die Jupiterrede für überflüssig
zu erachten und Jupiter selbst erst in der Götterversammlung des zehnten Buches auftreten zu lassen. Auch die
Versöhnung der Gottheiten im zwölften Buch (791 ff.) erfordert ihr Erscheinen im ersten. Davon unberührt bleibt
das Verdienst Friedrichs, wahrscheinlich gemacht zu haben,
daß die Verse, die das Gespräch zwischen Venus und Jupiter
einleiten und beenden, von Virgil (oder gar von Varius
und Tucca) eingefügte Stützverse sind, die in der endgültigen Fassung durch breiter ausgeführte Partien ersetzt
werden sollten.

Himmel und Erde schweigen und die Winde und das Meer. Die leidenschaftlichen Kräfte der Natur, alle Elemente beugen sich ihm[1]. Er repräsentiert den andern Göttern gegenüber nicht nur eine höhere Gewalt, sondern ein höheres Sein. Dies unterscheidet ihn vom homerischen Zeus. Zeus ist stärker als die andern Götter, Jupiter ist erhabener[2]. Nicht wie der Göttervater Homers tritt er uns hier entgegen: den Olymp durch das Winken seiner Augenbrauen erschütternd, sondern die Welt zu ehrfürchtiger Stille sänftigend (erst am Ende der Szene wird dann der berühmte Iliasvers nachgebildet X 115, ebenso IX 106). In ihm versinnbildlicht sich am größten die göttliche Macht, die die dämonischen Gewalten bändigt, die ,serenitas‘, jene Grundkraft der Latinität, in der sich Klarheit des Geistes, Heiterkeit der Seele und das Licht des südlichen Himmels zu einem unübersetzbaren Begriff verschmelzen. Von dem Bild des virgilischen Jupiter zieht sich durch die romanische Geistesgeschichte die Linie der ,Serenität‘ bis in unsere Tage, bis zur Formel, in der der greise Romain Rolland die Aufgabe des Menschen zusammenfaßte: ,la liberté de l'esprit qui sereine l'anarchie chaotique du coeur.‘

Der Jupiter Virgils ist das Symbol dessen, was Rom als Idee verkörpert. Er ist die ordnende Gewalt, die die dämonischen Mächte der Anarchie und Zerstörung in

[1] Auch die stoische Vorstellung des Weltenherrschers wirkt hier ein. Im Zeushymnus des Kleanthes heißt es: ,,Und das All gehorcht erschauernd, wo des Blitzes Kraft es trifft‘‘ (Wilamowitz).
[2] Auch Zeus trägt Züge der Erhabenheit. Aber der Jupiter Virgils würde sich nie auf seine physische Kraft berufen, wie es der urtümliche Gott der Ilias tut (vor allem Ilias 8, 5 ff.).

30

Schranken hält. Juno aber ist das göttliche Symbol dieser dämonischen Mächte. Sie scheut nicht davor zurück, die Geister der Tiefe zu rufen:

Flectere si nequeo superos, Acheronta movebo.

So ist in einer tieferen Schicht der Gegensatz der beiden obersten Gottheiten symbolhaft für jenen Doppelcharakter der Geschichte und der Menschennatur, für den Kampf zwischen Licht und Finsternis, zwischen Idee und Leidenschaft, Geist und Natur, Ordnung und Chaos, der Kosmos, Seele und Politik unablässig erfüllt. Von hier führt ein innerer Weg zu dem Geschichtsbild des christlichen Mittelalters, wie es Augustinus begründete.

Dieser Kampf und der schließliche Sieg der Ordnung, die Bändigung der Dämonen ist das Grundthema des Gedichtes, das in mannigfachen Variationen das Ganze durchzieht: als Bürgerzwist und Krieg tritt das Dämonische in der Geschichte, als Leidenschaft in der Seele, als Zerstörung und Mord im Walten der Natur auf. Jupiter, Äneas und Augustus sind seine Bändiger, Juno aber, Dido, Turnus und Antonius sind die besiegten Verkörperer des Dämonischen. Der Gegensatz zwischen Jupiters kraftvoller Ruhe und Junos schmerzlicher Leidenschaft kehrt in dem Gegensatz zwischen Äneas und Dido und auch Äneas und Turnus wieder. Der römische Gott, der römische Held und der römische Kaiser sind Inkarnationen der gleichen Idee.

Es entspringt daher einer inneren Notwendigkeit, daß Jupiter den Gedanken der pax Romana des Augustus, die auf der Bändigung des *Furor impius* beruht, am Ende der Rede verkündet, die die erste Szenenfolge des Gedichts beschließt: an dieser im Aufbau des Ganzen aufs stärkste herausgehobenen Stelle wird die Grundidee des Gedichtes in einem symbolischen Bilde sichtbar:

> Des Krieges Pforten werden sich schließen. Drinnen grollt der Dämon frevelnder Wut über grausamen Waffen hockend und mit hundert ehernen Knoten am Rücken gefesselt, furchtbar mit blutigem Mund.

> *Claudentur Belli portae. Furor impius intus*
> *Saeva sedens super arma et centum vinctus aenis*
> *Post tergum nodis fremit horridus ore cruento.*

Innerhalb der Äneis ist dies das größte Beispiel eines Symbols, das einen geschichtlichen Vorgang in ein Bild zusammenfaßt[1]. In dem Bild, in dem das blutige Geschehen der Bürgerkriege noch nachzittert, gipfelt und endet die Rede des Gottes und läßt so die wilde Bewegung des menschlichen Geschehens in die ruhige Ordnung der göttlichen Fata einmünden. Nach dem ,*altae moenia Romae*‘, das das Prooemium bedeutsam beschließt, und dem ,*tantae molis erat Romanam condere gentem*‘, mit dem der Abschnitt ,*Musas mihi causas memora*‘ endet, öffnet sich hier zum drittenmal der Blick auf den eigentlichen Gegenstand des Gedichtes: das Schicksal Roms. Darüber hinaus aber enthüllt sich hier der symbolische Sinn der römischen Geschichte:

---

[1] Das Bild selbst ist durch griechische Vorstellungen geprägt. Ich erinnere an das Gemälde des Apelles, das Alexander mit dem Blitz, den Dioskuren und der Nike auf einem Triumphwagen darstellte, dem der ,Krieg‘ mit auf den Rücken gebundenen Händen folgte. Nach Servius befand sich auf dem Augustusforum angeblich ein solches Bild des gefesselten Furor.

als Frucht harter Kämpfe und bitterer Leiden verwirklicht sich eine gottgewollte Ordnung.

In die größere Umrahmung des Seesturms durch Jupiter und Juno ist eine kleinere durch Äolus und Neptun eingefügt. Dem Kontrast zwischen der Leidenschaft der Juno und der Serenität Jupiters entspricht der Gegensatz zwischen der düsteren Ruhe des Äolus und der heiter bewegten Meeresfahrt Neptuns. Der König der Winde hält die wilden Kräfte mit römischer Herrschergeste in Bann, eine Gebärde, der sich nichts Homerisches zur Seite stellen läßt:

> Hier zwingt König Äolus in gewaltiger Höhle ringende Winde und brausende Stürme durch seine Herrschgewalt nieder und durch Bande und Kerker zügelt er sie, unter großem Donnern umtosen sie wütend des Berges Verrieglung. Auf hoher Burg thront Äolus, das Szepter in Händen, und sänftigt die Geister und bändigt den Zorn.

> I 52: *Hic vasto rex Aeolus antro*
> *Luctantis ventos tempestatesque sonoras*
> *Imperio premit ac vinclis et carcere frenat.*
> *Illi indignantes magno cum murmure montis*
> *Circum claustra fremunt, celsa sedet Aeolus arce*
> *Sceptra tenens mollitque animos et temperat iras.*

Das Historisch-Politische schimmert auch hier durch das Mythisch-Naturhafte leise durch. Man spürt die Verwandtschaft mit der Bändigung des *Furor impius* durch Augustus. Noch deutlicher vielleicht ist dies bei der Neptunszene der Fall.

Das Toben des Sturmes sänftigt der Meergott, der wie Jupiter nicht nur durch sein Tun, sondern schon durch die stille Macht seiner Erscheinung zu den wilden Gewalten in Kontrast tritt[1]. Die Bändigung selbst aber wird in einem Gleichnis, das als das erste des Gedichts und als eines, das nicht dem Homer entstammt, als besonders bedeutsam herausgehoben ist, mit einem politischen Akt verglichen:

> Wie in einem großen Volke oft ein Aufruhr sich erhebt, schon fliegen Fackeln und Steine, und blinde Wut liefert die Waffen: schauen sie dann wohl einen Mann, der Gewicht hat durch Frömmigkeit und Verdienste, so schweigen sie still und stehen mit aufgerichteten Ohren da: er lenkt durch seine Worte die Geister und sänftigt die Herzen: so sank das ganze Tosen des Meeres.

> I 148: *Ac veluti magno in populo cum saepe coorta est*
> *Seditio saevitque animis ignobile volgus*
> *Iamque faces et saxa volant, furor arma ministrat,*
> *Tum pietate gravem ac meritis si forte virum quem*
> *Conspexere, silent arrectisque auribus adstant,*
> *Ille regit dictis animos et pectora mulcet:*
> *Sic cunctus pelagi cecidit fragor.*

---

[1] I 126: graviter commotus et alto
Prospiciens summa placidum caput extulit unda.
Ferner 154 ff. Zu dem ‚Widerspruch' zwischen ‚graviter commotus' und ‚placitum caput extulit unda' bemerkt Sainte-Beuve: ‚Il n'y a pas là de contradiction pas plus que dans le ʼmens immota manet, lacrimae volvuntur inanes'. Si un homme ferme et qui a pris un parti pénible, peut verser des larmes sans que son coeur soit ébranlé, un dieu peut bien être ému au dedans, sans que cette émotion ôte le caractère de haute placidité à son front'. Man könnte noch weitergehen und sagen: Aeneas, Neptun und Jupiter sind sich steigernde Verkörperungen der Bändigung der Leidenschaften, die beim Menschen schmerzvoll errungen wird, bei der Gottheit sich mit erhabener Leichtigkeit vollzieht. — Winckelmann hat die Verse:

> Tum pietate gravem ac meritis si forte virum quem
> Conspexere, silent arrectisque auribus adstant

in seiner Erstlingsschrift in dem berühmten Abschnitt über

Man hat hierin eine Anspielung auf eine politische Szene
des Jahres 54 gesehen, wo Cato in ähnlicher Weise die
tobende Volksmenge beruhigte (Plutarch Cato minor 94.
R. S. Conway, ‚*Poesia ed impero*‘ in ‚*Conferenze Virgiliane*‘, Mailand 1931). Ganz unmöglich scheint dies nicht.
Der Republikaner Cato war dem Dichter ein Vorbild
echten Römertums: auf dem Äneasschild (VIII 760)
erscheint er als Gegengestalt des büßenden Frevlers
Catilina. Sallust hatte ihn in der ‚*Coniuratio Catilinae*‘
als Inkarnation der Prinzipien römischer Größe dargestellt und über alle Gestalten seines Geschichtswerks
hinausgehoben[1], ja wahrscheinlich hat er schon den
Gegensatz zwischen Cato und Catilina als ein Gleichnis
des Konfliktes zwischen Octavian und Antonius aufgefaßt, der bei Virgil hineinspielt. In der horazischen
Römerode *Iustum et tenacem propositi virum* scheint
sein Bild ebenfalls durch. Cicero (vor allem in seinem
verlorenen Cato) und Sallust, die Wegbereiter der
augusteischen Erneuerung, und Virgil und Horaz, ihre
poetischen Künder, haben jeder in seiner Weise dem
unbedingtesten Vertreter römischer Gesinnung und
letzten großen Repräsentanten altrömischer Haltung
gehuldigt. Er stellt auch für die augusteische Zeit ein
Ideal echten Römertums dar, ein Zeichen übrigens für
den Geist der Versöhnung gegenüber den Gegnern

---

die ‚edle Einfalt und stille Größe als vorzügliches Kennzeichen der griechischen Meisterwerke‘ zur Illustration
der Ruhe und Stille der erhabenen Figuren in Raffaels
‚Attila und Leo der Große‘ zitiert.
[1] Vgl. Pöschl, Grundwerte römischer Staatsgesinnung in
den Geschichtswerken des Sallust, Berlin 1940, 10.
[2] Pöschl a. O., 83, 3.

Caesars, der die Epoche erfüllte, und für den Ernst der Absicht, die Republik wieder herzustellen.

Ich muß jedoch gerade, weil ich die Möglichkeit eines Zusammenhangs zwischen einer Szene aus der politischen Laufbahn des Cato Uticensis[1] und dem ersten Gleichnis der Äneis nicht bestreiten will, umso nachdrücklicher darauf hinweisen, daß hiermit nicht allzuviel gewonnen ist. War Cato schon von dem Thukydideer Sallust nur als Typus des idealen römischen Staatsmanns gekennzeichnet, wie die Verschwörung des Catilina für ihn nur ein Beispiel des römischen Verfalls war, ein Symptom, an dem der Krankheitsprozeß veranschaulicht werden konnte, so ist der Sinn des Dichters erst recht nicht auf eine historische Einzelerscheinung gerichtet, sondern höchstens auf die Idee, die sich in ihr verkörpert, hier also die Idee des Staatsmanns, dessen Autorität die Menge in Bann schlägt. Diese Idee erscheint bei ihm in einem poetischen Symbol, in einer verklärten Form der Wirklichkeit. Gleichungen zwischen einer historischen und einer poetischen Gestalt können nicht nur niemals mit voller Beweiskraft aufgestellt werden, worüber sich die Verfechter einer allegorischen Äneisdeutung nicht im Klaren sind, sondern in der Art, wie sie vorgetragen werden, sind sie a priori falsch: sie leiden an dem Fehler, daß sie Symbol und Allegorie verwechseln: das Symbol besteht auch ohne den Bezug auf das andere, das sich in ihm gestaltet, die Allegorie

---

[1] Wie bei Horaz kann es nicht mehr sein als eine vage Erinnerung. ,,Pietas" ist, obwohl sie auch Cato zugeschrieben werden könnte, nicht die Tugend, die sich zu seiner Charakterisierung als erste anbietet.

36

nur durch diesen. Das Symbol gestattet, ja verlangt mehrere Deutungen, die Allegorie nur eine einzige[1]. Rang und Stil der Äneis haben keinen Raum für die Allegorie als Verschlüsselung politischer und histori- scher Fakten. Es hieße die ideale Geltung des Helden- liedes und seinen Charakter als Kunstwerk verkennen, wollte man es in nichts als Allegorie auflösen. Die Szenen mögen zuweilen an wirkliche Vorgänge und Gestalten erinnern oder symbolhaft auf sie hinweisen, wie in diesem Fall oder bei dem Unhold Cacus (VIII 185 ff.), in dessen Wirken sich vielleicht Greuel der Proskriptio- nen des Antonius verbergen, wie Conway glaubt. Aber die Beziehung, die diese Szenen mit den historischen Tatsachen verknüpft, ist geheimnisvoller und weniger einfach. Die Verwandlung, die sich hier vollzieht, ist ein Vorgang höherer Art[2]. Die geschichtlichen Ereignisse und die seelischen Erfahrungen des Dichters werden des Zufälligen und Aktuellen entkleidet, aller Zeitlich- keit enthoben, in das ferne und große Reich des Mythi- schen entrückt und dort auf einer höheren Stufe des Lebens in symbolisch-poetischen Gebilden entwickelt, die ein eigenes Daseinsrecht haben.

Entscheidender als eine etwaige verhüllte Beziehung auf den jüngeren Cato ist daher, daß die Sänftigung des Sturmes durch ein Gleichnis erläutert wird, in dem

[1] Vgl. auch Friedrich Gundolf, Shakespeare und der deutsche Geist, Bonn 1911, S. 1: ,,Symbol ist Gestalt eines Wesens, fällt mit ihm zusammen, stellt dar, was es ist. Allegorie weist auf etwas hin, das es nicht ist."
[2] Hieraus geht hervor, in welch wesentlichem Sinne die Ergebnisse von Conway in dem genannten Aufsatz und des Buches von D. L. Drew, The Allegory of the Aeneis, Oxford 1927, eingeschränkt werden müssen.

für einen Augenblick die Sphäre aufleuchtet, die für das Gedicht von größter Bedeutung ist: die geschichtliche Welt. In dem *princeps rei publicae*, der als ein Bändiger des aufrührerischen Volkes erscheint, wird der Bezirk politischer Wirklichkeit beschworen, der das überwundene Gegenbild der augusteischen Ordnung darstellt. Für einen Moment wird der historische Hintergrund sichtbar, vor dem sich das mythische Geschehen abspielt.

Der Grundgedanke der Bändigung ist also in der ersten Szenenfolge der Äneis in fünffacher Gestalt verkörpert: in der Gefangenhaltung der Winde durch Äolus, in ihrer Bändigung durch Neptun, in der Haltung des Äneas, der den Schlag des Schicksals innerlich überwindet, in der Fesselung des Furor impius durch Augustus, die Jupiter prophezeit, und schließlich in der Gewalt des Gottes selbst, der die Fata fest in Händen hält. In der ‚römischen‘ Herrschergeste des Äolus und in dem Gleichnis, das Neptun als *princeps rei publicae* erscheinen läßt, nichts weiter als Metaphern zu sehen, die sich dem Dichter aus der römischen Vorstellungswelt von selbst aufdrängten, hieße den Zusammenhang von Inhalt und Form zerreißen und die innere Einheit des Gedichtes verkennen, die sehr viel tiefer greift, als man gemeinhin ahnt. Daß im Neptungleichnis ein natürlicher Vorgang durch einen politischen gedeutet wird, ist ein Zeichen dafür, daß umgekehrt auch die Natur ein Sinnbild der politischen Ordnung ist. Der Vergleich, der die beiden Sphären verknüpft, wird zum Ausdruck des symbolischen Bezugs von Natur und Politik, von Mythos und Geschichte, der der Äneis zugrunde liegt.

Beide Ordnungen stehen wie schon in den ‚Georgica‘
nicht nur in poetisch gleichnishafter Beziehung, sondern
sie sind miteinander ontologisch verbunden. Der Weltenherrscher Jupiter hält beide in seiner Gewalt. Am er-
habensten verkündet die religiös-philosophische Offenbarung des sechsten Buches ihre Einheit.
Daß Augustus das ‚Reich durch den Ozean und den
Ruhm durch die Sterne begrenzt‘, ist also mehr als ein
hyperbolischer Ausdruck. Die Unendlichkeit des Kosmos fließt mit der Erhabenheit des Imperium Romanum
in eins zusammen. Die römische Ordnung ruht in dem
göttlichen All, aus dem sie ihre Größe ableitet[1]. Diese
Überzeugung ist ein wesentliches Element der augusteischen Weltansicht. Es ist der Grundgedanke, der die
Deutung der römischen *Res publica* in Ciceros Staats-
dialog trägt: d. h.: Virgil folgt hier den philosophischen
Anschauungen Ciceros und damit denen Platos. Die
platonische Idee der Einheit von Kosmos und Politeia
und die hieraus entwickelte ciceronische von der Einheit
der Weltenordnung und der wahren *res Romana* vereinigen sich bei ihm mit dem homerischen Glauben an
die Einheit der Natur, in die sich die Menschenwelt
organisch einfügt, zu einer neuen Synthese: der augusteischen Romidee.
Der Äneismythos ist, auch soweit er Naturereignisse
schildert, ein Gleichnis der römischen Geschichte und
der augusteischen Erfüllung. Aber auch Rom ist nicht
das Letzte und Höchste. Die Äneis ist eine Menschheits-
dichtung und kein politisches Manifest. Mythos *und*

---

[1] Hierzu Klingner, Rom als Idee, Die Antike 3, 1927, 3
und Das neue Bild der Antike, 234.

Historie haben Sinn und Größe als Ausdruck eines höheren Dritten, als Verwirklichung einer göttlichen Seinsordnung, als Symbol kosmischer Schicksalsgesetze, die sich im Dasein der Welt und des Menschen erfüllen. Drei Wirklichkeitssphären sind somit über- und ineinander. gelagert und gleichnis- und wesenhaft miteinander verbunden: 1. die Welt der göttlichen Ordnung, die man auch bezeichnen könnte als die Welt der Ideen und Gesetze, 2. die Welt der poetischen Gestalten und Schicksale und 3. die Welt der historisch-politischen Erscheinungen: Kosmos, Mythos und Geschichte. Der Mythos als das poetisch symbolische Zwischenreich hat an der oberen wie an der unteren Sphäre teil, er verkörpert nach unten die römische Geschichte, nach oben die ewig gültigen Gesetze des Weltalls. Ebenso ist auch die Tragik der Äneis nicht nur ein Symbol für die Tragik der römischen Geschichte, sondern ebensosehr für die Tragik des Menschenlebens schlechthin, ja die Tragik der ganzen Natur, die in den Georgica die erhabenste Darstellung gefunden hat[1]. Jede vereinseitigende Sinndeutung würde der dichterischen Tiefe des Werkes nicht gerecht. Die Interpretation der Äneis muß sich stets beide Beziehungen gegenwärtig halten: die kosmische und die römische, die menschliche und die historische. Beide sind berechtigt und notwendig, doch nur beide zusammen, niemals eine für sich allein, können den Anspruch machen, das Ganze zu fassen.

---

[1] ,,Das Feld der Epopöe, wenn es dieses Namens wert sein soll, fordert gleichsam die Mitwirkung der ganzen Natur, die ganze Ansicht der Welt zwischen Himmel und Erde" (Herder, Adrastea X. Stück, Bd. 24, 281 Suphan).

Als Ergebnis bleibt festzuhalten: Die erste Szenengruppe der Äneis enthält *in nuce* alle Gewalten, die das
Ganze tragen. Der Seesturm, der das Gedicht eröffnet,
ist eine Welle, die gegen das römische Schicksal brandet,
viele Wellen werden folgen, bis Augustus sie alle
sänftigt, ,das Imperium durch den Ozean, den Ruhm
durch die Sterne begrenzend'. Die Forderung, die
Goethe an das Drama stellt, daß jede Szene das Ganze
symbolisch repräsentieren müsse, ist in der Exposition
des virgilischen Epos in idealer Weise erfüllt.

2. Seesturm- (I 8—296) und Allekloszenen (VII 286—640) als Eingangssymbole der odysseischen und der iliadischen Äneishälfte

In den beiden Teilen der Äneis verbinden sich Odyssee
und Ilias zu einer höheren Einheit. Schon im Prooemium bezieht sich *Multum ille terris iactatus et
alto* auf die Erneuerung der Odyssee, *multa quoque
et bello passus* auf die der Ilias, ja möglicherweise
liegt schon in den ersten Worten in ,*arma*' eine Hindeutung auf die Ilias und in ,*virumque*' auf die Odyssee,
wie Servius glaubte. Die vom Seesturm beherrschte
Szenenfolge (I 8—296) ist daher nicht nur als Einleitung
des Ganzen bedeutsam. Sie ist auch gleichsam das
Frontispiz der odysseischen Hälfte. Der Sturm ist die
erste große Bewährung des ,odysseischen' Äneas, dem
sich als weitere Prüfungen die im Keim ebenfalls
odysseischen Irrfahrten (III), das Didoabenteuer (IV)

und der Hadesgang (VI) anschließen, wozu dann noch
die Iliupersis (II) und die Kampfspiele (V) treten, die
gleichfalls aus Motiven der Odyssee entwickelt sind
(die Iliupersis kann als eine Entfaltung der odysseischen
Erinnerungen an den trojanischen Krieg betrachtet
werden, wie sie namentlich in der Telemachie in den
Reden des Nestor und des Menelaos und im Lied der
Demodokos über die Zerstörung Trojas hervortreten)
Und zwar lehnt sich der Seesturm als das erste
Motiv aus der Odyssee wie überhaupt die homerischen
Stücke des ersten Buches weit enger an das Vorbild an
als die folgenden Bücher. Dies ist schon Sainte-Beuve
aufgefallen (Étude sur Virgile, 2nde édition p. 107):
‚Sa première Eglogue, je veux dire, la première en
date, est toute parsemée des plus gracieuses images de
Théocrite, de même que son premier livre de l'Énéide se
décore des plus célèbres et plus manifestes comparaisons
d'Homère: c'est tout d'abord et aux endroits les plus
en vue qu'il les présente et qu'il les place. Loin d'en
être embarassé, il y met son honneur'. Im ersten Buch
handelt es sich zudem nicht nur — und das ist eben das
Bemerkenswerte — um Übernahme einzelner verstreuter
Motive, die in einen andersartigen Zusammenhang verflochten wären, sondern um die Übertragung von
Situationen, die für das Geschehen von großer Bedeutung sind. So entstammen der Odyssee: die Einleitung der Katastrophe durch die feindliche Gottheit,
die Katastrophe selber, der Verzweiflungsmonolog des
Helden, der ‚Phorkyshafen‘, die tröstende Ansprache
O socii (I 198), die Begegnung mit Venus als Umformung
des Zusammentreffens des Odysseus mit Athene auf

42

Ithaka, die Unsichtbarkeit des Helden bei seinem Gang
durch Karthago in Nachahmung der Ankunft des
Odysseus in der Phäakenstadt, die Begegnung mit Dido
in Form des Nausikaagleichnisses, das Erscheinen des
Äneas vor Dido im Gleichnis des Fremdlings, dem seine
Beschützerin strahlende Schönheit verleiht, das Gespräch zwischen Jupiter und Venus als Nachbildung
des Dialogs zwischen Zeus und Athene im ersten Buch
der Odyssee, ja das innerste Motiv der Jupiterrede
selbst: die Deutung des Gedichts. Denn der Gedanke,
gleich zu Beginn in einer Rede des Göttervaters das
Ganze unter einen höheren Gesichtspunkt zu stellen,
ist von der Odyssee angeregt: dort weist Zeus im Gleichnis des Orestesschicksals auf den Freiermord als das
Ziel der epischen Erzählung hin und läßt die Rache an
den Sterblichen, die sich vergingen, als das Leitthema
erkennen. In den beiden ersten Reden des Äneas
(I 94 und 198) ist die Anlehnung an Homer, natürlich
in bewußter Absicht, noch dadurch besonders hervorgehoben, daß die Anfänge wörtlich übernommen sind
(I 94 = Od. 5, 306. I 198 = Od. 12, 208), während sich
das Folgende dann zu größerer Selbständigkeit, und
zwar im Sinne einer Steigerung des Homer entfaltet.
So setzt auch das Drama der karthagischen Königin
mit dem homerischen Nausikaagleichnis ein, aber es
entwickelt sich daraus keine Nausikaaepisode, sondern
eine Didotragödie. An die Spitze seines Gedichtes setzt
also der Dichter eine Szenenfolge, die eine Huldigung
an Homer darstellt und zugleich den Wettkampf mit
dem griechischen Dichter beispielhaft durchführt. Denn
je offener er hier die Abhängigkeit bekundet, umso mehr

setzt er seinen Ehrgeiz darein, den Homer in der Vollendung der Form und in der Deutung und Verknüpfung der Motive zu übertreffen. Darum bietet auch das erste Buch die günstigste Voraussetzung für den Vergleich der beiden Dichter und die Erkenntnis der Kunstprinzipien Virgils[1].

Im Gegensatz hierzu sind die odysseischen Motive der folgenden Bücher viel selbständiger gestaltet. Von der Zerstörung Trojas ist dies bekannt (II). Im Buch der Irrfahrten (III), wo der Anschluß an die Odyssee besonders nahe gelegen wäre, ist dem Dichter das elegische Ausklingen der Vergangenheit (Polydorus, Helenus, Andromache) und die stufenweise Enthüllung der Zukunft wichtiger als die eigentlichen Abenteuer. Das Hauptinteresse liegt auf dem inneren Leid des Äneas, das sich in dem Maße vertieft, als er der Größe und Schwere seines Schicksalsauftrages mehr und mehr inne wird, nicht auf den äußeren Schrecken der Fahrt. Die Anklänge an die Odyssee sind gering. Das Thema der weiblichen Lockung (IV), das in den odysseischen Frauengestalten der Kalypso, Kirke und Nausikaa nur angedeutet war, ist zur Tragödie der Verlassenen und zur großen Bewährungsprobe des Helden gesteigert. Die Spiele (V) weichen schon in der Art der Wettkämpfe weitgehend von Homer ab. Die Hadesfahrt (VI) schließlich ist nicht mehr ein Abenteuer unter anderen, sondern wie die Begegnung mit Dido eine Bewährung des Helden, eine Probe seiner pietas und eine Offen-

---

[1] Auf Einzelheiten komme ich in den Kapiteln über Äneas und Dido und im Schlußkapitel zurück.

44

barung des symbolischen Sinnes des Ganzen. Denn das
Buch enthält — über die Jupiterrede des ersten Buches
hinaus — die umfassendste Deutung des Gedichtes und
die sichtbarste Verknüpfung des mythischen Geschehens
mit den beiden Welten, an denen die poetische teilhat,
der ewigen Ordnung des Universums und der römischen
Ordnung des Erdkreises: in der mythischen Form eines
Ganges durch das jenseitige Reich, von wo aus allein
ein Blick von ‚außen‘ auf die Welt und ihren geheimnisvollen Zusammenhang möglich war[1], erfährt der Held
selber den Zusammenhang des irdischen Lebens mit der
Weltordnung und seines eigenen Schicksals mit der
römischen Geschichte. Wieder erweist es sich, daß
zwischen der Götterordnung, als deren Mahnung
Phlegyas verkündet:

> *Discite iustitiam moniti et non temnere divos*

und der Römerordnung. die Anchises am Ende des
Buches offenbart:

> *Tu regere imperio populus Romane memento*

ein fester innerer Bezug besteht: ‚*Iustitia*‘ ist das Funda-
ment, das beide trägt, wie es das Kernprinzip der cicero-
nisch-platonischen Res Romana war. Die ‚Gerechtigkeit‘
vollzieht sich im jenseitigen Reich wie im diesseitigen
in einer Bändigung und Bestrafung dämonischer Gegen-
gewalten: die großen Frevler und Rechtsbrecher, an
erster Stelle die Staats- und Majestätsverbrecher der

---

[1] Ciceros ,,Somnium Scipionis‘‘ ist, wie schon Norden hervorhob, eine andere Abwandlung der gleichen Form.

45

Weltordnung, die Aufrührer gegen die Herrschaft des Jupiter (VI 583 f.), sind im Tartarus hinter dreifacher Mauer verwahrt, um ihr Verbrechen in ewiger Qual zu büßen, und auch die Anstifter ruchloser Kriege fehlen nicht (,*qui arma secuti impia*‘ VI 612 f.). In der Verwandtschaft dieser Mauern (VI 548 ff.) mit dem Berg der Winde und des Tartarustores mit dem Janustor, hinter dem der Furor impius gefesselt sitzt, verrät sich die innere Zusammengehörigkeit der Motive. Im ‚römischen‘ Tartarus des Äneasschildes erscheint an den Felsen geschmiedet Catilina als Repräsentant der römischen Staatsfeinde (VIII 668 ff.), die aus ‚chronologischen‘ Gründen im sechsten Buch keinen Platz finden konnten. Der Gedanke Dantes, die großen politischen Verbrecher in der Hölle büßen zu lassen, geht somit auf Virgil zurück.

Wie nun das erste Buch sich verhältnismäßig eng an odysseische Motive anschließt, die andern Bücher aber sich von dem Vorbild weiter entfernen, so ist es andererseits auffallend, und ich halte dies für wohlerwogene Absicht, daß von allen Büchern der iliadischen Hälfte gerade das letzte die meisten übernommenen Situationen aufweist, während umgekehrt das Anfangsbuch, das siebente (neben dem achten) das selbständigste ist, wie vielleicht auch das sechste Buch als das virgilischeste der ersten Hälfte betrachtet werden kann (im vierten Buch ist zwar nicht der Einfluß des Homer, aber der des Apollonios stärker als irgend ein Vorbild im sechsten Buch). Der Sinn für Ponderation und Symmetrie, von dem das Ganze durchdrungen ist, bekundet sich hier in höchstem Maße: Virgil hebt sich von dem im engeren

Sinne Homerischen zu Eigenem und Eigenstem empor,
um dann wieder zu Homer zurückzukehren. In der
homerischen Schale liegt der virgilische Kern.

Wie die *odysseische* Hälfte mit dem dramatischen Seesturm einsetzt, der die unheilvolle Atmosphäre verkörpert, in der sich die ‚Odyssee' des Äneas (I—VI)
abspielt, so versinnbildlichen die Allektoszenen am
Anfang des zweiten Teiles die tragische Stimmung der
iliadischen Äneishälfte (VII—XII). Schon Richard
Heinze[1] hat gezeigt, daß beide Szenengruppen, hauptsächlich, was die Art ihrer Einleitung durch Juno betrifft, genau korrespondieren. Hierin liegt aber der
Beweis, daß die Deutung des Sturmes als eines Ein-
leitungssymbols der ersten Hälfte keine willkürliche
Annahme ist, sondern auf der Intention des Dichters
beruht. Denn da diese Funktion für die durch kein
homerisches Vorbild hervorgerufenen Allektoszenen
auf der Hand liegt, muß sie nach den strengen Sym-
metriegesetzen der klassischen Komposition auch für
den Seesturm gelten. Zu den Entsprechungen, die Heinze
feststellte, tritt also die gleichgerichtete *Funktion* der
Szenen als eines ‚symbolischen' Auftaktes der beiden
Hälften des Epos hinzu. Der Dämonie der Natur im
ersten Buche stellt sich die Dämonie der geschichtlichen
Welt im siebenten zur Seite.

Wie nun die Ilias erhabener ist als die Odyssee, so ist die
zweite Äneishälfte die ‚größere' (VII 44):

> *Maiorum rerum mihi nascitur ordo,*
> *Maius opus moveo.*

---

[1] Richard Heinze, Virgils epische Technik[3], Leipzig 1915,
S. 82, auch im folgenden immer nach der 3. Auflage zitiert.

Auch die Gewalt des feindlichen Schicksals, das sich gegen die Trojaner erhebt, ist bedeutend gewachsen: das Wirken der Allekto entfaltet sich ungleich wilder und dämonischer als das der Äoluswinde, und während der Seesturm ein odysseisches Motiv entwickelt, ist hier Virgil von Homer ganz unabhängig. Der Dichter wagt es, die Mächte der Hölle in die Handlung einzuführen, was Homer vermieden hatte. Ich halte es auch für ganz unwahrscheinlich, daß Ennius eine in der Komposition irgendwie entsprechende Szenenfolge aufwies, wenn er auch, wie Norden[1] zeigte, manche Einzelheit beigesteuert und wichtige Züge der Allekto in seiner Discordia vorgebildet hat. Zwischen der Discordia, die als Kriegsdämon bei ihm erwähnt wird, und der Furie Allekto besteht dennoch ein erheblicher Unterschied.

In der Folge dreier Szenen enthüllt die Furie ihr höllisches Wesen: in dem allmählich sich steigernden orgiastischen Wahn der Amata[2], in der dramatischen Gewalt

---

[1] Über ‚Vergil und Ennius‘ Norden, Berlin 1915, und S. Wiemer, Ennianischer Einfluß auf Vergils Aeneis VII—XII, Greifswalder Beiträge zur Literatur- und Stilforschung, Greifswald 1933.

[2] Die Steigerung wird mehrfach erwähnt: VII 354 ff. 374.

385: Quin etiam in silvas simulato numine Bacchi
Maius adorta nefas maioremque orsa furorem
Evolat.

Sie ließe es verständlich erscheinen, daß, wie Heinze sich ausdrückt, zuerst von ‚fingiertem‘ (simulato numine Bacchi) dann von wirklichem dionysischen Rasen (reginam Allecto, stimulis agit undique Bacchi) die Rede ist. Das wäre also nicht unbedingt ein ‚Widerspruch‘. Aber ‚simulato numine Bacchi‘ bedeutet gar nicht ein ‚fingiertes Rasen‘. Numen bezeichnet wie in I 8: ‚quo numine laeso‘ und VII 583: ‚bellum perverso numine poscunt‘ den ‚Willen der Gott-

des Turnustraumes und in der bewegten Jagd auf den Hirsch der Silvia. Diesen Szenen entsprechen als Verkörperungen der Allekto die Schlange, die Amata ihre ‚Vipernseele einhaucht' (VII 351), die Fackel, die die Furie dem Turnus in die Brust stößt (456 f.) und die ‚plötzliche Wut' (479) der Hunde des Ascanius.

Namentlich aber hat die erste der Szenen die Funktion, das dämonische Wesen der Allekto in leidenschaftlichste Bewegung umzusetzen und im Geschehen der Handlung steigernd fortzuleiten. Die Frage nach ihrem Sinn warf zuerst Heinze auf. Er kam zu dem Schluß, daß das Motiv infolge ‚Unklarheit der Behandlung' nicht voll zur Geltung komme (S. 187). Aber abgesehen davon, daß nichts unklar ist[1], ist es nicht das wichtigste Anliegen des Dichters, ein neues Motiv für die Entstehung des Krieges zu gewinnen, wie Heinze annimmt[2]. Schon Friedrich hat richtig gesehen, daß die ‚impotentia' der

---

heit'. Der Ausdruck besagt also nur, daß sie den ‚Willen des Gottes' vorschützt, als habe Dionysos ihr befohlen, die Wälder aufzusuchen, nicht aber, daß ihre Raserei selbst simuliert wäre.

[1] Die Verknüpfung mit der Entstehung des Krieges ist durch die Verse VII 580 ff. mit genügender Deutlichkeit hergestellt:

> Tum, quorum attonitae Baccho nemora avia matres
> Insultant thiasis neque enim leve nomen Amatae
> Undique collecti coeunt Martemque fatigant.

Die Mütter, die dem Thiasos der Amata angehören, vertreten die Partei des Turnus gegen Äneas, also die Kriegspartei, und machen natürlich ihren Einfluß auf die Söhne geltend.

[2] Denn der Krieg war durch den Erfolg des neuen Freiers, der die Pläne der Königin und des Turnus umstößt, und den Jagdfrevel an dem Hirsch der Silvia genügend motiviert.

Gegner der Trojaner hier einen symbolischen Ausdruck gefunden hat. Doch nicht nur die entfesselte Leidenschaft, sondern auch der krankhafte Wahn sollte versinnbildlicht werden, der in einem Bruderkrieg liegt. Ein solcher wird ja entfesselt, da auch das Geschlecht der Dardaniden italischen Ursprungs ist und die Trojaner und Italiker nach dem Willen des Schicksals zu friedlichem Zusammenleben bestimmt und ex post von vorneherein als zusammengehörig gedacht sind. Doch hat die Szene auch einen formalen Grund: es erschien dem Dichter nötig, dem Kriegsgeschehen eine wildbewegte Szenenfolge vorauszuschicken und diese mit einem Auftritt einzuleiten, der von dem höchsten Pathos und dem Geist des Tragischen erfüllt ist. Die dionysische Exstase der Mänaden, die in einigen Dramen des Euripides als tragisches Motiv vorgebildet war, konnte zu dem Zwecke besonders geeignet scheinen[1]. Wie in der Didotragödie, wo das Symbol der Bacchantin wiederkehrt[2], dient auch hier das Bild der rasenden Bewegung im Gleichnis des Kreisels und im orgiastischen Treiben des nächtlichen Thiasos dazu, eine tragische Entwicklung zu kennzeichnen. Der tiefere Entstehungsgrund

---

[1] Auch das Rasen der Sibylle (VI 77) ist durch das Motiv des ‚göttlichen Wahnsinns‘ mit der Weissagung des Krieges verknüpft.
[2] IV 68: Totaque vagatur urbe furens, verglichen mit VII

376: Ingentibus excita monstris
Immensam sine more furit lymphata per urbem.

IV 300: Saevit inops animi totamque incensa per urbem
Bacchatur, qualis commotis excita sacris
Thyias, ubi audito stimulant trieterica Baccho
Orgia nocturnusque vocat clamore Cithaeron.

und künstlerische Sinn der Szene liegt also in dem inneren Gefühlsablauf des Gedichtes, der hier am Beginn einer tragischen Entwicklung den ‚élan terrible' einer wilden drängenden Bewegung verlangt, liegt in der Absicht des Dichters, ein Eingangssymbol für die iliadische Äneishälfte zu schaffen, das in einem Allegro furioso e appassionato in den Krieg hineinführen sollte[1]. Zugleich wollte Virgil seine Auffassung des Krieges als eines Höllenwerks, eines gottlosen Frevels und verbrecherischen Wahnsinns[2] symbolisch darstellen. Da diese Auffassung dem Homer fremd war, konnte er ihm schon deshalb nichts entnehmen, was für seine Darstellung verwertbar gewesen wäre.

Die drei Szenen stehen unter dem Gesetz der Steigerung, mächtig schwellen sie zu wildester Bewegung an: die erste zum wirbelnden Taumel der Bacchantinnen in den einsamen Wäldern, die zweite zur Raserei des Turnus, die mit einem übersiedenden Kessel (wieder einem Bild

---

[1] Durch die Turnusszene (VII 406 ff.) und die Jagd-szene (476 ff.) allein wäre eine Bewegung von gleicher Gewalt nicht zu erzielen gewesen.
[2] VII 461: scelerata insania belli.
　　VII 583: Ilicet infandum cuncti contra omina bellum
　　　　　Contra fata deum perverso numine poscunt.
Von Latinus wird der Krieg als Verbrechen bezeichnet, das seine Sühne finden wird (VII 595):
　Ipsi has sacrilego pendetis sanguine poenas
　O miseri. Te, Turne, nefas, te triste manebit
　Supplicium votisque deos venerabere seris.
Latinus XII 31: arma impia sumpsi.
　XI 305: bellum importunum, cives, cum gente deorum
　Invictisque viris gerimus.
Auch der trojanische Krieg wird vom virgilischen Diomedes als ein Verbrechen angesehen (XI 255 ff.).

wachsender Bewegung) verglichen wird, die dritte zur unbändigen Bewegung des Krieges selber, zum gewaltigen Heranfluten des Italikerheeres, das sich auf den Hornruf der Furie sammelt:

> Mit zweischneidigem[1] Eisen suchen sie die Entscheidung. Weithin starrt das schwarze Saatfeld von gezückten Schwertern und das Erz blitzt von der Sonne getroffen und wirft das Licht zu den Wolken: wie wenn die Flut bei erster See weiß zu werden beginnt, das Meer allmählich schwillt und höher die Wellen wirft, dann zum Äther steigt aus tiefstem Grund.

VII 525: *Sed ferro ancipiti decernunt atraque late*
Horrescit strictis seges ensibus aeraque fulgent
Sole lacessita et lucem sub nubila iactant,
Fluctus uti primo coepit cum albescere ponto,
Paulatim sese tollit mare et altius undas
Erigit, inde imo consurgit ad aethera fundo.

Zugrunde liegt das homerische Gleichnis: ,,Dicht lagerten ihre Reihen strahlend von Schilden, Helmen und Lanzen. Wie sich des neu erhebenden Zephyros Kräuseln[2] über das Meer ergießt und die See unter ihm schwarz wird, so waren die Reihen der Achäer und Troer in der Ebene gelagert" (Ilias 7, 63). Dem hat Virgil, angeregt von anderen Iliasstellen (2, 457 und 13, 338, vgl. ferner 4, 422 ff. 13, 795 ff. 14, 394 ff. 15, 381 ff.) und vielleicht auch von Ennius, die blitzenden Lichter der Waffen hinzugefügt, die nun, und das ist eine weitere

---

[1] Auch symbolisch gemeint im Hinblick auf den dunklen Ausgang des Kampfes.
[2] Hermann Fränkel, Die homerischen Gleichnisse, Göttingen 1921, erklärt φρίξ als ,blinkendes Flimmern'.

Steigerung, mit den weißen Wogenkämmen auf schwarzem Meere verglichen werden, ein Vergleich, der ebenfalls auf Homer zurückgeht (Ilias 14, 696 ff.). Sosehr aber lag ihm die Steigerung, das Accelerando der Bewegung und das Crescendo der Gewalt des ausbrechenden Krieges am Herzen, daß er, damit noch nicht zufrieden, das Ganze durch das Gleichnis des Sturmes, der zum Orkan anschwillt, in *wachsende* Bewegung versetzte. Das gewaltige Vorwärtsdrängen, der leidenschaftliche Atem, der das Buch von dem Augenblick an beherrscht, wo Juno auftritt, greift in das Gleichnis über. Das Gleichnis ist in den Rhythmus des Ganzen eingespannt. Hierin aber ist eines der wichtigsten Prinzipien der virgilischen Kunst wirksam: das Streben nach Einheit oder, wie es Wölfflin in seinem Vortrag über ‚Das Klassische' bezeichnet, das ‚Prinzip der Angleichung' (‚die Formen sind sich angeglichen'): ‚das Kunstwerk gliedert sich in selbständige Teile, die durch eine homogene Bildersprache und einen alles Einzelne durchdringenden Bewegungsrhythmus in sich zusammengefaßt sind'[1]. Dem gleichen Streben dient die Tendenz, ganze Szenenfolgen auf ein Ziel hinzuordnen, und das heißt: sie dramatisch zu entwickeln. Denn eine zielhafte Bewegung ist dramatisch, eine scheinbar ziellos

---

[1] Dieses Kunstprinzip hat schon Sainte-Beuve hervorgehoben als „cette qualité souveraine qui embrasse en elle et unit toutes les autres et que de nos jours on est trop tenté d'oublier et de méconnaître: je veux parler de l'unité de ton et de couleur, de l'harmonie et de la convenance des parties entre elles, de la proportion, de ce goût soutenu, qui est ici un des signes du génie, parce qu'il tient au fond comme à la fleur de l'âme et qu'on me laissera appeler une suprême délicatesse".

auf- und abwogende episch[1]. Die Kunst Virgils ist ohne
das griechische Drama nicht denkbar, wo zum erstenmal im Bereiche der Dichtung der Gedanke der Einheit
vollendet Gestalt gewann und alle Teile unter das Gesetz
des Ganzen zwang. Denn in den homerischen Epen ist
er, wie Goethe in seinem Brief an Schiller vom 28. April
1797 gegen Schlegel und Wolf hervorhob, zwar ebenfalls
vorhanden[2], aber noch nicht vollständig durchgeführt.
Dies ist erst in der Äneis geschehen, und es ist für die
schon damals bei den Deutschen herrschende Unkennt-
nis Virgils bezeichnend, daß sein Beispiel in der Erörterung über das Wesen des Epos zwischen Goethe
und Schiller keine Rolle spielt, obwohl erst in der Äneis
das Epos ‚seine Natur erfüllte‘. Erst Virgil hat dem
Epos die geschlossene Form verliehen, auf die es entgegen der Meinung Schlegels von vornherein angelegt
war. Erst er hat ihm die ‚klassische‘ Gestalt gegeben.
Nicht nur in sich laufen die ‚Allektoszenen‘ je zu einem
Bild gesteigerter Bewegung empor, sondern sie fügen
sich alle drei zu einer größeren Bewegungseinheit zusammen. Wenn man die Bilder, in denen die Szenen
gipfeln, miteinander vergleicht, wird man gewahr, wie
sehr sie in ihrer Stärke aufeinander abgestimmt sind.
Der orgiastische Taumel als Bild des Wahns der Amata,

---

[1] Doch ist die Grenze fließend. Schon Homer zeigt Ansätze zu einer vereinheitlichenden, ‚dramatischen‘ Gestaltung, und so verlangt auch Aristoteles (Poetik c. 23) vom
Epos Dramatik.
[2] Wie vor allem Schadewaldt (Iliasstudien, 1938) bewiesen
hat. Emil Staiger, Grundbegriffe der Poetik, Zürich 1946,
weist darauf hin, daß der Schwerpunkt bei Homer nicht
auf der Einheit, sondern auf dem Episodischen liege
(S. 124 ff.).

54

das wilde Wogen des siedenden Wassers und der Wirbel schwarzen Dampfes als Bild des Wahns des Turnus und der Seesturm, der zum Orkan schwillt, als Bild des Kriegsheeres, sind *sich steigernde* Symbole unbändig sich entfesselnder Elementargewalten. Das letzte ist das größte überhaupt denkbare: der Seesturm, die mächtigste Erscheinung der bewegten Natur. Wie zu Beginn der odysseischen Hälfte des Gedichts, tritt er am Anfang der iliadischen auf: gleiche Funktionsstellen im architektonischen Aufbau werden von verwandten Symbolen akzenztuiert.

Als dann Latinus gebrochen und von unheilvollen Ahnungen erfüllt, dem Schicksal seinen Lauf läßt und Juno die eisernen Pforten des Janustempels erbricht, ist das Gefühl der entfesselten Bewegung noch so lebhaft, das Prinzip der Angleichung der Formen so wirksam und der rhythmische Impuls, der wie ein alles überspülender Strom das Geschehen trägt und fortreißt, so stark, daß Latinus mit dem Felsen in der Brandung verglichen (VII 586 ff. Vgl. Ilias 15, 618 ff.) und das losbrechende Schicksal von ihm als ein Orkan empfunden wird, dessen Macht kein Mensch gewachsen ist (VII 594):

> *Frangimur heu fatis, inquit, ferimurque procella.*

Noch einmal leuchtet das Bild des Seesturmes und des Schiffbruches als Schicksalssymbol auf.

Überblickt man die Allektoszenen in ihrer Gesamtheit, so wird deutlich, mit welcher Kunst der Dichter die Steigerung vollzog. Von der gemessenen Gebärde des hoffnungsfrohen Verses:

Sublimes in equis redeunt pacemque reportant[1],

der das Eingreifen der Juno einleitet, steigert und ver-
düstert sich die Erzählung bis zum Ausbruch des
Krieges. Doch, um die Steigerung in ihrem ganzen
Umfang zu ermessen, muß man auf den Anfang des
Buches zurückgreifen. Von dem selig verklärten Morgen-
frieden der Tiberlandschaft wächst die Erzählung bis
zur orkanartigen Bewegung des waffenblitzenden Heeres.
Der Dichter sucht in diesem Buche den äußeren Kontrast.
Um sich ganz steigern zu können und um die Gewalt der
Bewegung zu größter Wirkung zu bringen, beginnt er
weit ausholend mit dem heitersten Bild. Die Gefühlskurve des siebenten Buches läuft so der des ersten
konträr: dieses entwickelt sich von der stürmischen Er-
regtheit des Anfangsdrittels über die halb heiter lichte,
halb ernste Venusbegegnung der Mitte[2] zur ruhig freudigen Begegnung mit Dido und dem feierlichen Festmahl
am Ende. Das siebente beginnt umgekehrt in heiterstem
Frieden, steigert sich dann im zweiten Drittel zu leidenschaftlicher Bewegung und endet mit den Kriegsheeren
des Italikerkataloges, deren brausender Aufzug von
gewaltigem Schwunge und wildester Kraft erfüllt ist
und wie ein Triumph, eine Verherrlichung der Völkerschaften Italiens erscheint.

---

[1] Das Wort ‚pacem‘ ist von dem auf Pointierung bedachten
Dichter absichtlich an den Schluß des ersten Abschnittes
des siebenten Buches gesetzt worden. Unmittelbar daran
schließt das Eingreifen der Juno an, das zum Kriege führt.
[2] Eingeleitet wird die Szene durch die heiteren Verse I 314ff.,
beschlossen wird sie durch den lichten Glanz von Paphos (I
415ff.). Doch auch der tragische Ton fehlt nicht. In der Rede
des Äneas (I 371), in dem ‚crudelis tu quoque mater‘ und in
der Erzählung von den Schicksalen der Dido tritt er hervor.

II. KAPITEL: DIE HAUPTGESTALTEN

1. Äneas

m anschwellenden Toben des Seesturms wird mit jenem plötzlichen Ruck, den Richard Heinze als ein bevorzugtes Kunstmittel des Dichters entdeckt hat, der Blick auf Äneas gelenkt:

Extemplo Aeneae solvuntur frigore membra (I 92).

Er ‚debütiert beinahe mit einem Ohnmachtsanfall‘ (Sainte-Beuve). Seiner Todesangst entringt sich der Schmerzensschrei:

> O dreimal glücklich und viermal, denen vergönnt war, vor den Augen der Väter unter Trojas hohen Mauern zu sterben. O tapferster des Danaergeschlechtes, Tydide, konnte ich nicht auf Ilions Feldern fallen und unter deiner Rechten meine Seele ausgießen, dort, wo der wilde Hektor durch die Waffe des Aeakiden getroffen liegt und der gewaltige Sarpedon, wo der Simois soviel zusammengeraffte Schilde der Helden und Helme und tapfere Leiber unter seinen Wellen wälzt?

I 94: *O terque quaterque beati,*
Quis ante ora patrum Troiae sub moenibus altis
Contigit oppetere! O Danaum fortissime gentis
Tydide! Mene Iliacis occumbere campis
Non potuisse tuaque animam hanc effundere dextra,

Saevus ubi Aeacidae telo iacet Hector, ubi ingens
Sarpedon, ubi tot Simois correpta sub undis
Scuta virum galeasque et fortia corpora volvit?

Dies ist eine Umformung der Worte des Odysseus:[1]
,,Dreimal glücklich die Danaer und viermal, die im
weiten Troja fielen, den Atriden zu Dank. Wäre ich
doch gestorben und hätte mein Schicksal erfüllt an dem
Tage, da die meisten Troer rings um den toten Peliden
die erzgefügten Lanzen gegen mich warfen. Da hätte
ich Totenehren erlangt und die Achäer verkündeten
meinen Ruhm. Nun aber war mir bestimmt, von trauri-
gem Tod ergriffen zu werden." (5, 306.) Haben wir aber
wirklich nichts weiter als ein Homerzitat vor uns ?
Odysseus trauert, weil er des Ruhms und der Totenehren, Äneas auch, weil er der Liebe verlustig geht.
Denn daß Äneas sich wünscht, ‚ante ora patrum‘ ge-
fallen zu sein, drückt neben dem Verlangen nach Ruhm
das Sehnen nach der Liebe und Geborgenheit der Heimat
aus. Daß die Nähe der Lieben ein sänftigendes Licht auf
den Tod wirft, ist ein in der Äneis geläufiges Motiv. So
wird der Tod der Dido durch die Anwesenheit der
Schwester und die erlösende Geste der Juno gemildert,
die Iris herabsendet, um ihre Leiden zu verkürzen, der
Tod der Camilla durch die Gegenwart der Waffengefährtin
Acca und die Entrückung durch Diana, der Untergang des
Palinurus durch das Mitgefühl des Äneas, das Ende des
Euryalus durch die Opferung des Freundes. Auch der
Schlachtentod des Pallas und des Lausus erhält durch
die Trauer des Äneas einen Glanz der Versöhnung.

---

[1] Außer der Odysseestelle wirkt Ilias 21, 279 ff. ein.

Turnus und Mezentius sterben einsam, doch in Gedanken an ihre Lieben, und selbst die Geschlagenen
von Actium und die todgeweihte Kleopatra nimmt der
Nilgott mit liebevoller Trauer auf (VIII 711). Einen
solchen Tod also hätte sich auch Äneas gewünscht. Und
dann erinnert er sich nicht nur wie Odysseus der eigenen
Todesgefahr vor Troja, sondern auch des Untergangs der
größten Troerhelden, des Hektor und des Sarpedon
und ‚all der Toten, die der Simois mit sich fortwälzt'.
Es enthüllt sich so seine Verbundenheit mit den toten
Waffengefährten der Heimat.
Er erscheint als ein Erinnernder, ein von inneren Ge-
sichten erfüllter. In der Todesnot, im äußeren Schmerz
bricht das Leid der Seele auf, das in der Tiefe seines
Wesens unablässig brennt. Die Rede dient nicht nur
dem Ausdruck der Todesangst, sondern der Charakteristik des Helden. Sie eröffnet den Blick in sein Herz
und läßt leise ein Grundmotiv des Gedichtes anklingen, in
dem sich die virgilische Erfahrung des Verstoßen-
werdens aus der Heimat poetisch verdichtete und das der
Dichter so rührend schon in der ersten Ekloge gestaltete[1].
Das leidvoll pathetische Bild aber, zu dem seine Rede
ansteigt und in dem sie schließt — auch die Steigerung
fehlt bei Homer — fügt sich, obwohl ebenfalls von
Homer angeregt (Ilias 21, 301), so vollkommen dem
Seesturm ein, als wäre es für diesen erfunden: bald
wird in ähnlichem Bilde das traurige Vernichtungswerk
des Sturmes beschrieben:

---

[1] Friedrich Klingner hat sie uns in ebenso überzeugender
wie ergreifender Weise gedeutet (Römische Geisteswelt,
Leipzig 1943).

Arma virum tabulaeque et Troia gaza per undas (I 119).

Das nimmt das *correpta sub undis scuta virum* wieder auf.
Das Streben nach Homogeneität der Bilder und Einheit
der Tonart ist deutlich.
Der Verzweiflungsmonolog überbietet also den Homer
an Form und seelischem Gehalt. Er ist durch die innere
Verflechtung mit der Bildsphäre des Seesturms kunstvoller, und in gewisser Weise auch seelenvöller und
inniger. Aber er ist auch weniger ‚natürlich' als die
Worte des Odysseus, die so schlicht schließen: ,,Mir
aber war es bestimmt, traurigen Todes zu sterben'[1].
Der Verlust des Naturhaft-Schlichten ist der Preis der
für die Idealität der klassischen Form gezahlt wird. Ihr
reicherer, bedeutsamerer Gehalt und ihre kunst-
gemäßere ‚Schönheit' ließen sich mit der kraftvollen
Einfachheit Homers nicht vereinen.
Die schmerzvolle Erinnerung an Troja, die in den ersten
Worten des Äneas hervortritt, ist ein Leitmotiv des
ersten Äneisdrittels. Sie steigert sich von diesen kurzen
Worten über die Rede des Helden an Venus (I 372:
O dea si prima repetens ab origine pergam) und die Ver-
senkung in den Anblick der Bilder vom trojanischen
Krieg am karthagischen Junotempel bis zu der großen
Erzählung vom Untergang der Stadt im zweiten Buch,
flammt dann im dritten Buch in den Begegnungen mit
Polydorus, Helenus und Andromache wieder auf, um

---

[1] Virgil dagegen ist hier wie sonst bestrebt, einen Sinnabschnitt mit einem Bild krönend zu beschließen. Das Bild
des Flusses, der die Leichen fortschwemmt, als Ausdruck
kriegerischen Grauens kehrt wieder in den Worten der
Sibylle (VI 87) und der Rede des Äneas an Euander
(VIII 538).

im Gespräch des Äneas mit Dido noch einmal anzu-
klingen, wo er nochmals seiner Sehnsucht nach Troja
Ausdruck verleiht (IV 430 ff.). Auch die innige Beziehung zu Hektor — dem Führer der Troer vor Äneas[1] —,
die in den Worten ausgedrückt ist, tritt in diesen Büchern
immer wieder hervor, so in der Reliefdarstellung, wo
Hektors Schicksal, von dem Voraufgegangenen als besonders bedeutungsvoll klar abgesetzt wird[2], in dem
Traum, in dem Hektor an entscheidender Stelle in
Trojas letzter Nacht dem Helden erscheint (II 270 ff.)
und in dem ergreifenden Bild der trauernden Andromache an Hektors Aschengrab (III 302 ff.). Auch später
wird sein Bild noch einmal beschworen in dem Vermächtnis des Äneas an Ascanius vor dem entscheidenden
Zweikampf (XII 438):

> Tu facito mox cum matura adoleverit aetas
> Sis memor et te animo repetentem exempla tuorum
> Et pater Aeneas et avunculus excitet Hector.

Troja ist zugrunde gegangen. Aber sein Bild und den
Ruhm seiner Helden bewahrt Äneas auf, so wie er seine
Götter rettet, und aus dieser liebenden Erinnerung
wächst die Kraft zur neuen Gründung. Die Zeitstimmung zwischen Zusammenbruch und Rettung, zwischen
dem Herzeleid der Bürgerkriege und dem Aufgang des
augusteischen Friedens hat in Äneas ihr Symbol gefunden.

---

[1] Beide sind schon in der Ilias als die Führer der Troer
nebeneinander genannt (6, 77 ff.).
[2] I 485: Tum vero ingentem gemitum dat pectore ab imo,
Ut spolia, ut currum atque ipsum corpus amici
Tendentemque manus Priamum conspexit inermis.

Der italischen Ilias im letzten Werkdrittel[1] steht, ein-
gelagert in das Karthagogeschehen, die troische im
ersten gegenüber, als Erzählung und Erinnerung, als
‚unsagbar' schmerzliche Last, die auf der Seele des
Helden ruht. In der gleichgewichtigen Art, wie die
trojanisch-griechische Welt der Vergangenheit und die
römische Welt der Zukunft so in das Gedicht einbezogen
wird, verrät sich wieder das klassische Gefühl für Gleichmaß: die korrelaten Größen halten sich nicht nur inhaltlich, sondern auch formal die Waage. Die Form ist
Ausdruck einer gedanklichen Ordnung.

Das mittlere Drittel aber enthält gleichsam die innere
Lösung des Helden von der Last der Vergangenheit: im
fünften Buch läßt er die *animos nil magnae laudis
egentis'* unter Acestes in Sizilien zurück und gründet
für sie ein zweites Ilion, er selbst aber wendet sich nach
einem letzten Schwanken (V 700 ff.) mit Entschiedenheit seiner neuen Aufgabe zu. Die Offenbarung, die ihm
im Seelenreich gewährt wird, füllt ihn dann ganz mit
dem Bewußtsein seiner neuen Sendung aus, die in
seinem Herzen von dem Raum Besitz ergreift, den
früher der Gedanke an Troja einnahm: aus dem Er-
innernden wird er zum Hoffenden, die rückgewandte
Sehnsucht nach Ilion macht der vorausschauenden
nach Rom Platz. Von den Ahnen neigt er sich den
Enkeln zu. Schon das Prooemium hebt die Endpunkte
des Weges Troja und Rom klar heraus: von dem *Troiae*

---

[1] Neben der Zweiteilung ist, wie namentlich Stadler zeigte,
die Dreiteilung das Grundprinzip der Gliederung des Gedichtes (Vergils Aeneis, Einsiedeln 1942). Die Bücher VII
und VIII dienen nur der Vorbereitung der Kämpfe. Die
eigentliche ‚Ilias' setzt erst in IX ein.

ab oris des ersten Verses steigt es an bis zum *allae
moenia Romae* des letzten: Rom ist das letzte Wort des
Prooemiums, weil es das innere Ziel der epischen Erzählung und das Hauptthema des Gedichtes ist. Schon
in der Fügung der Worte wird auf das Wichtige hingedeutet[1].

In der ‚geschichtlichen‘ Haltung des Äneas aber spricht
sich die neue Seelenlage der virgilischen Welt gegenüber
der homerischen aus. Nicht wie die Helden des griechischen Dichters ist Äneas der Gegenwart hingegeben[2],
sondern immer zugleich der Vergangenheit oder der Zukunft zugewandt. Selbst in der höchsten Todesnot ist
das Vergangene in ihm gegenwärtig. Erinnerung und
Hoffnung sind die inneren Triebkräfte seines Tuns. Die
Verantwortung des Geschichtlichen liegt auf ihm:

> *Attollitque umero famamque et fata nepotum.*

Atque maiorum könnte man hinzufügen. In der Äneis
ist zum erstenmal die Tragik des Menschen gestaltet,
der unter einem geschichtlichen Schicksal leidet. Niemals

---

[1] Über das Aeneisprooemium zuletzt H. Fuchs, Museum
Helveticum, Bd. 4, 1947, 191, Anm. 114.
[2] Er darf nicht bleiben, selbst wenn er möchte.
  III 190: Hanc quoque deserimus sedem.
  III 493: Vivite felices, quibus est fortuna peracta
  Iam sua, nos alia ex aliis in fata vocamur.
  Vobis parta quies, nullum maris aequor arandum
  Arva neque Ausoniae semper cedentia retro
  Quaerenda.
Der ‚Treiber‘ Merkur (IV 272):
  Quid struis aut qua spe Libycis teris otia terris?
  569: Heia age rumpe moras.
  574: Deus aethere missus ab alto
    Festinare fugam tortosque incidere funis
    Ecce iterum stimulat.

darf der Held ganz dem Augenblick gehören. Scheint er
ihm dennoch zu verfallen, wie in Karthago, so erinnert
ihn ein Gott an seine Pflicht. In dem homerischen Menschen überwiegt das Sinnenhaft-Gegenwärtige. Die Vergangenheit ragt wohl als Erinnerung und Paradeigma
in das gegenwärtige Geschehen hinein und auch die
Zukunft tritt zuweilen in den Blick. Das Wissen um ein
tragisches Schicksal bricht manchmal hervor wie in
Achill, Homers tragischester Gestalt, oder der Gott
spricht des Dichters Einsicht in die Tragik des Menschen-
daseins aus wie in den Worten des Zeus an die Rosse des
Achill. Aber wenn Homers Helden ihr Leid auch nicht
leichter nehmen als Äneas, so scheinen sie es doch leichter zu vergessen, nicht wie bei ihm wacht es immer in der
Tiefe, nur darauf wartend, hervorzubrechen. Die homerischen Gestalten sind nicht so von Schwermut um-
schattet. Wohl ist schon in der Odyssee gegenüber der
Ilias eine Herabminderung des Augenblickshaften und
eine Steigerung des Seelischen zu erkennen, denn wo
die Seele die Sinne zu überwiegen beginnt, verliert die
Gegenwart an Gewicht: alle ihre Gestalten sind von
einer geheimen Sehnsucht erfüllt. Aber über weite
Strecken schlummert dieses Gefühl. So geht Odysseus
im Gegensatz zu demÄ neas des Buches der Irrfahrten
bei der Erzählung seiner Abenteuer völlig in dem Geschehen des Augenblickes auf, und auch seine Sehn-

---

Nautes V 709: Nate dea, quo fata trahunt retrahuntque
     sequamur.
Die Sibylle VI 36:
     Non hoc ista sibi tempus spectacula poscit.
  539: Nox ruit, Aeneas, nos flendo ducimus horas.

sucht ist, wo sie hervorbricht, auf den kleineren Kreis des Einzellebens beschränkt. Man kann sich vorstellen, was Virgil aus dem Odysseestoff gemacht hätte, wie das Seelenhaft-Geschichtliche gesteigert worden wäre und das Sinnenhaft-Lebendige verloren hätte.

Vergangenheit und Zukunft reichen also bei Homer niemals in solche geschichtliche Fernen. Der geistige Raum des epischen Geschehens hat nicht die römische Weite der Äneis, und die leidvolle Last des Geschichtlichen, seine seelische Bedeutung hat erst der römische Dichter entdeckt. Er zuerst hat in aller Tiefe empfunden, um welchen Preis geschichtliche Größe errungen wird, ein Gedanke, der dann Jacob Burckhardt so stark beschäftigt hat.

Die Haltung des Äneas ist ein Zeichen für das höhere geschichtliche Bewußtsein der Römer gegenüber dem der Griechen, für das ihnen eigentümliche Zeitgefühl, das das Gegenwärtige nur als Teil der Gesamtzeit bewertet und stets mit einer geschichtlichen Vergangenheit und Zukunft verknüpft, die in höherem Sinne immer gegenwärtig sind, ja der Gegenwart erst Gewicht und Wert verleihen.

Ferner ist seine Haltung ein Zeugnis für das römische Pflichtgefühl, das sich von dem Daseinsgefühl des Griechen scharf abhebt: alles, was die homerischen Helden tun und leiden, geschieht mehr in Erfüllung ihrer Natur als weil sie es als ihre Pflicht betrachteten. Äneas aber ist ein Held der Pflicht, so wie die Tragik der Dido nicht zuletzt auf dem Gefühl der verletzten Pflicht gegen Sychäus und die des Turnus auf der von den Göttern verhängten Täuschung über seine Pflicht beruht[1]. Das Epos wäre nicht in dem Maße idealer Ausdruck des Römertums, wenn der Pflichtgedanke nicht so fest in seinen Helden verwurzelt wäre. Denn der eigentümliche Gehalt des modernen Pflichtbegriffes ist eine Errungenschaft der römischen Moral. Von ihm ist das Gefüge der altrömischen Familie und des altrömischen Staates getragen. Wo er später auftritt, wie in den Pflichtenethiken des Christentums, Kants oder Schillers, liegt Einfluß der römischen Weltansicht vor[2]. Dieser Zu-

---

[1] Während die karthagische Königin und der Rutulerfürst ihre Pflicht verletzen oder verkennen, bleibt Aeneas ihr treu, auch wenn er sie zeitweise vergißt. Er handelt nicht aus der Kraft und Leidenschaft seines Wesens, sondern aus Gehorsam. Er lebt in gültigen Bindungen, denen er dient. Er ist darin wie in manchen andern Zügen, die wir noch berühren werden, den christlichen Helden näher als den Helden Homers. Einen Heiligen mehr als einen Heros hat ihn Schadewaldt genannt (Sinn und Werden der vergilischen Dichtung, Das Erbe der Alten, Heft 20, 1931, 94).

[2] Vgl. Nietzsche, Menschliches Allzumenschliches, Zweite Abteilung, Nr. 216: ,,Es ist nicht zu leugnen, daß vom Ausgange des vorigen Jahrhunderts an ein Strom moralischer Erweckung durch Europa floß. Sucht man nach den Quellen dieses Stromes, so findet man einmal Rousseau. Der andere Ursprung liegt in jener Wiederauferstehung des stoisch-großen Römertums, durch welche die Franzosen die Aufgabe der Renaissance auf das würdigste weitergeführt haben. Sie gingen von der Neuschöpfung antiker Formen mit herrlichstem Gelingen zur Nachschöpfung antiker Charaktere über: so daß sie ein Anrecht auf die allerhöchsten Ehren immerdar behalten werden als das Volk, welches der neueren Menschheit bisher die besten Bücher und die besten Menschen gegeben hat. Der Moralismus Kants, woher kommt er? Er gibt es wieder und wieder zu verstehen: von Rousseau und dem wiedererweckten stoischen Rom. Der Moralismus Schillers: gleiche Quelle, gleiche Verherrlichung der Quelle. Der Moralismus Beethovens in Tönen: er ist das ewige Loblied Rousseaus, der antiken Franzosen und Schillers. Erst der ,deutsche Jüngling' vergaß die Dankbarkeit.''

66

sammenhang ist eine der Ursachen, warum Schiller sich
so sehr zu Virgil hingezogen fühlte.

Die Erinnerung an Troja und die Hoffnung auf Rom
enthalten also für den Helden heilige Verpflichtungen.
In ihrer Erfüllung bewährt er die Tugend der ‚pietas‘,
die ja nichts anderes ist als die Beobachtung der Pflicht
gegenüber den Göttern, dem Vaterland, den Ahnen und
den Enkeln, einer Pflicht freilich, die nicht den herben
Beiklang hat, den wir mit dem Begriff verbinden. Denn
sie ist nicht vom Verstand diktiert, sondern aus Liebe
geboren.

Das ‚Homerzitat‘ der ersten Worte des Äneas erweist
sich als eine Umgestaltung des Vorbildes, die weiter-
geht, als man zunächst vermutet hätte. Aus dem ein-
fachen Gedanken der Odyssee ist ein Gebilde geworden,
das mit der formalen und seelischen Struktur des virgilischen Gedichtes aufs engste verknüpft ist.

Der Seesturm nimmt nach diesen Worten seinen wachsenden Fortgang. Die Schilderung seines Zerstörungs-
werkes weist zwei innere Höhepunkte auf, die das Gewicht der Darstellung gegenüber den homerischen
Stürmen im fünften und zwölften Buch der Odyssee
wesentlich verschieben. Der erste ist der Untergang des
Lykierschiffes und des ‚treuen Orontes‘. Schon in dem
Epitheton liegt das Mitgefühl des Dichters und ein
Stück auch der Tragödie des Äneas[1]. Um die Abweichung
von Homer ganz zu ermessen, halte man daneben, wie
Odysseus selber — nicht der Dichter — vom Untergang

---

[1] Ipsius ante oculos vollzieht sich die Katastrophe, ad
maiorem dolorem, wie Servius treffend bemerkt.

des Steuermanns berichtet, dem der Mastbaum die Schädelknochen zerschlägt, daß er ‚einem Taucher gleich‘ ins Meer hinabstürzt, und wie er vom traurigen Schicksal der Gefährten erzählt, die ‚wie Seekrähen auf den Wogen tanzen‘: er beschreibt das Ende seiner Fahrtgenossen mit lebhafter Genauigkeit, doch ohne sichtbare gefühlsmäßige Teilnahme[1]. Homer schildert selbst in der Rede aus ‚objektiver‘, Virgil selbst in der epischen Erzählung aus ‚subjektiver‘ Perspektive.

Und den zweiten Höhepunkt bilden die Worte: ‚*Troiae gaza per undas*‘, in denen der Untergang troischer Erinnerungen des Äneas angedeutet wird. Auch das gehört zur inneren Trägödie des Helden, und die Worte sind als besonders bedeutungsvoll hervorgehoben, weil sie die eigentliche Schilderung des Seesturms beschließen. Dies zeigt an, daß nicht nur eine äußere Steigerung vorliegt, sondern auch eine innere: die Todesangst des Äneas wird durch die Empfindungen, die der Untergang des Orontes und der ‚*gaza Troiae*‘ hervorruft, noch übertroffen. Auch hier tritt die Tragödie *Trojas* auf dem Gipfelpunkt der Steigerung hervor.

Lassen die ersten Worte des Äneas vor allem die Gesinnung der ‚pietas‘ sichtbar werden, die ihn erfüllt, so offenbart die Rede an seine Gefährten nach der Rettung

---

[1] Vgl. 12, 411 ff. Die scheinbare Kühle, mit der die furchtbaren Details berichtet werden, hätte für den römischen Dichter etwas Verletzendes gehabt. Virgil beseitigt die realistischen Züge Homers und läßt den Orontes vom Meer über Bord gespült und das Schiff von Wirbeln herabgezogen werden (I 113 ff.). Es wird mehr ein malerischer und musikalischer Bewegungseindruck erzielt, als daß die Einzelheiten des Todes plastisch beschrieben würden.

(198 ff.) noch einen anderen Grundzug seines Wesens: seine *magnitudo animi*:

> Durch wechselnde Schicksale, durch soviele Gefahren streben wir nach Latium, wo die Götterverheißungen uns ruhige Sitze zeigen: dort soll nach göttlichem Willen das Reich Trojas wieder erstehen. Seid hart und bewahrt euch für das Glück.

I 204: *Per varios casus, per tot discrimina rerum*
Tendimus in Latium, sedes ubi fata quietas
Ostendunt: illic fas regna resurgere Troiae.
Durate et vosmet rebus servate secundis.

Der Eindruck innerer Größe wird noch dadurch erhöht, daß die Worte des Helden auf dem Grunde tiefer Schmerzen und gewaltiger Sorgen ruhen:

> *Curisque ingentibus aeger*
> *Spem voltu simulat, premit altum corde dolorem* (I 208).

Von den Worten des Odysseus an seine Gefährten (12, 208 ff.), an die wie im ersten Monolog die Anfangsworte anknüpfen, unterscheidet sich diese Rede erheblich. Homer zeigt einen mutigen Menschen, der in einer gefahrvollen Situation — das Schiff steuert zwischen Skylla und Charybdis hindurch — kluge und besonnene Befehle gibt, Virgil aber eine große Seele, die auf ein großes Ziel drängt: wie die erste Rede gipfelt die zweite im Gedanken an Troja, dessen Reich wieder erstehen soll[1]. Monumentalisierung und Entrückung ins allgemeine Bedeutende, Entfernung von einer zu nahen

---

[1] Äneas erscheint als die Inkarnation jener römischen Standhaftigkeit und Größe, die Polybios an den Römern nach Cannae rühmt (6, 58).

Berührung mit dem gegenständlich Einzelnen und Transparenz eines größeren Hintergrundes: dies sind die Momente, durch die sich Virgil von Homer unterscheidet.

Die ersten Reden des Äneas enthüllen also den Charakter des Helden in seinen Grundzügen und sind äußerlich und innerlich mit dem Ganzen aufs engste verbunden. Dies hängt damit zusammen, daß die Aufmerksamkeit des Dichters, von Anfang an auf das Bedeutungsvolle und Wesentliche gerichtet, die größte Konzentration anstrebt. Doch ist die Tendenz, bei dem ersten Erscheinen auftretender Personen Grundzüge ihres Wesens und Schicksals zu enthüllen, gelegentlich schon im soviel lockerer geformten homerischen Epos zu bemerken. Als Hektor im sechsten Buche der Ilias Andromache nicht im Hause antrifft, wird ihm bedeutet, sie weile nicht bei den Verwandten und auch nicht im Tempel Athenens, sondern sei auf Ilions großen Turm gegangen, ‚als sie hörte, die Troer würden aufgerieben, und groß sei die Macht der Achäer. Sie kommt zur Mauer geeilt wie eine Rasende und das Kind trägt die Wärterin mit'. In der äußeren Geste wird ihre zarte und glühende Seele sichtbar. Über ihre Liebe brauchte der Dichter nichts zu sagen, in der Gebärde ist alles enthalten und stärker, als es viele Worte vermöchten. Und zwar geschieht dies an der Stelle, wo sie zum erstenmal genannt wird. Zugleich liegt darin schon eine leise Vordeutung auf das Schicksal Hektors. Denn die Sorge der Gattin enthüllt sich dem tiefer Blickenden als eine tragische Ahnung. Bei den anderen Gestalten der Ilias ist der bei ihrem Erscheinen hervortretende Charakter- und Schicksalsbezug nicht so deutlich. Natürlich ist auch sonst das erste Auftreten der Helden charakteristisch: so bezeichnet die Art, mit der Agamemnon in seinen ersten Worten den Apollopriester anherrscht, die Heftigkeit und Selbstsucht seines Wesens, Thetis erscheint sogleich als die liebende Mutter, wenn sie auf das Gebet des Achill wie ein Nebel aus dem Meere taucht und den Sohn liebkost, Hektor bezeugt sich im Tadel an Paris — seinem ersten Auftreten — als harter Verteidiger der Ehre seines Volkes und Hauses und als der eigentliche Führer der Troer. In dem Ausdruck lang verhaltenen Grolles tritt zugleich die Leidenschaft seiner Natur zutage. Aber die Verknüpfung mit dem Verlauf der Erzählung ist nicht so klar. Die strenge Verbindung des Einzelnen mit dem Ganzen, der Worte und Gesten einer Figur mit ihrem Charakter, des Charakters mit ihrem Schicksal, ihres Schicksals mit dem Gewebe der Handlung und das Prinzip der klassischen Komposition, daß jeder Teil nur durch das Ganze sein wahres Gewicht erhält, der energische Griff, der diese Beziehung zum Ganzen sogleich in klarer und fester Verknotung herstellt, alle diese Züge, die für die Äneis charakteristisch sind, sind in der Ilias weniger entwickelt. Sie leitet die Handlungsverläufe lässiger ein und läßt die einzelnen Personen zufälliger in das Geschehen eingreifen.

Anders ist es schon in der Odyssee, und bei der Beurteilung der beiden Epen darf auch dieser Unterschied Beachtung beanspruchen. Hier ist mit großer Sorgfalt und in wohl abgewogener Variation das erste Auftreten der Hauptgestalten auf einen Gedanken abgestellt: die Sehnsucht nach der Heimkehr des Helden und den

Schmerz um seine Abwesenheit. *Odysseus* selber erscheint im Gedicht: weinend auf das wogende Meer hinausblickend[1], ein unvergeßliches Bild dichterischer Gleichniskraft. *Penelope* steigt von ihren Gemächern herab und gebietet dem Sänger, der von der Rückkehr der Achäer singt, Einhalt: sie kann den Schmerz nicht mehr ertragen. *Telemach* blickt, als Athene in Mentors Gestalt naht, nach der Hoftür, weil er im Geiste den Vater kommen sieht, die Freier zu verjagen. *Eumaios*

---

[1] Od. 5, 151. Ein ganz ähnliches Bild findet sich schon in der Ilias 1, 348, wo Achill ,weinend auf das rastlos wogende Meer schaut'. Dies ist Überleitung zum Erscheinen der Thetis, die aus dem Meere taucht. Doch wird das ,unermeßliche Meer' auch hier als Resonanz des menschlichen Fühlens empfunden, wie die Natur auch sonst im Homer dem menschlichen Geschehen antwortet, es aufnimmt und erhöht. Es spricht sich darin die Einheit von Mensch und Natur aus, die uns überall im Homer begegnet. Der für solche Seelengebärden empfängliche Virgil folgt jener Odysseestelle, wenn er, freilich in anderem Sinn, in Versen von hoher poetischer Schönheit die Troerinnen aufs Meer hinausblicken läßt (V 613):

> At procul in sola secretae Troades acta
> Amissum Anchisen flebant cunctaeque profundum
> Pontum adspectabant flentes, heu tot vada fessis
> Et tantum superesse maris.

Bezeichnend ist die geistvolle Umdeutung des odysseischen Motivs, die die meisten Virgilleser vergessen läßt, daß hier eine wörtliche Übersetzung des Homer vorliegt. Auch Albini hat in seiner schönen Studie über Virgils Dichtkunst (Conferenze Virgiliane, Mailand 1931) die Virgilstelle gerühmt, ohne die Nachahmung zu bemerken. Die Worte des ersten Iphigenienmonologs, in denen sich die Sehnsucht des deutschen Geistes nach dem ,inneren Süden' symbolisiert, stehen gleichfalls im Banne der odysseischen Verse (209):

> Denn ach mich trennt das Meer von den Geliebten
> Und an dem Ufer steh ich lange Tage,
> Das Land der Griechen mit der Seele suchend.

Zu den Homerstellen jetzt auch Lesky, Thalatta, Wien 1947, 185 ff.

72

hebt sogleich an, vom Schmerz um seinen Herrn zu
reden, nachdem er die Hunde verjagte, die den Fremd-
ling bedrohten: alle sind sie von dem einen großen
Gefühl erfüllt, das der Hauptinhalt ihres Lebens ist.
Wenden wir uns nun den weiteren Erprobungen des
Äneas zu. An der entscheidenden Stelle der Didokrise
treten die Grundkräfte seiner Seele: Pflichtgefühl, Entschlossenheit und menschliches Empfinden hervor. Auf
dem Höhe- und Wendepunkt des vierten Buches heißt
es nach der Rede, in der ihn die Königin um Änderung
des grausamen Entschlusses anfleht (331):

> Auf Jupiters Geheiß hielt er die Augen unbewegt und
> unterdrückte mit Gewalt die Liebe[1] im Herzen.

> *Ille Iovis monitis immota tenebat*
> *Lumina et obnixus curam sub corde premebat.*

Der Ausdruck ‚*obnixus curam etc.*' ist fast der gleiche
wie in I 209 (*premit altum corde dolorem*), nur daß die
gewaltsame Anstrengung noch stärker hervorgehoben
ist. Was den Äneas bewegt, ist aber nicht seine Liebesleidenschaft, wie die moderne Auffassung denken würde.
Sie hat der Dichter mit der größten Zurückhaltung be-

---

[1] *Cura* ist in der Bedeutung von ‚Liebeskummer', ‚Liebe'
in der lateinischen Literatur seit Plautus in zahllosen Beispielen belegt. Daß ‚Liebe' im Lateinischen in der Nuance
von ‚Sorge, Fürsorge, Kummer' erscheint, charakterisiert
die Innigkeit des römischen Empfindens und zugleich die
praktische Moralgesinnung des Römers. ‚Cura' bezeichnet
also dem ursprünglichen Sinne nach nicht die Leidenschaft
oder (wie beispielsweise ἔρως oder ‚cupido') das Begehren,
sondern das sorgende Mitfühlen mit dem geliebten Wesen,
‚Sympathie'. Diese Nuance schwingt auch hier mit. Über
cura als einen der Begriffe, an denen sich das Wesen des
Römertums ablesen läßt, H. Fuchs. Museum Helveticum 4,
1947, 103.

handelt. Sondern es ist das Mitgefühl mit dem Schmerz der Dido, das durch seine Liebe höchstens gesteigert wird, es ist eine Regung der *humanitas*[1]. Aber sie wird unterdrückt, weil das Gebot der Götter es so verlangt. Die schmerzvolle Entsagung des Äneas besteht nicht in dem Verzicht auf das Glück der Liebe, sondern darin, daß er es sich versagen muß, den Schmerz der Königin zu lindern, daß ihn die religiöse Pflicht gegen die Götter und Enkel zwingt, seine menschliche Pflicht gegen Dido zu versäumen. Er leidet mehr an dem Leid der andern als an seinem eigenen Unglück. Die ihm nahe sind, vor Schmerz und Ungemach zu bewahren, ist seine nie erlöschende Sorge. Am schönsten bringen dies die Verse aus der *Iliupersis* zum Ausdruck:

> Und mich, den keine Geschosse bewegten, die man auf mich schleuderte, und nicht die Griechen, die sich aus dem Feindeszug zusammenballten, mich schrecken jetzt alle Lüfte, jedes Geräusch läßt mich aufhorchen und ängstlich zaudern und für Begleiter und Last fürchten.

II 726: *Et me quem dudum non ulla iniecta movebant*
Tela neque adverso glomerati ex agmine Grai,
Nunc omnes terrent aurae, sonus excitat omnis
Suspensum et pariter comitique onerique timentem[2].

---

[1] ‚Liebe' mehr im ethischen als im erotischen Sinn, wie Äneas noch in der Unterwelt ihr bitteres Schicksal beweint (VI 475).
[2] Die gleiche Haltung zeigt Palinurus (VI 352):

> Non ullum pro me tantum cepisse timorem,
> Quam tua ne, spoliata armis, excussa magistro,
> Deficeret tantis navis surgentibus undis.

Ebenso leidet Turnus am meisten unter der Schmach, seine Kampfgefährten im Stich gelassen zu haben (X 672 ff.) und ihnen nicht helfen zu können (XII 638 ff.).

Als Dido dann nach der Absage dem Helden die Fluchesdrohung entgegenschleudert und von den Dienerinnen
in das ‚marmorne Schlafgemach'[1] getragen wird, erscheint die gleiche schmerzvolle Entschlossenheit in gesteigerter Form:

> Aber obgleich der fromme Äneas die Leidende durch
> Trost zu besänftigen und den Liebesschmerz durch
> Worte abzuwenden begehrt, führt er dennoch, mächtig
> stöhnend und im Herzen von der großen Liebe wan-
> kend gemacht, die Befehle der Götter aus.

IV 393: *At pius Aeneas, quamquam lenire dolentem
Solando cupit et dictis avertere curas,
Multa gemens magnoque animum labefactus amore,
Iussa tamen divom exsequitur.*

Und in nochmaliger Steigerung kehrt das Motiv zum
dritten Male wieder nach dem letzten Versuch der
Schwester, den Scheidenden umzustimmen, in dem
Eichengleichnis, wo der Seelenkampf des Äneas am
mächtigsten zum Ausdruck kommt. Das Gleichnis
ist ein Symbol seiner heldenmütigen Haltung, die hier
stoischer Seelenstärke nahe kommt, wie denn auch
Seneca den Weisen mit einem sturmgepeitschten Baum
vergleicht, vielleicht in Erinnerung an die Äneisstelle[2].

---

[1] In dem Adjektivum liegt eine Gefühlsnuance, ein symbolischer Sinn.
[2] Dialog 1, 4: Non est arbor solida nec fortis nisi in quam
frequens ventus incursat. Ipsa enim vexatione constringitur
et radices altius fingit. Ein Gleichnis, das in ähnlicher
Weise die Haltung des Menschen in einem Seelenkonflikt
ausspräche, fehlt im Homer. Eine Geschichte der Metaphorik des Baumes bis zu Hölderlins ‚Eichbäumen', Hebbels
‚Baum im Wüstensand', Nietzsches ‚Baum am Berge' (im
‚Zarathustra') und Valérys ‚Palme' würde nicht ohne
Interesse sein.

Und wie die Nordwinde der Alpen gegenseitig wett-
eifern, die mächtige Eiche mit ihrem bejahrten Stamm
bald von dieser, bald von jener Seite durch ihr Blasen
zu entwurzeln, es geht ein Ächzen (durch den Baum),
hoch bedeckt das Laub des erschütterten Baumes die
Erde. Sie selbst aber haftet in den Felsen, und wie
hoch sie mit dem Wipfel in die Lüfte des Äthers
reicht, so tief greift sie mit der Wurzel zum Tartarus[1].
Nicht anders wird der Held durch die beharrlich
drängenden Worte hier und dort getroffen und fühlt
mit heldenhafter Seele[2] die Liebesschmerzen. Der
Sinn bleibt unbewegt, nur nichtige Tränen rollen.

> IV 441: *Ac velut annoso validam cum robore quercum*
> *Alpini Boreae nun hinc nunc flatibus illinc*
> *Eruere inter se certant, it stridor et altae*
> *Consternunt terram concusso stipite frondes,*
> *Ipsa haeret scopulis et quantum vertice ad auras*
> *Aetherias tantum radice in Tartara tendit:*
> *Haud secus adsiduis hinc atque hinc vocibus heros*
> *Tunditur et magno persentit pectore curas,*
> *Mens immota manet, lacrimae volvuntur inanes.*

Mit den *lacrimae inanes* sind die Tränen des Äneas gemeint: seinen Augen entrollen ‚nichtige' Tränen, Tränen,
denen keine Wirkung gegeben ist, die seinen unerschüt-
terlichen Entschluß nicht berühren. Augustinus und
Servius haben das im Gegensatz zu fast allen modernen

---

[1] Das Bild ist vom Olymp Homers auf die Eiche übertragen. Durch die Monumentalisierung erhält der Baum,
und damit Äneas, eine fast überirdische Größe.
[2] ‚Magno pectore' ist soviel wie ‚magno animo', d. h. er
empfindet die Liebesschmerzen mit ‚Seelengröße', als ein
μεγαλόψυχος, mit der Kraft, sie zu tragen und zu überwinden. Er fühlt sie in ihrer ganzen Wucht, aber seine große
Seele befähigt ihn, ihrer Herr zu werden.

Kommentaren[1] richtig verstanden[2]. Bezöge man die Tränen auf Anna (oder Dido), so würde man den Gedanken empfindlich abschwächen, der nicht nur den äußeren Kampf zwischen Äneas und Anna, sondern vor

---

[1] Conington-Nettleship, Forbiger, Cartault, Heyne-Wagner (der jedoch seine Meinung änderte, vgl. Henry), Ladewig-Deuticke denken an Anna oder an Anna und Dido. So erklärt z. B. auch K. H. Schelkle, Virgil in der Deutung Augustins, Stuttgart-Berlin 1939, Tübinger Beiträge 32, S. 107: ,,Nach der Meinung Virgils soll nicht Äneas die Tränen vergießen, sondern Dido oder Anna, Augustin hat falsch interpungiert." Richtig dagegen Henry in seinem zu Unrecht wenig beachteten (englischen) Äneiskommentar (obwohl ihm die Augustinstelle nicht bekannt war) und Pease, der als Vorgänger noch nennt: Kvičala, Neue Beitr. z. Erkl. d. Äneis 1881, 125 ff.; Groß, Krit. u. Exegetisches zu Vergils Äneis 1883, 34—38 (,an excellent treatment'), Glover, Virgil, 2. ed. 1912, 195, nr. 5, Rand, The magical art of Virgil 1931, 361—362.
[2] Augustinus setzt in De Civ. Dei 9, 4 auseinander, daß zwischen der akademisch - peripatetischen und der stoischen Auffassung der Affekte kein wesentlicher Unterschied bestehe. Er schließt mit den Sätzen: ,Ambo sane (sc. Peripatitici et Stoici), si bonorum istorum seu commodorum periculis ad flagitium vel facinus urgeantur, ut aliter ea retinere non possint, malle se dicunt haec amittere, quibus natura corporis salva et incolumis habetur quam illa committere quibus iustitia violatur. Ita mens, ubi fixa est ista sententia, nullas perturbationes, etiamsi accident inferioribus animi partibus, in se contra rationem praevalere permittit, immo eis ipsa dominatur eisque non consentiendo et potius resistendo regnum virtutis exercet. Talem describit etiam Vergilius Aenean, ubi ait: ,Mens immota manet, lacrimae volvuntur inanes.' Mit tiefer Berechtigung faßt Augustin den Vers als Formel der heldenhaften, ,philosophischen' Haltung des Äneas auf. Servius erklärt zutreffend : ,lacrimae inanes, quia mens immota'. Der Servius Danielis dagegen fügt hinzu : ,lacrimae Aeneae vel Didonis vel Annae vel omnium' und führt so die Erklärer auf die falsche Spur. Als drittes Zeugnis für die richtige Auffassung des Altertums tritt hinzu ein Scholion zu Iuvenal 13, 133, das die Tränen des Äneas für geheuchelt hält, also sie immerhin dem Helden zuweist.

allem den inneren Zwiespalt im Herzen des Helden, seine leidensvolle Entsagung ausdrückt. Nur als Bild dieses inneren Kampfes gewinnt das Gleichnis seinen tiefen Sinn, als Ausdruck des Ringens zwischen seiner harten und kraftvollen Entschlossenheit und seinem menschlichen Herzen. Wer die Gewalt dieses Ringens begriffen hat, wird nur diese Deutung annehmen können[1]. Er wird die kühne innere Antithese der matten äußeren vorziehen[2]. Auch die Eiche leidet. Dies liegt in dem Ächzen[3] und in dem Bilde *alte consternunt terram concusso stipite frondes.* Es besteht eine innere Beziehung

---

[1] So schon Pease in seinem Kommentar zum IV. Buch: ,The figure of Aeneas, as one in whom love and duty clash, is a far greater psychological and dramatic creation and one more in accord with the rest of his character than a portraiture which depicts him as an insensate brute.'

[2] Wahrscheinlich wirkt Od. 19, 210 hier ein:

θυμῷ μὲν γοόωσαν ἑὴν ἐλέαιρε γυναῖκα,
ὀφθάλμοι δ' ὡς εἰ κέρα ἕστασαν ἠὲ σίδηρος
ἀτρέμας ἐν βλεφάροισι · δόλῳ δ' ὅ γε δάκρυα κεῦθεν.

Wir haben hier eine ganz ähnliche ,Trias: das mitfühlende Herz (vgl. ,magno persentit pectore curas'), die Unbewegtheit der Augen (vgl. ,mens immota manet') und die Tränen. Die Augen waren an den beiden vorhergehenden Stellen, die eine ähnliche Haltung des Äneas zum Gegenstand haben und auch sonst an die gleiche Odysseestelle erinnern, genannt (IV 331 und 369). Hier sind sie der Situation entsprechend durch die ,mens immota' ersetzt.

[3] ,Stridor, stridere', ,ächzen', vgl. z. B. II 418:
S t r i d u n t silvae.
I 87: Insequitur clamorque virum s t r i d o r q u e rudentum.
VII 613: reserat s t r i d e n t i a limina consul (bei der Öffnung des Janustores).
VI 573: Tum demum horrisono s t r i d e n t e s cardine sacrae Panduntur portae (vom Höllentor).
VI 558: tum s t r i d o r ferri tractaeque catenae
IV 689: infixum s t r i d i t sub pectore volnus.
Statius Theb. I 32: S t r i d e n t e s gemitus.

zwischen den Tränen des Äneas und den Blättern, die der Baum verliert, wie schon Servius sah (*Frondes sicut lacrimae Aeneae*). Denn in den virgilischen Gleichnissen gibt es weniger als bei Homer ‚überflüssige‘ Züge[1]. Hier aber bildet das Leiden gerade den Kern des Gleichnisses. Die Eiche ist darin der gefällten Bergesche verwandt, die den Untergang Trojas symbolisiert. Auch in diesem Bild, das — ebenfalls ganz unhomerisch — nicht einen sinnlichen Vorgang veranschaulicht, sondern ein Schicksal deutet, ist das ‚Leiden‘ des Baumes, seine ‚Tragik‘ gleichsam, die Hauptsache:

> Wie auf Bergeshöhen mit Eisen und zahlreichen Äxten Bauern die angeschlagene Esche im Wettstreit zu stürzen trachten, immer noch ragt sie drohend empor und erzitternd wankt sie mit der erschütterten Krone, bis sie allmählich von Wunden bezwungen zum letzten Mal aufseufzt und den Bergesjochen entrissen zusammenstürzt.

> II 626: *Ac veluti summis antiquam in montibus ornum*
> *Cum ferro accisam crebrisque bipennibus instant*
> *Eruere agricolae certatim; illa usque minatur*
> *Et tremefacta comam concusso vertice nutat,*
> *Volneribus donec paulatim evicta supremum*
> *Congemuit traxitque iugis avolsa ruinam.*

Ib. von der Hölle in Nachahmung Virgils II 51: s t r i d o r ibi et gemitus poenarum.
In allen diesen Fällen dient das Wort dazu, den Eindruck, des Unheimlichen, Leidenden, Tragischen zu verstärken.
[1] Hermann Fränkel hat in seinem Buch über die homerischen Gleichnisse, Göttingen, 1921, gezeigt, daß sie auch bei Homer seltener sind, als man annahm. Trotzdem bleibt der Unterschied zwischen Homer und Virgil in dieser Hinsicht beträchtlich.

Auch Hercules bezwingt beim Tode des Pallas seinen Schmerz und vergießt doch *lacrimas inanes* (X 464):

> Es hörte der Alkide den Jüngling und gewaltige Klage unterdrückt er tief im Herzen und vergießt nichtige Tränen.

> *Audiit Alcides iuvenem magnumque sub imo*
> *Corde premit gemitum lacrimasque effundit inanes*[1]

Die innere Verwandtschaft der beiden Stellen ist ein Indiz mehr, daß Äneas die Tränen weint. So endet das erhabene Sinnbild seiner Heldengröße, das einen wichtigen Abschnitt des vierten Buches beschließt, mit einem Vers, der in einer Antithese noch einmal pointiert die Kraft seines Entschlusses und den Schmerz seiner Seele zum Ausdruck bringt, und es ist bemerkenswert, daß die Szene mit den Tränen schließt: die Menschlichkeit des Helden tritt in einem Augenblick hervor, wo er leicht grausam scheinen könnte. Denn im Ganzen besteht ein Gegensatz zwischen der Kühle des Äneas und Didos Glut. Es ist der tragische Urgegensatz zwischen dem Mann und der Frau, der, um zwei moderne Beispiele zu nennen, in Heines Gedicht vom Fichtenbaum ,in Eis und Schnee‘ und der Palme ,vor brennender Felsenwand‘ oder im Kontrast der Gestalten in Böcklins

---

[1] Das Wort inanis wird bei Virgil öfter dazu verwendet, die Tragik des Daseins zu bezeichnen, so
Purpureos spargam flores animamque nepotis
His saltem adcumulem donis et fungar inani
Munere (VI 884).
Di Iovis in tectis iram miserantur inanem
Amborum (X 758).
An beiden Stellen ist das Wort durch das Enjambement besonders hervorgehoben.

‚Odysseus und Kalypso' Form gewonnen hat. Daß der
Gegensatz zwischen Äneas und Dido mit demjenigen
zwischen Jupiter und Juno verwandt ist, wurde schon
früher hervorgehoben.

Wird die schmerzvolle Entschlossenheit des Helden hier
in einem Gleichnis gedeutet, so am Anfang des fünften
Buches in einer symbolischen Geste:

> Inzwischen hielt Äneas mit der Flotte den Kurs schon
> inmitten (des Meeres) und durchschnitt die vom Nord-
> wind schwarzen Fluten, nach den Mauern den Blick
> wendend, die von den Flammen der unglücklichen
> Elissa leuchten.

> *Interea medium Aeneas iam classe tenebat*
> *Certus iter fluctusque atros aquilone secabat*
> *Moenia respiciens, quae iam infelicis Elissae*
> *Conlucent flammis.*

Unerschütterlich nimmt er seinen Weg trotz des Sturmes
und der Erinnerung an Dido, die in den Worten ‚*moenia
respiciens*' deutlich anklingt, trotz des Flammenscheins,
der in den Herzen der Trojaner dunkle Ahnungen weckt.
Die Erklärung des Servius: *certus: indubitabiliter pergens,
id est itineris sui certus*, die Heyne billigt, Wagner aber
ablehnt[1], ist im Grunde richtig, obwohl *certus* zunächst
zweifellos auf den geraden Kurs der Flotte geht. Durch
den geraden Kurs aber wird der feste Entschluß des
Helden versinnbildlicht. Wir haben es mit einem Bei-

---

[1] Wagner: ‚certus hic non aliter dicitur ac certa hasta,
certa sagitta, i. e. ad certum locum tendens. Itaque certus
dicitur Aeneas recto non erratico itinere cursum intendens.
Similiter certa pompa apud Tibull. III 1, 3. Ad consilium
non potest certus hic referri, cum iam in medio sit itinere
Aeneas.'

spiel symbolischer Gebärdensprache zu tun, wo durch
eine äußere Geste eine innere Haltung wiedergegeben
wird. Es ist unzweifelhaft, daß die Metapher des Lebens-
(und Staats-) schiffes, die dem griechischen Denken
ganz geläufig war und sich der Anschauung der Mittel-
meervölker ständig aufdrängte, hier einwirkt.[1] Damit
eng verknüpft ist das metaphorische Band, das in der
Vorstellung der Antike zwischen Wind und Schicksal
besteht und in der Äneis ebenfalls mehrfach begegnet[2].
Das dichterische Symbol soll solche allgemeinen, „philosophischen" Perspektiven eröffnen, wie es überhaupt
das Merkmal der Kunst ist, hinter dem Einzelnen

---

[1] Auch in den berühmten Schlußworten der Dido erscheint
der Lebensweg als Seefahrt und das Schicksal gleichsam
als Fahrwind:

> Vixi et quem dederat cursum Fortuna peregi.

Ebenso in den Worten des Latinus (VII 598):

> Omnisque in limine portus
> Funere felici spolior.

Es wäre eine lohnende Aufgabe, die Geschichte dieses
Bildes durch die Zeiten zu verfolgen. Eine der mächtigsten
Erneuerungen des antiken Symbols findet sich bei Petrarca,
Canzoniere 189: Passa la nave mia colma d'obblio per aspro
mare a mezza notte il verno, ... al governo siede'l signore
mio, und dann vor allem in der Goethischen Seefahrt, die
mit den Worten schließt:

> Doch er stehet männlich an dem Steuer,
> Mit dem Schiffe spielen Wind und Wellen,
> Wind und Wellen nicht mit seinem Herzen.
> Herrschend blickt er auf die grimme Tiefe,
> Und vertrauet, scheiternd oder landend, seinen Göttern.

III 9: Et pater Anchises dare fatis vela iubebat.
V 20: Consurgunt venti atque in nubem cogitur aer
Nec nos obniti contra nec tendere tantum
Sufficimus. Superat quoniam fortuna, sequamur
Quoque vocat vertamus iter.
VII 594: (Latinus): Frangimur heu fatis inquit ferimur que
procella.

größere Zusammenhänge transparent werden zu lassen. Das Schwanken der Erklärer, die sich entweder für die äußere Route oder die innere Entschlossenheit entscheiden, rührt daher, daß sie den sinnbildlichen Charakter der poetischen Ausdrucksweise verkennen, die beides umfaßt[1].

Hinter den genannten Metaphern aber steht der große Gedanke, daß die Fahrt des Äneas und das ganze Gedicht ein Gleichnis des Menschenlebens ist. In dieser Weise hatte das Altertum schon die Odyssee gedeutet, und wenn die allegorisch-philosophische Interpretation in der vereinfachten Form der Popularphilosophie, wie sie uns zum Beispiel in der bekannten Horazepistel (I 2) entgegentritt, von Homer ferngehalten werden muß und selbstverständlich auch für Virgil viel zu eng ist, so kann doch kein Zweifel sein, daß sie dem Dichter geläufig war und daß die Äneis auch in diesem Sinne ein Gleichnis ist.

In weiteren sinnbildlichen Gesten zeigt sich die Festigkeit des Helden in aller Not und Verwirrung. Ich nenne: die Worte am Ende des fünften Buches nach dem Tod des Steuermanns Palinurus:

> Er lenkte selbst das Schiff in den nächtlichen Wogen, heftig wehklagend und tief erschüttert durch des Freundes Schicksal

> V 868: *Ipse ratem nocturnis rexit in undis,*
> *Multa gemens casuque nimium concussus amici,*

wo der ‚symbolische' Sinn der Seefahrt wieder mit-

---

[1] Die Bedeutung des Seesturms im ersten Buch als Schicksalssymbol hängt gleichfalls mit dieser Metaphorik zusammen.

schwingt und die erhabene Einfachheit und klare Schönheit in Bild und Ausdruck von großer Wirkung ist;
ferner: den Beginn von XI, der dem Anfang von V
kompositionell entspricht:[1]

> Okeanos verließ sich erhebend Aurora. Wiewohl die
> Sorgen ihn drängen, der Bestattung seiner Gefährten
> die Zeit zu schenken und die Seele von der Totenfeier
> trübe bewegt ist, löst er dennoch als Sieger die Götter-
> gelübde beim ersten Schein des Morgens ein.

> *Oceanum interea surgens Aurora reliquit,*
> *Aeneas, quamquam et sociis dare tempus humandis*
> *Praecipitant curae turbataque funere mens est,*
> *Vota deum primo victor solvebat Eoo,*

dann die schmerzvoll entschlossene und verhaltene
Geste (*nec plura effatus*), mit der er sich von der Leiche
des Pallas wieder zum Lager zurückwendet (XI 94):

> Nachdem der ganze Zug der Gefährten weit vor-
> gerückt war, blieb Äneas stehen und mit tiefem Seufzen
> sprach er dieses: Uns ruft zu anderen Tränen das
> gleiche furchtbare Schicksal des Krieges. Sei mir ewig
> gegrüßt, Pallas, Größter du. — Nichts weiter
> redend strebte er zu den Mauern und lenkte die
> Schritte zum Lager.

> *Postquam omnis longe comitum praecesserat ordo,*
> *Substitit Aeneas gemituque haec edidit alto:*
> *Nos alias hinc ad lacrimas eadem horrida belli*
> *Fata vocant. Salve aeternum mihi, maxume Palla,*
> *Aeternumque vale. Nec plura effatus ad altos*
> *Tendebat muros gressumque in castra ferebat.*

---

[1] V und XI, die vorletzten Bücher der beiden Äneishälften,
korrespondieren insofern, als sie mit dem Erscheinen des
Äneas beginnen und enden.

Hier spürt man, wie tief der Dichter die Bitternis des Krieges empfindet: hinter der Trauer um Pallas leuchtet die größere Tragik auf, von der der Tod des Freundes nur ein Einzelfall ist. Es wird gleichsam der Zug der Toten sichtbar, der ihm folgt, die ‚anderen Tränen'. Bezieht sich diese Trauer zunächst nur auf die Bestattung der übrigen Toten, die dem Äneas obliegt (XI 184 ff.), so darf sie doch auch in weiterem Sinn verstanden werden.

Äneas wird in solchen Augenblicken zum Träger des tragischen Grundgefühls, das die Dichtung beseelt. Wohl verkörpern alle Figuren, die der Dichter schafft, dialektische Möglichkeiten seiner Seele, aber die Gestalt des Äneas entstammt gleichsam dem Kernbereich seines Wesens. Aus ihr läßt sich am meisten für seine ‚Psychographie' gewinnen. Der Blick für Tragik, der den Helden auszeichnet, ist der Blick, mit dem der Dichter selber die Welt und das Leben sieht. Es ist der mitleidsvolle Blick, mit dem die virgilischen Götter auf die Kämpfe herabschauen:

Die Götter in Jupiters Haus beklagen den leeren Groll der beiden und daß die Sterblichen soviele Mühen erdulden müssen.

Di Iovis in tectis iram miserantur inanem
Amborum et tantos mortalibus esse labores (X 758 f.),

die schmerzvolle Verwunderung, der der Dichter am Anfang des Ganzen Ausdruck verleiht:

Tantaene animis caelestibus irae?

Sie bricht in Äneas, und von allen Gestalten nur in ihm, immer wieder durch. So in dem schmerzlichen Ausruf

(VIII 537): *Heu quantae miseris caedes Laurentibus instant,*
inhaltlich jener Frage des Anfangs am nächsten verwandt in den Worten des Helden an die Latiner, als sie
um Waffenruhe zur Bestattung ihrer Toten bitten:

> Welch unverdientes Geschick hat euch in so gewal-
> tigen Krieg verstrickt, ihr Latiner, daß ihr uns
> Freunde fliehet?

> *Quaenam vos tanto fortuna indigna, Latini*
> *Implicuit bello, qui nos fugiatis amicos* (XI 108)?,

am größten in seinem Gang durch das Seelenreich, der
ja ein Symbol ist für die Berührung des Dichters mit
der Tragik der Welt. Schuld, Sühne und Leid, die dem
Helden hier entgegentreten, erwecken in ihm den tragischen Schmerz des Mitleidens, jenes große Mitgefühl,
das sein Helden- und Duldertum auch sonst kennzeichnet, wie es ausdrücklich bei Dido gesagt wird
(VI 475):

> *Nec minus Aeneas c a s u c o n c u s s u s i n i q u o*
> *Prosequitur lacrimans longe et m i s e r a t u r euntem.*

Und am ergreifendsten entsteigt dieses Gefühl seinem
Herzen, als er die Seelen erblickt, die am Lethestrom
‚sorglosen Trank trinken und langes Vergessen‘, um
wieder in die Welt zurückzukehren (VI 719):

> O Vater, soll man glauben, daß manche Seelen von hier
> schwebend empor zur Oberwelt gehen und wieder zu
> den langsamen Körpern zurückkehren? Welch unheil-
> volle Sucht nach dem Licht erfüllt die Armen?

> *O pater, anne aliquas ad caelum hinc ire putandum est*
> *Sublimis animas iterumque ad tarda reverti*
> *Corpora? Quae lucis miseris tam dira cupido?*

Das klingt wie eine Palinodie auf die Unterweltsklage des homerischen Achilleus in der Totenbeschwörung der Odyssee, der lieber Taglöhner bei dem ärmsten Mann wäre als König im Totenreich[1]. Es ist der Platonismus des ‚Somnium Scipionis‘, der wie bei Cicero Ausdruck und Trost eines leidgeprüften Herzens ist. Es ist klar, wie sehr sich die Sehnsucht nach der jeweiligen Erlösung, die die kommenden Jahrhunderte mit immer stärkerer Gewalt erfüllte, von solchen Virgilstellen angesprochen fühlen mußte.

Und mit dem gleichen Blick für Tragik wie die fremden Schicksale betrachtet er sein eigenes, indem er es an fremdem Glücke mißt:

> O dreimal und viermal selig, denen vergönnt war, vor den Augen der Väter unter Trojas hohen Mauern zu sterben (I 94).

> O ihr Glückesgesegneten, deren Mauern sich schon erheben, spricht Äneas und schaut zu den Zinnen der Stadt empor (I 437).

> Lebet glücklich, denen das Schicksal schon vollendet, die Ruhe gewonnen ist, die keines Meeres Gewässer durchpflügen, und die Gefilde Ausoniens nicht suchen müssen, die stets weichenden. (III 493ff.) Lerne, o Knabe, von mir Heldenschaft und wahres Mühen, von den andern aber das Glück. (XII 435).

> *O terque quaterque beati*
> *Quis ante ora patrum Troiae sub moenibus altis*
> *Contigit oppetere.*

---

[1] Diese Klage kehrt auch in der Äneis wieder, bezeichnenderweise jedoch bei den Selbstmördern (VI 436):
    Quam vellent aethere in alto
    Nunc et pauperiem et duros perferre labores!

O fortunati, quorum iam moenia surgunt,
Aeneas ait et fastigia suspicit urbis.

Vivite felices, quibus est fortuna peracta
Iam sua, nos alia ex aliis in fata vocamur.

Vobis parta quies, nullum maris aequor arandum
Arva neque Ausoniae semper cedentia retro
Quaerenda.

Disce puer virtutem ex me verumque laborem,
Fortunam ex aliis.

Sein Heldentum erfüllt sich darin, daß das Leid zwar
immer wieder zu groß wird für sein fühlendes Herz, er
aber dennoch hindurchschreitet, sein Leben ‚durch das
Äußerste hindurchführend', wie der Dichter sagt (III
315: *Vivo vitamque extrema per omnia duco*), die innere
Qual bezwingend (*premit altum corde dolorem*) und sich
in edler Entsagung dem Schicksal beugend. Von seiner
Gestalt geht so die große Wirkung aus, die Schopenhauer von der Poesie erwartete: nicht in Sentimentalität
solle sie versinken, sondern zur Resignation erheben.
Das Leid aber, das Äneas überwindet und trägt, ist —
ich wiederhole es — weniger Schmerz um das eigene
verlorene oder versagte Glück als Seelenqual aus Mitgefühl, Gram, daß andere um des Schicksalsbefehles
willen, der ihm auferlegt ist, so bitter leiden müssen.
Die homerischen Helden leiden aus ‚Selbstliebe' in dem
hohen Sinn, in dem Aristoteles das Wort braucht und
erklärt. Und auch bei den anderen Hauptgestalten
Virgils, bei Dido und Turnus, steht noch dieses antike
Grundgefühl allem andern voran. Äneas aber leidet um
der anderen willen. In ihm bricht ein neues Menschen-
tum ans Licht, in dem sich die Gesinnung des Christentums ankündigt. Er steht schon auf dem Wege zum

christlichen Helden, dessen Herz auch in Kampf und Schmerz voll Milde bleibt und in heimlicher Zartheit mit allen Leidenden schlägt.

Und auch den Pflichtgedanken, der seine Haltung mitbestimmt und der ein Grundelement schon der altrömischen Moral ist, hat Virgil mit dem neuen Grundgefühl seiner Menschlichkeit erfüllt, das ein großes Mit- und In-den-andern-Empfinden ist, und hat ihn so der christlichen Liebesidee und dem christlichen Solidaritätsgedanken angenähert. Die eigentümliche Mittlerstellung Virgils zwischen der römisch-antiken und der christlich-mittelalterlichen Welt hat in dieser inneren Annäherung eine ihrer tiefsten Wurzeln.

Aus dem Gesagten ergibt sich, daß die ‚stoische' Deutung der Äneasgestalt (Heinze) nicht richtig sein kann, wenigstens, wenn man den Begriff sensu stricto nimmt. Der Held empfindet den Schmerz, namentlich den der Seele, in seiner ganzen Tiefe: seine sittliche Anstrengung ist niemals darauf gerichtet, sich unempfindlich zu machen, sondern *trotz größter Empfindung* das Geforderte zu tun. Dies macht ihn erst wirklich zu einem Helden, von dem die Wirkung des Tragischen ausgeht, auch läßt es die Kraft seines Willens umso größer erscheinen: denn die Leidoffenheit seines menschlichen Herzens ruft immer den Gedanken hervor: welcher Heldenkraft bedarf es doch, um *solchen* Schmerzes Herr zu werden! Der Dichter reißt also die Distanz zwischen dem, was die zarte Seele des Helden ersehnt, und dem, was das Schicksal von ihm fordert, weit auf, nicht aber beseitigt er sie wie die stoische Lehre, die das Herz verhärtet und durch die alle niederzwingende Vernunft zum Schweigen bringt. Und ist sein Schmerz auch der edle Schmerz des Mitleidens, so darf nicht vergessen werden, daß die Stoa dem Weisen auch diesen verbietet.

Weit entfernt von aller Ataraxie, in der Tiefe seines Wesens dem Leid nicht abgewandt, sondern ihm zugekehrt — auch hier spürt man die Nähe zum Christentum —, trachtet also Äneas nicht danach, den Schmerz rational wegzuräumen, sondern ihn auf sein Handeln keinen Einfluß gewinnen zu lassen. Wohl darf Augustinus den Vers ,*Mens immota manet: lacrimae volvuntur inanes*‘, dessen Bedeutung für die innere Charakteristik des Äneas hervorgehoben wurde, als eine Illustration der mittelstoisch-ciceronischen Anschauung in Anspruch nehmen, daß zwischen der peripatetischen und der stoischen Auffassung des Schmerzes kein Unterschied bestehe. Aber dies gilt eben nur für die mittlere Stoa des Panaitios, die die Gegensätze zwischen den Schulen ausgleicht und allenthalben einer mittleren Auffassung zuneigt, aber nicht für die Stoa der strengen Observanz. Vor ihr könnte die Trauer des Äneas nicht bestehen.

Die ,stoische‘ Haltung bei der Verwundung (XII 398), das Unberührtsein von körperlichem Schmerz wie von dem Mitgefühl seiner Umgebung — bezeichnenderweise wird dies als Steigerung hervorgehoben — erklärt sich wie sein Ungestüm, den Turnus zum Kampfe zu stellen, aus der Empörung über den Vertragsbruch der Latiner. Erst diese Rechtsverletzung — *debellare superbos* — macht aus ihm den erbitterten Krieger, der zur erbarmungslosen Vernichtung des Gegners entschlossen ist. Das schmählich verletzte Recht läßt jede andere

Rücksicht verblassen. Hier, und nur hier, wird er ‚*avidus pugnae*' (XII 430) genannt.

Von der Seite des Schmerzes her gesehen ist seine Haltung also keineswegs stoisch. Eher kann vielleicht die Auffassung seines Schicksals als einer Schule des Leides als stoisch angesprochen werden. Der wild-bewegten Weissagung der Sibyllen von den blutigen Kämpfen, die den Trojanern drohen, setzt er — auch in der Ruhe seiner Haltung, nicht nur in dem Inhalt seiner Rede einen wirkungsvollen Kontrast zum Furor der Priesterin bildend — die Worte entgegen (VI 103):

> Kein Antlitz der Mühen, o Jungfrau, erhebt sich mir
> neu und unvermutet, alles nahm ich vorweg und habe
> es vorher bei mir in der Seele vollendet.

> *Non ulla laborum*
> *O virgo nova mi facies inopinave surgit,*
> *Omnia praecepi atque animo mecum ante peregi,*

wo Norden in seinem Kommentar die stoischen Paralle-len anmerkt[1]. Auch sonst kann seine Einstellung zum

---

[1] Auch der berühmte Vers der Dido ‚Non ignara mali miseris succurrere disco' verweist auf diese nie endende Schule des Leids (‚disco', nicht ‚didici', wie Albini, Confe-renze Virgiliane, Mailand 1931, treffend hervorhebt). Stoische Färbung hat auch der Satz der Königin (IV 419):

> Hunc ego si potui tantum sperare dolorem,
> Et perferre soror potero.

Das ist die gleiche innere Vorbereitung auf das Leid, von der Äneas zur Sibylle spricht. Nur geben diese Sätze nicht ihre wahre Gesinnung wieder. Sie ist in der tragischen Auf-gewühltheit ihrer Leidenschaft von solcher stoischen Ge-lassenheit weit entfernt. Nur äußerlich weiß sie sich zu beherrschen. Durch den Gegensatz zu der vorgetäuschten ‚stoischen' Haltung gewinnt die Verfassung ihrer Seele an tragischer Wirkung.

Schicksal als der stoischen verwandt empfunden werden,
z. B. VIII 131:

> *Sed mea me virtus et sancta oracula divom*
> *Cognatique patres tua terris didita fama*
> *Coniunxere tibi et f a t i s e g e r e v o l e n t e m.*

Doch ist gerade die innere Zustimmung zum Fatum bei
ihm keineswegs immer vorhanden:

> *Italiam non sponte sequor* (IV 361);
> *Invitus regina tuo de litore cessi,*
> *Sed me iussa deum . . . imperiis egere suis* (VI 460 ff.)

Als nach dem Brande der Schiffe Äneas ,*casu concussus
iniquo*' (die immer wiederkehrende Formel ist für sein
Gerechtigkeitsgefühl nicht weniger bezeichnend als für
seine Menschlichkeit) neuerlich schwankt, muß der
greise Nautes ihm gegenüber die stoische Haltung als
Forderung vertreten (V 709):

> *Nate dea, quo fata trahunt retrahuntque, sequamur.*
> *Quidquid erit, superanda omnis fortuna ferendo est.*

Und in den Schlußworten des Äneas an Ascanius, in
denen der Dichter gleichsam das Vermächtnis des
Helden zusammenfaßt und die im Grunde wohl schon
auf das dunkle Verhängnis weisen, das ihm nach dem
Sieg über Turnus droht:

> *Disce puer virtutem ex me verumque laborem*
> *Fortunam ex aliis*[1],

---

[1] Daß der Entschlossenheit des Äneas seine unheilvolle
Fortuna gegenübersteht, wird auch in den berühmten
Versen ausgedrückt (VI 95):
    Tu ne cede malis, sed contra audentior ito
    Quam tua te fortuna sinet.

spürt man nichts von der gladiatorischen Herausforderung und ‚*ostentatio*‘ dem Schicksal gegenüber, wie sie vielleicht am eindrucksvollsten in Senecas Schrift ‚*De providentia*‘ zum Ausdruck kommt: seine Fortuna, sein leidensvolles Schicksal, will er seinem Sohne nicht wünschen, und hieraus spricht nicht nur die Liebe zu Ascanius, sondern eben jene wehmütige Betrachtung eigenen und fremden Leides, die alles andere als stoisch ist. Auch die Schicksalshaltung des Äneas kann daher trotz einzelner Anklänge nicht ohne weiteres als stoisch bezeichnet werden.

Überhaupt darf man nicht vergessen, daß die poetische und die philosophische Auffassung des Schicksals sich niemals ganz decken können, wie schon Grillparzer in seinem Fatumaufsatz treffend ausführte. Denn die poetische Darstellung und die philosophische sind zwei grundsätzlich unterschiedene Formen der Bewältigung der Wirklichkeit. Die poetische Welt kann an der philosophischen wohl teilhaben, aber niemals in ihr aufgehen oder gar mit ihr identisch sein. Sie steht unter anderen Gesetzen. Das, was Goethe an Schiller anläßlich der Unterhaltungen schrieb, die er mit Schelling führte, ist von allgemeiner Bedeutung: ‚Die Philosophie zer-

---

Nur durch diesen Wortlaut, nicht durch die von Norden unter dem Beifall von Wilamowitz in der dritten Auflage seines Kommentars akzeptierte Lesart ‚q u a tua te fortuna sinet‘ kommt die von Äneas geforderte ‚magnitudo animi‘ in ihrer ganzen Größe zum Ausdruck. Auch steht in Nordens Text ‚audentior‘ völlig beziehungslos da. In dem Überwinden der Fortuna, in dem Weitergehen über die von ihr gesteckten Grenzen drückt sich ein stoischer Gedanke aus, der dem Motivkreis des Kampfes gegen die Fortuna angehört, den Seneca in immer neuen Bildern als die Aufgabe des menschlichen Lebens umschreibt.

stört (in mir) die Poesie'[1]. Das Idealbild des stoischen Weisen könnte in einem Gedicht niemals in seiner reinen Form erscheinen, ohne seinen poetischen Charakter zu vernichten[2]. Im übrigen darf die stoische Lehre der strengen Richtung umso weniger bei Virgil erwartet werden, als sie dem Bewußtsein der Zeit nicht entsprochen hätte. Cicero, der Wegbereiter des augusteischen Geistes, hatte im Anschluß an Panaitios die Stoa weitgehend ‚hellenisiert' und ‚humanisiert'[3]. Auch die spätere römische Stoa folgt im allgemeinen nicht der strengen Lehre. Seneca selber — die erwähnte Schrift ‚De providentia' ist für seine Haltung keineswegs typisch — ist von altstoischer Rigorosität und Outriertheit im ganzen weit entfernt und tief von einer humanen, duldsamen Gesinnung durchdrungen, die sich dann im milden Stoizismus des Marc Aurel fortsetzt.

Das Charakterbild des Äneas wird von der Verschmelzung verschiedener Züge bestimmt: homerisches Heldentum, altrömisch stoische ‚magnitudo animi' und virgilisch-augusteische ‚humanitas' vereinigen sich in ihm zu einem neuen Ganzen. Die Harmonie dieses Menschenbildes wäre zerstört, wenn die ‚stoische' Komponente vorherrschend wäre. Auf der Spannung von ‚magnitudo

---

[1] Über Dichtung und Philosophie, Typen ihrer Wechselwirkung von den Griechen bis auf Hegel, Hermann Glockner, Zeitschr. f. Ästhetik, 15, 1921, 187 ff.
[2] Schon Lessing hat alles ‚Stoische' als Gegenstand der Kunst verworfen, weil es höchstens kalte Bewunderung errege.
[3] Dies im einzelnen nachgewiesen zu haben, ist das Verdienst von Max Pohlenz, Antikes Führertum, Ciceros De officiis und das Lebensideal des Panaitios, Leipzig 1936. Panaitios hatte die stoische Forderung völliger Empfindungslosigkeit ausdrücklich verworfen (Gellius NA 12,5).

animi' und *,humanitas'* beruht die Seelenfülle und die
Größe des Äneas wie der Dido.˙ Jede Deutung, die im
Charakter des Äneas den stoischen Heroismus oder aber,
wie es gleichfalls geschehen ist, die Seelenzartheit einseitig hervorhebt, verzeichnet ihn. Sie sieht ihn zu hart
oder zu weich, zu stoisch römisch oder zu christlich
modern, und Analoges gilt von Dido. In Virgil ist beides:
die antikische Größe und die Menschlichkeit des späteren
Hellenismus, die an der Formung des Christentums entscheidend mitgewirkt hat, der römische Granit und der
zarte Schmelz eines neuen Seelentums.

Ein Problem bleibt in diesem Zusammenhang noch zu
erörtern: die Frage nach der ,Charakterentwicklung' des
Helden. Heinze hat versucht, eine solche zu statuieren.
Von der Verzweiflung des Seesturms und der Nieder-
geschlagenheit im Monolog: *,O terque quaterque beati'*
und der nach der Ansprache *,O socii'* geschilderten Seelen-
stimmung erhebe er sich zu immer größerer Gefaßtheit,
zu immer erhabenerer Größe. Am Anfang verkörpere
er noch nicht das stoische Ideal, aber auf dem Wege
seiner inneren Entwicklung erreiche er es schließlich.

Ich glaube, daß mit dem modernen Begriff der Charakterentwicklung hier nicht viel auszurichten ist. Richtig ist,
daß entsprechend dem Gesetz der Steigerung, von dem
das Gedicht beherrscht ist, die Größe des Helden mit der
Größe der Situationen wächst, nicht aber im Sinne einer
inneren Entwicklung, deren psychologischer Reiz dem
homerisierenden Dichter fernlag, und auch nicht einer
fortschreitenden Annäherung an das Idealbild des
stoischen Weisen, sondern so, daß sich der Charakter des
Helden in immer größerer Form bewährt und daß mit

der allmählichen Enthüllung seiner Sendung seine innere
Sicherheit zunimmt. Sein ‚Charakter‘, d. h. das, was sein
Wesen prägt, bleibt unverändert: das Ringen von heldi-
scher Pflichterfüllung und menschlichem Empfinden, das
das Bild seines Wesens bestimmt, durchzieht das ganze
Gedicht. Es tritt bereits in den ersten Szenen hervor
und läßt sich durchgehend verfolgen bis zu den letzten
Versen, wo er schwankt, ob er Turnus töten oder be-
gnadigen solle.

Ferner: die Ansprache ‚O socii‘ darf nicht als Ausdruck
mangelnder Weisheit, unvollkommener Selbstbeherr-
schung und fehlenden Gottvertrauens gewertet werden.
Im Gegenteil: die Entschlossenheit, die aus den Worten
spricht, ist umso bewundernswerter, als sie auf dem
Grunde des Zweifels, ja der Verzweiflung ruht. Schon
hier ist er, wie die Sibylle es später von ihm fordert,
‚audentior quam eius Fortuna sinit‘. Eine Schule des Leids
macht der Held allerdings durch. Die Formel ‚Vivo
vitamque extrema per omnia duco‘ umschreibt vielleicht
am treffendsten sein Schicksal. Immer tiefer und um-
fassender wird hiebei seine Leidenserfahrung und sein
Wissen um die Größe seiner Aufgabe. Der Unterschied
zwischen dem Äneas des letzten Drittels und dem des
ersten liegt nicht in seinem größeren Mut, sondern in
seiner größeren Reife und in dem tieferen Erfülltsein
mit römischer Haltung. Denn dazwischen liegen die
Kernbücher des Gedichtes, in denen sich innerlich und
äußerlich die Berührung des Helden mit Rom vollzieht:
in VI mit der römischen Idee, in VII und VIII mit dem
römischen Boden und der römischen Landschaft, mit
römischen Kult und dem λιτοδίαιτον des römischen

Lebensstils. Auch enthalten diese Bücher religiöse und politisch-historische Offenbarungen, die seinem Handeln prinzipiellere Bedeutung und größeres Format verleihen. Im sechsten Buch wird Äneas in die Tragik der Welt und ihre jenseitige Lösung und Sühnung eingeweiht wie in die diesseitige Ordnung, den Lauf der römischen Geschichte und ihren Sinn. Im achten Buch liegt gleichfalls eine Lehre verborgen. Es führt dem Äneas die Einfachheit und karge Schlichtheit altrömischer Sitte als ein Vorbild vor Augen. Euander spricht die ‚Moral' des Buches aus, als er den Gast in sein Haus einführt (VIII 362):

> Haec, inquit, limina victor
> Alcides subiit, haec illum regia cepit.
> Aude, hospes, contemnere opes et te quoque dignum
> Finge deo rebusque veni non asper egenis.

Äneas, der König der Troer, ein Fürst aus dem reichen Asien, der in punischem Wohlleben zu versinken drohte[1], dem in den Augen seiner Feinde etwas von asiatischer Weichlichkeit anhaftet — man erinnere sich an das Gebet des Jarbas, wo Äneas, der ‚Paris mit dem Eunu-

---

[1] IV 261: Atque illi stellatus iaspide fulva
    Ensis erat Tyrioque ardebat murice laena
    Demissa ex umeris, dives quae munera Dido
    Fecerat et tenui telas discreverat auro.
Die Erinnerung an Antonius und Kleopatra mag hier hineinspielen. Doch hat Dido sonst mit der ägyptischen Königin nichts gemein. Die neuerliche Deutung der Dido als einer Allegorie der Kleopatra ist nicht haltbar. Wichtiger ist, daß in dem ‚Verliegen' des Äneas eine Gefahr der römischen Seele ihren symbolischen Ausdruck findet: die Gefahr des Versinkens in orientalische Weichlichkeit und haltlosen Lebensgenuß, der der vergebliche Kampf aller echten Römer vom alten Cato bis Tacitus gilt und die auch zu den Tendenzen der augusteischen Zeit gehört.

chengefolge und dem salbentriefenden Haar' als die
Verkörperung orientalischer Verweichlichung erscheint,
an den Zornesausbruch des Turnus (XII 97) und an die
harten Worte des Numanus, der die altitalische *duritia*'
der phrygischen *desidia*' entgegenhält (IX 603 ff.) —,
wird hier gleichsam gereinigt von dem Odium seiner
asiatischen Herkunft und mit römisch italischer Ver-
achtung gegen die *luxuria*' erfüllt[1]. Äneas tritt aus der
orientalischen Welt in die römische ein und wird dadurch auch innerlich zum Römer. Dies ist die tiefere
Bedeutung des achten Buches für die *innere Reise*' des
Helden. Und es ist sinnvoll, daß er am Ende des Buches,
an akzentuiertester Kompositionsstelle, dort, wo das
mittlere Äneisdrittel, das Kernstück des Gedichtes[2],
schließt, den Schild des Vulkan aufnimmt, auf dem
die römische Geschichte, gipfelnd im Sieg und Triumph
des Augustus, dargestellt ist, *Ruhm und Schicksale der
Enkel auf die Schulter hebend*'. Eindringlicher könnte
der stellvertretende Charakter seiner Taten und Leiden
nicht ausgedrückt werden. Nun ist er reif geworden,

---

[1] Der Gegensatz zwischen der reichen karthagischen Welt
der Dido — man denke an die Prachtentfaltung des Festmahles oder der Jagd — und dem armen Urrom des
Euander, ist ja einer der auffallendsten und wichtigsten
Züge an der Bildwerdung des Gegensatzes Karthago — Rom.
[2] Th. W. Stadler hat hervorgehoben, daß das gesamte
Geschehen des Gedichtes in einer Steigerung gestaltet
sei, die auf das Ende, den Sieg über Turnus, zusteuere.
Neben dieser Steigerung und dem Aufbau der Äneis in
drei Gruppen von je vier Büchern (sich überschneidend
mit der Gliederung in 2mal 6 und 6mal 2 Bücher), die
Stadler mit Berufung (I—IV), Bereitung (V—VIII) und
Beglaubigung umschreibt, darf die Gipfelung in der
Mittelgruppe (V—VIII), die zugleich eine Beruhigung, ein
Leiser- und Bedeutenderwerden ist, nicht übersehen werden.

das römische Schicksal zu tragen. Symbole der römischen Sendung und Szenen, in denen er *römische* Majestät verkörpert, bezeichnen die Stellen in den letzten Äneisbüchern, an denen er am mächtigsten in Erscheinung tritt[1].

2. Dido

Als Äneas der Dardanersproß die Bilder bewundernd
Schaute, als er gebannt sich in die Betrachtung versenkte,
Schritt die Königin Dido dem Tempel entgegen, von
     Schönheit
Strahlend, rings um sie her der Jugend prangend Gedränge.
An des Eurotas Ufern, über die Joche des Kynthos
Führt so Diana die Reigen, und Bergesnymphen in dichten
Schwärmen dringen überall her, die göttlichen alle
Hoch überragend schreitet sie so, an der Schulter den
     Köcher,
Heimliche Wonne durchzittert die schweigende Brust
     der Latona.
So bot Dido sich dar, so freudig schritt sie inmitten
Unter der Menge, besorgt um den Bau und das Werden
     des Reiches.
An den Pforten der Göttin dann, unter dem Schilddach
     des Tempels
Ließ sie sich nieder, von Waffen umschirmt, auf erhabenem
     Throne.

---

[1] Das Löwengespann der Magna Mater schmückt sein Schiff, als er von Euander zurückkehrt. Das ist eine Hindeutung auf die römische Weltherrschaft und ihre Ewigkeit, so wie das Kultbild der Göttin, das 192 nach Rom gebracht wurde, neben dem heiligen Feuer der Vesta und den Schilden des Mars zu den ‚pignora imperi‘ gehörte. Der Schild des Vulkan steht im Mittelpunkt der Szene, wo er den Trojanern und Rutulern als Heil-, bzw. Unheilbringer scheint (X 260 ff.). Über seine ‚römische‘ Erschei-

I 494: *Haec dum Dardanio Aeneae miranda videntur,*
Dum stupet obtutuque haeret defixus in uno,
Regina ad templum forma pulcherrima Dido
Incessit magna iuvenum stipante caterva,
Qualis in Eurotae ripis aut per iuga Cynthi
Exercet Diana choros, quam mille secutae
Hinc atque hinc glomerantur Oreades, illa pharetram
Fert umero gradiensque deas[1] supereminet omnis,
Latonae tacitum pertemptant gaudia pectus:
Talis erat Dido, talem se laeta ferebat
Per medios instans operi regnisque futuris.
Tum foribus divae media testudine templi
Saepta armis solioque alte subnixa resedit.

Mit einem frohbewegten Bild beginnt das dunkle Schicksal der Dido. Der Kontrast läßt entsprechend den Gesetzen klassischer Komposition[2] die Tragik umso stärker
hervortreten. Die Freude kontrastiert im Bewußtsein
des Lesers mit dem folgenden Schmerz, die Sorge um
ihr Reich mit dem Untergang Karthagos. Ihr Schicksal
vollzieht sich wie das des sophokleischen Ödipus in der

nung in der Vertragsszene und im Appeningleichnis, wo
er mit der Majestät des italischen Gebirges in eins gesetzt
wird, wie überhaupt seine Haltung im letzten Kampf
wird im Turnuskapitel gehandelt werden.

[1] Vielleicht ist *dea* mit irrationaler Längung zu lesen,
wie P und R bieten und vielleicht auch M ursprünglich las.
Conington-Nettleship (Vergil, Äneis, kommentiert von
J. Conington, 4. Auflage von H. Nettleship, London 1880)
entscheiden sich für *deas*, bemerken jedoch zutreffend:
‚*dea* would have a force of its own‘. Ein vergleichbares
Beispiel irrationaler Längung III 464.

[2] Vgl. Richard Heinze, S. 328 f. Heinrich Wölfflin, Die
klassische Kunst, 1901, und Gedanken zur Kunstgeschichte,
1940 (insbesondere die Kapitel ‚Die Schönheit des Klassischen‘ und ‚Der klassische Böcklin‘), Kurt Riezler, ‚Par-
menides‘ und ‚Traktat vom Schönen‘, Frankfurt 1935,
‚Homer und die Anfänge der Philosophie‘ in ‚Die Antike‘
1936.

Form einer tragischen Umkehr[1]. Zugleich wird durch
das leuchtende Bild ein bedeutender Anfang wie mit
klingender Musik hervorgehoben. Denn Virgil liebt es,
den Beginn und das Ende von Handlungsverläufen
durch Bilder und Gleichnisse zu erhöhen und so die
innere Bewegung zu steigern.

Man hat jedoch gerügt, daß Virgil das Gleichnis der
fröhlichen Jagd der Artemis, mit dem Homer das
Reigenspiel der Nausikaa und ihrer Gefährtinnen
umkleidete (Od. 6, 102 ff.), auf den feierlichen Aufzug
der Dido übertrug. Der um die Überlieferung der
lateinischen Literatur hochverdiente Probus eröffnet
den Reigen der Tadler. ,,Von den Schülern des Valerius
Probus erinnere ich mich gehört zu haben", berichtet
Gellius (N. A. 9, 9, 12), ,,daß er zu sagen pflegte, Virgil
habe nichts so unglücklich aus dem Homer übertragen
als die anmutigen Verse, die jener über Nausikaa schrieb.
Erstens werde bei Homer Nausikaa, die mit den Gefährtinnen spiele, treffend und bequem mit Diana verglichen, die auf Bergesjochen unter ländlichen Göttinnen
jage; was aber Virgil gedichtet habe, sei keineswegs
passend, denn Dido, die mitten in der Stadt unter den
vornehmen Tyrerfürsten in feierlicher Kleidung und
feierlichem Aufzug einherschreite, könne von dem
Gleichnis nichts auf sich beziehen, das auf die Spiele und
das Jagen der Diana gemünzt sei. Ferner habe Homer
von dem Treiben und den Vergnügungen der Diana auf

---

[1] Über die tragische Umkehr bei Sophokles Karl Reinhardt,
Sophokles, Frankfurt 1933. Vgl. auch Heinzes Bemerkun-
gen über die ‚Peripetie‘ in der Struktur der Handlung
S. 323 ff.

der Jagd ehrlich und offen gesprochen, Virgil aber habe
von der Jagd der Göttin gar nichts erwähnt, lasse sie aber
einen Köcher auf der Schulter tragen, wie wenn das ein
Gepäck und eine Traglast wäre. Ganz besonders aber
habe sich Probus darüber gewundert, daß die Leto
Homers von echter, innerer Freude erfüllt sei, die im
Inneren des Herzens und der Seele lebe, denn nichts
anderes bedeute γέγηθε δέ τε φρένα Λητώ. Virgil aber
habe in der Absicht, dies nachzubilden, die Freuden
als faul und leicht und zögernd hingestellt und so, als
befänden sie sich ganz oben auf der Brust. Denn was solle
‚pertemptant‘ sonst heißen? Und vor allem habe er die
Blüte der ganzen Stelle ausgelassen, indem er den
Homervers nicht wiedergab. ‚Leicht ist sie zu erkennen,
aber schön sind sie alle‘, wo doch kein größeres Lob der
Schönheit ausgesprochen werden könne, als daß sie
unter allen den Schönen noch hervorrage, indem sie aus
allen leicht herauszukennen sei.“

Der feinsinnige Kunstrichter Sainte-Beuve hat in seiner
‚Étude sur Virgile‘², S. 292, diese Kritik in allem wesent-
lichen übernommen. Als Qualitäten der virgilischen
Umgestaltung weiß er nur den Rhythmus und den
Glanz der Sprache zu rühmen. Ebenso bezeichnet Heinze
(a. O. S. 120, Anm. 1) nach dem Vorgang Ribbecks
(Prologomena zur Vergilausgabe, S. 143) und Georgiis
(Die antike Äneiskritik aus den Scholien und anderen
Quellen, Stuttgart 1891, S. 44) die Kritik des Probus
als ‚treffend‘. Cartault, der sich an Sainte-Beuve anschließt, urteilt noch absprechender: ‚Il est bien certain
qu'il n'y a rien de commun entre la danse de Diane et
l'attitude de Didon organisant son empire. En somme

la comparaison est mal ajustée' (A. Cartault, L'art de
Virgile dans l'Enéide = Université de Paris, Bibliothèque
de la Faculté des Lettres, Deuxième Série, Vol. IV, Paris
1926, Première partie, S. 123). Doch hatte schon Servius
Einspruch erhoben: ,,Das Gleichnis tadeln viele, weil
sie nicht wissen, daß die gewählten Beispiele, Parabeln
und Gleichnisse sich nicht immer ganz decken, sondern
manchmal in allen Teilen, manchmal nur in einem über-
einstimmen." Aber einer solchen Verteidigung bedarf
der Dichter nicht. Denn die Übereinstimmung greift
eben gerade viel tiefer, als Servius und Probus
ahnen. Auch Scaliger ist dies entgangen, der den
Virgil am ausführlichsten und treffendsten verteidigte[1].
Zwar ist der hervorgehobene Vergleichspunkt bei Homer

---

[1] Im fünften Kapitel seiner Poetik zerpflückt er die Kritik
des Probus Punkt für Punkt. Er selber urteilt, ins andere
Extrem verfallend: ,Virgilianos versus a magistro, Homeri-
cos vero a discipulo confectos' (ein ganz ähnliches Urteil
fällt Heinze, S. 337, bei der Vergleichung der κόλος μάχη
mit Virgils Schlachtenszenen: ,,Die virgilische Ausführung
steht wie reife Kunst neben kindischem Versuch"). Zu
Anfang seiner Ausführungen bemerkt er nicht ohne Selbst-
gefühl: ,Huiusce modi iudicatio tametsi est a doctis explosa
atque ab omnibus excussa, nobis tamen, quae diceremus,
non pauca eaque optima reliquere'. Doch hat auch er non
pauca reliquit. Heinze (S. 120, Anm. 1) dagegen stellt der
,nicht glücklichen Übernahme' des homerischen Ver-
gleiches bei Virgil die ,geschickte Umformung bei Apollonius III 875' gegenüber. Es kann jedoch bei näherer
Prüfung nicht zweifelhaft sein, wem hier der Preis gebührt.
H. Färber, Zur dichterischen Kunst in Apollonios Rhodios'
Argonautica (Die Gleichnisse), Diss. Berlin 1932, S. 31 f.,
bemerkt zu dem apollonianischen Gleichnis: ,,Es heißt
doch etwas allzu unbekümmert auf der Homerstelle fußen,
wenn Apollonius ausläßt, daß Artemis die Nymphen an
Größe und Schönheit überragt und damit dem Motiv
eigentlich die Spitze abbricht" (also genau das, was Probus
dem Virgil vorwirft).

wie bei Virgil nicht die Bewegung, sondern die Schönheit. Doch ist das nicht entscheidend, weil bei Homer oft, bei Virgil immer der *ganze* Vergleich, nicht nur das sogenannte Tertium comparationis der Verdeutlichung und Erhöhung des Geschehens dient[1]. Aber auch der Aufzug der Dido ist von lebhafter Bewegung erfüllt. Er ist gar nicht so feierlich, wie Probus und die Seinen annehmen. Es ist kein Andante maestoso, sondern ein Allegro moderato. Durch die Szene geht etwas rauschend Freudiges, das in einem starken Gegensatz steht zu den wehmutsvollen Betrachtungen des Äneas vor den troischen Bildern. Der trauernden Ruhe des Äneas tritt die freudige Bewegung der Dido entgegen, seinen Tränen über das Vergangene ihr auf die Zukunft des Reiches roh gerichteter Sinn[2]. Im folgenden kehrt sich das Schicksal dann um: Troja steht herrlicher wieder auf,

---

[1] Für Homer hat dies Hermann Fränkel in seinem schönen Buch über die Homerischen Gleichnisse, Göttingen 1921, nachgewiesen. Vgl. auch K. Riezler, die homerischen Gleichnisse und die Philosophie, Die Antike, 1936. Bowra, Tradition and design in the Ilias, 115, 123 ff. Friedrich Müller, Das homerische Gleichnis, Neue Jahrbücher für Antike und deutsche Bildung, 1941, 175 ff. W. Schadewaldt, Von Homers Welt und Werken, Leipzig 1944, 234 ff. Emil Staiger, Grundbegriffe der Poetik, Zürich 1946, 123 f., tritt in berechtigter Reaktion gegen moderne Interpretationskünste wieder für das Tertium comparationis ein und zeigt, wie sich die Gleichnisse bei Homer selbständig machen.

[2] Eine innere Vorbereitung des Auftretens der Dido ist in der Amazonenkönigin zu sehen, die aus diesem Grunde die Folge der Bilder aus dem trojanischen Kriege beschließt (I 490 ff.). Sie bildet gleichsam die Überleitung zu der heldenhaften Königin: Penthesilea und Dido (‚dux femina facti') gehören innerlich verwandten Bereichen des Mythos an. Künstlerische Erwägungen solcher Art sind für die Feinheit der virgilischen Kompositionskunst bezeichnend.

Karthago geht unter. Der tragischen Umkehr im Schicksal der Dido steht die freudige bei Äneas gegenüber.

Aber wenn auch zwischen der Lebhaftigkeit der Bewegung des Dianagleichnisses und dem Auftritt der Königin eine größere Übereinstimmung besteht, als man wahrhaben wollte, so muß doch zugegeben werden, daß sich die homerische Situation von der virgilischen so erheblich unterscheidet, daß die Übertragung des Artemisgleichnisses in der Tat bedenklich erscheinen könnte. Aber Virgil hat dem Rechnung getragen. Denn er hat das Gleichnis keineswegs unverändert übernommen. Während es bei Homer heißt (v. 102): ,,Artemis kommt vom Berge, die pfeilfrohe, an den Ebern sich freuend und den schnellen Hirschen, mit ihr zusammen spielen die Nymphen des Feldes", ist bei Virgil in den Worten ,*exercet Diana choros quam mille secutae etc.*' angedeutet, daß Diana ihre Begleiterinnen anführt. Damit ist ihr Auftreten der königlichen Würde der Dido und der in den Worten ,*instans operique regnisque futuris*' liegenden Charakteristik immerhin angenähert. Ferner ist aus dem Jagdspiel der Artemis und der Nymphen[1], und damit berühren wir einen sehr wichtigen Punkt, der von keinem Erklärer erwähnt wird, ein ruhigerer, großräumiger Kultreigen geworden[2]. Dies geht nicht nur aus

Sie werden von keinem Virgilerklärer registriert, weil sie außerhalb des Gesichtskreises liegen, in dem sich die übliche Interpretation bewegt. Ich komme darauf im Zusammenhang des letzten Kapitels zurück.

[1] Daß bei Homer keine eigentliche Jagd vorliegt, hebt schon Scaliger richtig hervor.

[2] Schon Scaliger bemerkt zutreffend, ohne auf diesen Punkt genauer einzugehen: ,,Wenn man behauptete, der feierliche

den ‚*mille Oreades*‘ hervor, sondern schon aus den ersten
Worten des Gleichnisses ‚*in Eurotae ripis aut per iuga
Cynthi*‘: der Schauplatz ist von den Jagdrevieren des
Taygetos und Erymanthos nach den Kultplätzen der
Artemis, Sparta und Delos, verlegt. Dementsprechend
hat sich die Tätigkeit der Göttin geändert. Auch Diana
kann man sich nach den Worten Virgils durchaus vor
dem Tempel oder doch in seiner Nähe denken, genau so
wie Dido vor dem Heiligtum der Juno erscheint. Ich
glaube, daß die Stelle niemals so heftig kritisiert worden
wäre, wenn man über den Wechsel der Szenerie nicht
einfach hinweggelesen hätte. Durch diesen Wechsel ist
gerade die von Probus und den andern Tadlern vermißte Beziehung auf die Bewegung der Dido hergestellt[1].
Was diese Bewegung selbst betrifft, so hat man nicht
bemerkt, daß Dido nicht nur zum Tempel schreitet,
sondern die Bewegung derer, die rings um den noch
unvollendeten Bau[2] beschäftigt sind, durch Anweisungen
ordnet und leitet: diese konkrete, schlichte Bedeutung
muß ‚*instans operi*‘ haben: ‚auf das Werk, den Bau bedacht, um den Bau besorgt‘. Dies bezieht sich also
keineswegs nur auf die Gedanken der Königin, sondern

Schritt der Dido sei von dem Schritt Dianens gar sehr verschieden, so stellte man sich offenbar eine Diana vor, die
ein Bacchanal aufführt!“
[1] Nicht ganz zutreffend ist daher auch die Bemerkung
des Servius: ‚Exercet Diana choros: hoc non ad compara-
tionem pertinet, sed est poeticae descriptionis evagatio‘.
[2] Vgl. I 455: Artificumque manus inter se operumque
laborum Miratus (zur Deutung des ‚inter se‘ s. Madvig,
Opuscula academica I). Die Arbeit am Tempel ist nicht
näher beschrieben, um die trauervolle Versenkung des
Äneas nicht zu beeinträchtigen und die Ruhe der Szene
nicht zu stören.

vielmehr recht eigentlich auf die Inspizierung der Bau-
arbeiten am Tempel. Zu ihr drängen sich (im Vergleich:
,hinc atque hinc glomerantur Oreades') die Männer, die
den Bau leiten und durchführen. Bezöge man jenen
Ausdruck nur auf das spätere *,operum laborem partibus
aequabat iustis*' (I 507), an das die Königin denke, so
wäre die zweite Wendung eine etwas müßige Wiederholung, die man freilich durch das immer bereit liegende
Argument der fehlenden Vollendung entschuldigen
könnte. Doch wird man von dieser Zuflucht nur ungern
Gebrauch machen. Folgt man dagegen der vorgeschlage-
nen Interpretation, so ist leicht zu sehen, wie vortrefflich
der Vergleich ist zwischen der Herrscherin, die die Bau-
arbeiten besichtigt, und der Göttin, die an den Ufern
des Eurotas und den Jochen des Kynthos in der Nähe
ihres Tempels die Reigen der Oreaden leitet: nicht nur
die Königin selbst wird durch den Vergleich erhöht, die
Bewegung, die sich um den Tempel vollzieht, erhält so
einen poetischen Glanz.

Die Umgestaltung, die Virgil vornahm, ist aber auch
damit noch nicht erschöpft. Nicht wie bei Homer ist das
schöne Schauspiel nur einem fiktiven Beschauer zugekehrt, nur dem Auge des Dichters und Lesers sichtbar
(Odysseus ist bei Homer noch fern), sondern es ist Äneas,
der die Königin erwartet und erblickt[1]. Es ist der erste

---

[1] I 454: reginam opperiens. Die Worte I 494:
> Haec dum Dardanio Aeneae miranda videntur,
> Dum stupet obtutuque haeret defixus in uno,
> Regina ad templum ... incessit,

besagen nicht etwa das Gegenteil. In den Zustand der gesammelten Betrachtung des Äneas fällt das Erscheinen der Dido
(das ,punktuelle' incessit) nach dem von Heinze (S. 319 ff.)

Eindruck, der sich in sein Herz senkt, der Keim der Liebe, die sich auch in ihm entwickeln wird[1]. Nicht wie bei den Gleichnissen Homers bleibt die Handlung stehen, bleibt der Blick des Dichters an einer Stelle der Erzählung gleichsam haften, die er näher ausführt, sondern der innere Lauf des Geschehens, die Seelenbewegung der handelnden Personen nimmt auch während des Gleichnisses ihren Fortgang: die Gleichnisse Virgils sind in weit höherem Maße als die homerischen transparente Chiffern für seelische Vorgänge. Dieses Moment, das ich nirgends klar ausgesprochen finde, wiewohl es nur einen Spezialfall dessen darstellt, was Richard Heinze über das ‚Ethos' der virgilischen Erzählung im allgemeinen feststellte[2], ist für die Beurteilung der Gleichnisse in der

---

beschriebenen Prinzip Virgils, Handlungsverläufe mit einem ‚plötzlichen und starken Ruck' zu eröffnen. Heinze führt als Beispiel u. a. die jähe Unterbrechung der Betrachtung der Bildwerke des Daedalustempels durch das Auftreten der Sibylle (im sechsten Buche) an, das dem Auftreten der Dido diesbezüglich genau entspricht. Er hätte ebensogut auch unsere Szene nennen können. Äneas also erblickt Dido und wird aus seiner Betrachtung herausgerissen, genau so wie er kurz darauf das Kommen seiner Gefährten bemerkt. Auch Heinze hat unsere Stelle nicht anders verstanden (S. 322): ,,Bald erscheint die Königin, Äneas und Achates verbergen sich, um zunächst, selbst unbemerkt, die Situation zu beobachten." Zu verbergen brauchen sie sich allerdings nicht, denn sie sind unsichtbar (I 439 f. 580. 586 f.).

[1] Schon durch die Worte der Venus über Dido (I 535 ff.), die nicht nur beim Leser, sondern auch bei Äneas Sympathie für Dido erwecken müssen, war für die Liebe der Boden bereitet worden, ja, man kann sagen, daß die Liebe zwischen Äneas und Dido, die Venus später einleitet, von Anfang an von der Göttin begünstigt wird, vgl. u. S. 113.

[2] Die entscheidenden Sätze lauten (S. 362 f.): ,,Virgil legt selbst viel mehr Gewicht auf das, was seine Menschen fühlen und wollen, als was sie sichtbarlich tun. Er will auch.

Äneis von größter Wichtigkeit. Es könnte dem allerdings die These Eduard Nordens zu widersprechen scheinen, Virgil habe seine Gleichnisse ‚*ornatus causa*‘ ‚nachträglich‘ eingefügt. Obwohl Heinze dies zu widerlegen suchte (S. 258, Anm. 1), ist die Möglichkeit einer späteren Entstehung nicht von der Hand zu weisen. Viele Gleichnisse scheinen in der Tat, wie eine eingehende Untersuchung lehrt, erst später eingeschoben oder, wie ich lieber sagen möchte, ausgearbeitet zu sein. Doch hat sie der Dichter nicht, und hierin liegt Nordens Irrtum, nur ‚*ornatus causa*‘ eingefügt, wenigstens nicht in dem Sinne eines äußeren Schmuckes — die ‚rhetorische‘ Auffassung der ‚Tropen‘ als eines bloßen Zierats ist für Prosa wie Poesie gleich verfehlt und mit dem Charakter eines echten Kunstwerks unvereinbar —, sondern er hat sie aufs innigste mit der Gefühlsbewegung, die das Geschehen begleitet, verknüpft. Sie sind zu einem integrierenden Bestandteil des sich vollendenden Kunstwerks geworden und wohl meistens von vornherein geplant gewesen. Die geringschätzende Beurteilung der ‚nachträglichen‘ Ausschmückung beruht gerade bei einem langsam feilenden Kunstdichter wie Virgil[1] auf einer Fehlbeurteilung der

---

im Hörer lieber die Illusion des miterlebenden Fühlens als die Illusion körperlichen Sehens hervorrufen.“ „Die Empfindung der handelnden Personen soll uns durch die Erzählung suggeriert werden, auch ohne daß ausdrücklich von ihr die Rede ist. Virgil erzählt nie, ohne wenigstens durch Ton und Farbe, wenn nicht durch ausdrückliche Fingerzeige auf jene Empfindungen hinzuleiten. Er hat sich in die Seele der Handelnden versetzt und erzählt aus ihr heraus.“

[1] Vgl. Donats Charakteristik ‚sermone tardissimus‘ und seine Bemerkung, Virgil habe an jedem Tage nur wenige Verse gedichtet.

künstlerischen Arbeit, die sich erst im Detail vollendet und erst in ihm Feinheit und Tiefe gewinnt. Die Gleichnisse sind also, wenn überhaupt, eingefügt im Sinne einer Vertiefung, in der Absicht einer Annäherung des Kunstwerks an die Gestalt, die dem Dichter vorschwebte oder sich im Akte des Geschehens allmählich erzeugte. In ihrer späteren Entstehung liegt kein Grund, sie als minder wichtig anzusehen, sie sind vielmehr gerade dann als ein Zeugnis der reifen Kunst des Dichters und der Höhe seiner Meisterschaft zu bewerten.

Das Dianagleichnis drückt nicht nur einen sinnlichen Vorgang aus: das Erscheinen der Dido, sondern ebensosehr, wenn auch symbolisch verhüllt, ein seelisches Geschehen: die innere Bewegung des Äneas. Die Melodie und der Rhythmus versinnbildlichen diese Bewegung nicht weniger deutlich als die Bilder und Gedanken: Anschauung und Klang bilden eine untrennbare Einheit. Die Verse beginnen mit den ruhigen, spondeenreichen Hexametern:

> Qualis in Eurotae ripis aut per iuga Cynthi
> Exercet Diana choros, quam mille secutae . . .

Dann wird die Bewegung lebhafter:

> Hinc atque hinc glomerantur Oreades, illa pharetram,

um sich in einen reinen Dactylicus aufzulösen:

> Fert umero gradiensque deas supereminet omnis.

In diesem Vers gipfelt die Szene: hier wird die Königin in ihrem göttlichen Glanze erst ganz sichtbar. Die Spannung löst sich dann in einem ruhigeren Hexameter:

Latonae tacitum pertemptant gaudia pectus.

Aus dem heiteren Spiel des homerischen Gleichnisses ist
eine dramatische Ankunft geworden, aus der gleichsam
in-sich-ruhenden, kreisenden Bewegung eine sich steigernde, zielhafte, aus einer sinnlichen eine seelische. So
wird der Unterschied der Gleichnisse zu einem Gleichnis
für den Unterschied zwischen den beiden Dichtern.

In der Freude aber, die die ‚schweigende' Brust der
Latona durchbebt[1], liegt die wahre Pointe des Ver-
gleichs. Darum ist sie von dem Dichter im Gegensatz
zu Homer an den Schluß gestellt worden. In ihr verbirgt
und enthüllt sich die heimliche Bewegung des stillen,
ungesehenen Beschauers[2]. In dem Seelenvorgang, den
das Gleichnis symbolisiert, wird, mit einem Bilde
Schillers zu reden, die Knospe sichtbar, aus der sich das
Schicksal der Dido entwickelt. Äneas wird von dem
Zauber der Königin berührt. Der Vers ist von besonderer
Feinheit, wenn man diesen Bezug erkennt.

---

[1] ‚Tacitum' ist bezeichnenderweise Hinzufügung Virgils
in Anpassung an die Situation. Zu ‚pertemptant' bemerkt
Scaliger: ‚Metaphora sumpta a citharoedis'. In ‚pertemp-
tare' liegt eine leichte, schnelle Berührung. Probus hat
den Ausdruck ganz unzulässig ironisiert. Cerda hat mit
der feinen Witterung des Italieners für dergleichen Dinge
einen erotischen Bezug herausgehört: ‚eodem verbo signifi-
cari titillationem istam amoris blandam, quo in Georgicis
titillatio equi appetentis coitum:

    Nonne vides, ut tota tremor pertemptet equorum
    Corpora ?

Quo satis apparet huic verbo hanc esse amoris et blandi-
tiarum potestatem'. Seine Erklärung ist, wie sich zeigt,
gar nicht so abwegig.
[2] Auch hier irrt also Sainte-Beuve, wenn er mit der Bemerkung, Dido habe im Gegensatz zu Nausikaa keine
Mutter, die sich am Glanz der Tochter freuen könnte, den
Vers als unpassend zu tadeln glaubt.

Der so überaus zart angedeutete Zusammenhang wird noch durch einen anderen Umstand unterstrichen. An einem späteren Schicksalspunkt der Didohandlung, vor der verhängnisvollen Jagd, stellt sich Äneas seinerseits der Liebenden im Gleichnis der Epiphanie des Apollon auf Delos dar: wieder erscheinen Chöre (IV 145: *instauratque choros = exercetque choros*), wieder drängt sich um die Gottheit eine festliche Schar, wieder schreitet der Gott wie Diana über die ‚Joche des Kynthos' und ‚um seine Schultern tönen die Geschosse (nach Homer Ilias 1, 46). Das heißt: die Gleichnisse, die die ‚entscheidende erotische Pantomime der Begegnung' (H. v. Hofmannsthal) symbolisieren, stehen zueinander klärlich in Beziehung. Das aber bedeutet: die Verlegung des Schauplatzes des homerischen Artemisgleichnisses nach den Kultstätten Sparta und Delos ist ebenso wie die Hinzufügung des Köchers auch im Hinblick auf dieses spätere Gleichnis erfolgt, das in seinem Inhalt, nicht in seiner Funktion durch Apollonius Rhodius (I 307 ff.) angeregt ist. Das zu schicksalhafter Liebe bestimmte Paar begegnet sich im Bilde zweier einander zugeordneter Gottheiten. In der sieghaften Gewalt ihrer göttlichen Schönheit ist die Wirkung der Liebe versinnbildlicht: ‚*pulcherrima*' ist Dido (I 496), ‚*pulcherrimus*' Äneas (IV 141)[1]. In der inneren Zuordnung der beiden Begegnungen aber liegt angedeutet, daß auch die erste eine schicksalhafte Bedeutung hat: gleich beim Auftreten der Dido wird das Kommende leise vorbereitet. Auf die Szene

---

[1] Auch der Augenblick, wo Dido den Äneas zum erstenmal erblickt, wird durch ein Gleichnis erhöht, das die Schönheit des Helden hervorhebt (I 588 ff. nach Od. 6, 229 ff.).

fällt so auch von dieser Seite ein Hauch des Tragischen:
schon ist Äneas zugegen, schon ist des Schicksals Schlinge
gelegt. Dido ist, ohne daß sie es weiß, auf den Weg ge-
raten, der sie zum Untergang führt.

Darüber hinaus waltet ein geheimnisvoller Zusammenhang auch insofern, als Dido im Bild der göttlichen
Jägerin erscheint. Dies ist nämlich nicht nur eine
Parallele zu den ‚Geschossen‘ des Gottes im Pendant
des Äneas-Apollogleichnisses, sondern deutet von ferne
schon auf die schicksalhafte Jagd hin. Die von Probus
so grob getadelte ‚*pharetra*‘ gewinnt so geradezu eine
innere Notwendigkeit: die Schicksalslinie, die Äneas zu
Dido führt, wird durch die Jägerin Venus (314 ff.)[1], das
Gleichnis der Jägerin Diana und die Jägerin Dido bezeichnet: die Bilder erscheinen als Chiffern eines tragischen Schicksalszusammenhangs. Wir stoßen hier auf
eine Erscheinung, die auch sonst in der Äneis begegnet
und die eine gesonderte Behandlung verdienen würde:
die Verknüpfung eines in sich zusammenhängenden Geschehens durch verwandte Symbole.

An dem Beispiel des Dianagleichnisses wird deutlich,
wie der Dichter poetischen Einfällen, die er aus älteren
Werken übernimmt, einen völlig neuen und zarten Sinn
verleiht. Sein Verfahren steht nach Umfang und Tiefe

---

[1] Schon in der Art, wie die Begegnung mit der Liebesgöttin
geschildert war, lag ein leises erotisches Moment, das auf
die Begegnung mit Dido vorbereitet. Vgl. namentlich I 318:
  Namque umeris de more habilem suspenderat arcum
  Venatrix dederatque comam diffundere ventis
  Nuda genu nodoque sinus collecta fluentis.
Dies hängt auch damit zusammen, daß in die Venusszene
Gedanken aus der Begegnung des Odysseus mit Nausikaa
eingeflossen sind (6, 149 ff.).

selbst in der lateinischen Literatur und ihren Tochter-
literaturen, den romanischen, die stets die äußere Originalität zugunsten der inneren vernachlässigten, vielleicht
einzig da. Die Tadler des Vrigil wie seine Verteidiger
haben von dem Eindruck der Übernahme geleitet die
weitreichende Veränderung unter der Oberfläche gar
nicht bemerkt. Der Fall kann eine Warnung sein vor
dieser Art von Kritik, die fast immer, gleichviel ob es
sich nun um das Verhältnis des Virgil zu Homer und
Apollonius oder zu Naevius und Ennius handelt, still-
schweigend von der Voraussetzung ausgeht, daß der Dichter mit dem Motiv auch den Gehalt übernehme. Dies
aber tut er niemals. Das Geheimnis seiner Originalität
liegt darin, daß sich seine künstlerische Kraft in der
Umgestaltung, Verknüpfung und Durchseelung von
Motiven verbirgt, die bei ihm einen anderen Sinn und
eine neue Schönheit gewinnen[1]. Durch die leise Verwandlung, die sich unter seiner Hand vollzieht, durch die
Einfügung in ein Geflecht geheimnisvoller Beziehungen,
durch die neue Beleuchtung und Tönung, durch die
Kunst der Linienführung und Farbengebung, der Komposition und Kombination, auf die in der Dichtung
Virgils alles ankommt[2], mit einem Wort: durch die

---

[1] Es darf hier auch an das Urteil des Macrobius erinnert
werden (Sat. VI 1, 6): ,iudicio transferendi et imitandi
consecutus est, ut quod apud illum legerimus alienum
melius hic quam ubi natum est sonare miremur.'
[2] Über die Geheimnisse der Komposition finden sich
schöne Bemerkungen in Hugo von Hofmannsthals Aufsatz
,Gärten' (in ,Die Berührung der Sphären', 1931). Dort
heißt es: ,,Wir kommen allmählich wieder dorthin zurück,
wo unsere Großväter waren: die Harmonie der Dinge zu
fühlen, aus denen ein Garten zusammengesetzt ist: daß sie
untereinander harmonisch sind, daß sie einander etwas zu

Form tritt aus dem Übernommenen wie durch einen Zauber eine neue Seele hervor. Sie zu erkennen, bedarf es nicht kritikloser, aber liebevoller Betrachtung, bedarf es einer inneren Bereitschaft. Denn die ‚Stimme der Schönheit ist leise‘ (Nietzsche). Nicht offen daliegend ist auch die Schönheit in den Gedichten des römischen Magiers, des ‚jungfräulichen‘ Virgilius, der sich im Leben in zarter Scheu vor der Welt zurückzog und im Gedicht die Gefühle, wie jede große Kunst, im Symbol verhüllte. In einem Bilde voller Majestät sänftigt und festigt sich die Bewegung, die durch das Auftreten der Dido hervorgerufen wird, zu dem Andante maestoso, das Probus an dem Gleichnis vermißte:

> An den Pforten der Göttin dann, unter dem Schild-
> dach des Tempels
> Ließ sie sich nieder, von Waffen umschirmt, auf
> erhabenem Throne
> Recht und Gesetze gab sie den Männern und teilte
> der Werke
> Arbeit aus zu gerechten Teilen.

---

sagen haben, daß in ihrem Miteinanderleben eine Seele ist, so wie die Worte des Gedichtes und die Farben des Bildes einander anglühen, eines das andere schwingen und leben machen ... Der Gärtner tut mit seinen Sträuchern und Stauden, was der Dichter mit den Worten tut: er stellt sie so zusammen, daß sie zugleich neu und seltsam scheinen und zugleich auch wie zum erstenmal ganz sich selbst bedeuten, sich auf sich selbst besinnen. Das Zusammenstellen oder Auseinanderstellen ist alles; denn ein Strauch oder eine Staude ist für sich allein weder hoch noch niedrig, weder unedel noch edel, weder üppig noch schlank: erst seine Nachbarschaft macht ihn dazu, erst die Mauer, an der er schattet, das Beet, aus dem er sich erhebt, geben ihm Gestalt und Miene. Dies alles ist ein rechtes Abc, und ich habe Furcht, es könnte trotzdem scheinen, ich rede von raffinierten Dingen.‘‘

I 505: *Tum forbius divae media testudine templi* [1]
Saepta armis solioque alte subnixa resedit,
Iura dabat legesque viris operumque laborem
Partibus aequabat iustis.

In den beiden ersten Versen werden die Grundlagen der königlichen Herrschaft: göttlicher Schutz und Schutz der Waffen und in den beiden folgenden ihr Inhalt: Entfaltung und Verwirklichung der Gerechtigkeit bildhaft bezeichnet. In eine knappe Form ist das Wesentliche und Bedeutende zusammengedrängt, ein Grundmerkmal klassischen Stils.

Die Herrschertugenden offenbaren sich in sinnbildlichen Gesten: ‚*pietas*‘ im ersten Vers, ‚*maiestas*‘ und ‚*dignitas*‘ im zweiten, ‚*iustitia*‘ in den beiden folgenden. Die Verbundenheit der Königin mit den göttlichen Mächten spricht aus dem Bild der Herrscherin, die im Junotempel ‚vor den Pforten der Göttin‘ thront. Sie klingt auch schon aus der Fügung der Worte, die ihr Auftreten einleiten: ‚*regina ad templum*‘. Auch das ist klassischer Stil: das Große wird dem Großen zugeordnet. Die Königin muß zuerst im Tempel erscheinen, weil er den

---

[1] Ganz unzutreffend Ladewig: „Media testudine templi: um hierin keinen Widerspruch mit den Worten ‚foribus divae resedit‘ zu finden, muß man annehmen, daß Virgil einen Hypäthraltempel im Auge habe und demnach bei der testudo templi an die gewölbte Decke des Vorhauses denke‘. Der Widerspruch löst sich, wenn man annimmt, daß ‚foribus divae‘ die Tür des Adytons bezeichnet, wie schon Turnebus Adv. 10. 11 erklärte. Da sich dieses in der hinteren Tempelhälfte befindet, könnte Dido sehr wohl unter dem Schilddach thronen. Zu ‚testudo templi‘ zitiert Servius Varro ‚De lingua Latina‘: In aedibus locus patulus relinquebatur sub divo, qui si non erat relictus, set contectus, appellabatur testudo, was gleichfalls den Hypäthraltempel ausschließt.

würdigsten Rahmen für ihre Gestalt und ihr Wirken abgibt. Zugleich kommt so die innere Bindung der Königin an ihre Schutzgöttin sinnfällig zum Ausdruck, als deren irdische Stellvertreterin sie im Tempel thront.

Auch im weiteren Verlauf der Erzählung spielt die Gottergebenheit der Königin und ihre religiöse Sorgsamkeit eine große Rolle. Die Ankunft des Äneas und der Trojaner, der Entschluß zur Liebe und ihr Tod werden mit sakralen Handlungen eingeleitet, in denen sich ihre den Göttern ehrfurchtsvoll zugewandte Seele kundtut. Auch hierin ist sie dem Äneas ebenbürtig. Aber ihre Frömmigkeit vermag sie nicht vor dem grausamen Schicksal zu bewahren, das ihrer harrt. Die Worte des Äneas an Dido klingen, vor dem dunkeln Hintergrund ihres Schicksals, wie bitterer Hohn:

> Mögen dir die Götter, wenn es höhere Wesen gibt, die die Frommen achten, wenn irgend Gerechtigkeit besteht und ein Sinn, der sich des Rechten bewußt ist, verdienten Lohn gewähren.

> *Di tibi si qua pios respectant numina, si quid*
> *Umquam iustitia est et mens sibi conscia recti,*
> *Praemia digna ferant* (I 603).

Und so dienen diese Szenen dazu, die tragische Wirkung zu vertiefen, wie auch die Gottergebenheit des Äneas das Mitgefühl mit seinen Leiden steigert[1].

---

[1] Dies wird vom Dichter selbst hervorgehoben:
Musa mihi causas memora, quo numine laeso
Quidque dolens regina deum tot volvere casus
I n s i g n e m p i e t a t e v i r u m, tot adire labores
Impulerit. Tantaene animis caelestibus irae?

Das innere Bild der Königin wird durch die folgenden Szenen noch reicher und tiefer. Ihre Menschlichkeit, die Äneas schon aus den Reliefs vom trojanischen Krieg herauslas[1], tritt in den Szenen mit Ilioneus und dann mit dem Helden selbst noch schöner und reiner hervor. Sie spricht aus der Geste des *voltum demissa* (I 561), in der sich in zarter Weise die Scham verrät über die harte Behandlung, die die schiffbrüchigen Trojaner erfuhren[2]. Sie ist das Grundgefühl, das das erste Gespräch zwischen ihr und Äneas trägt. Nach dem einleitenden: *Coram quem quaeritis adsum* beginnt es mit dem *O sola infandos Troiae miserata labores* und endet mit dem *non ignara mali miseris succurrere disco*, dem klassischen Ausdruck der Menschlichkeit[3]. In dieser Milde und Großmut ihres Wesens, in dem Mit-den-andern-Leiden ist sie ebenfalls eine Seelenverwandte des Äneas. Zugleich bildet diese Atmosphäre der Menschlichkeit einen beabsichtigten Kontrast zu dem unversöhnlichen Haß, in den die Ent-

---

[1] I 462: Sunt hic etiam sua praemia laudi,
   Sunt lacrimae rerum et mentem mortalia tangunt. Auch hierdurch wird die Liebe des Äneas vorbereitet.
[2] Von Heinze mißverstanden und als *Mißgriff* bezeichnet (S. 138, Anm. 2). Er sieht darin zu Unrecht eine Nachbildung der mädchenhaften Befangenheit der Hypsipyle (I 790) und der Medea (III 1008) bei Apollonius. Wenn dieser hier auch zitiert wird, so hat die Geste jedenfalls ihre Bedeutung geändert.
[3] Auch ihre Neigung zur Liebe entspringt ihrer Menschlichkeit im Sinne des terenzianischen *Homo sum, nihil humani a me alienum puto*. Zu dem Vers (IV 550):
   Non licuit thalami expertem sine crimine vitam
   Degere more ferae
bemerkt Quintilian IX 2, 64: *Quamquam enim de matrimonio queritur Dido, tamen huc erumpit eius affectus, ut sine thalamis vitam non hominum putet, sed ferarum*.

wicklung mündet. Nur von der Herzenswärme und dem Gefühlsüberschwang dieser Szene aus war die völlige Umkehr zu den Schlußszenen des vierten Buches möglich.

Aus der großen und edlen Seele, die diese Szenen enthüllen, entfaltet sich ihre Tragödie. Man hat dies bestritten und gemeint, der Schluß des Didobuches erwachse aus der Situation, nicht aus dem Charakter der Königin[1]. Aber gerade das Gegenteil ist richtig. Alles, was sie tut und leidet, kommt aus der Tiefe ihres Wesens. Nicht durch die Situation als solche, sondern durch die Berührung *ihres* Charakters mit der Situation ist sie dem Tod geweiht. Dies wird aus den folgenden Darlegungen deutlich werden. Hiebei wird sich auch zeigen, daß die aus dem Gewebe der Erzählung besonders hervorleuchtenden Bilder, in denen sich ihr Schicksal gleichsam verdichtet, und die Tonart und der Stil, in dem es berichtet wird, von vornherein tragische Färbung tragen, in weit höherem Maße, als es den Erklärern bewußt ist, aber nicht deshalb, weil der Dichter den Todesentschluß der Königin aus der Situation heraus ,motivieren' wollte, sondern weil ihm daran liegt, daß eine dunkle Ahnung das ganze Geschehen begleitet. Denn es ist nicht so, daß Virgil dem Leser erst von dem Augenblick an, wo Annas Bitten bei Äneas kein Gehör finden, die ,Notwendigkeit eines tragischen Schlusses unvermerkt aufzwingen wolle'[2]. Sondern wie in den meisten Tragödien zielt alles schon von Anfang an auf das tragische Ende hin, so daß keiner etwas anderes erwarten kann. Dies geht schon

---

[1] Heinze S. 140 f.
[2] Heinze S. 141.

aus der Art hervor, wie das Wirken Amors am Ende des
ersten Buches geschildert wird:

Infelix pesti devota futurae
Expleri mentem nequit,

und im tiefsten hängt es mit der virgilischen Auffassung
von der Liebe als einer dämonisch tragischen Macht zusammen, wie sie in den ‚Georgica‘ zum Ausdruck kommt.
In dem Abschnitt über die Liebe der Tiere tritt dort im
Bild des liebesrasenden Jünglings die dunkle Rolle der
Leidenschaft im Schicksal des Menschen ganz unver-
mittelt mit erschütternder Kraft hervor (III 258 ff.).
Auch die tragischen Lichter in der Schlußszene des
ersten Buches, in der sich die beginnende Bezauberung
der Königin andeutet[1], weisen in die gleiche Richtung.
Und vollends ist das vierte Buch vom ersten Vers an in
die Stimmung der Tragödie getaucht.
Die Ursache aber zur Ausbreitung der Leidenschaft liegt
wie gesagt, in ihrem Wesen selbst verborgen. Nur deshalb kann sich die Erzählung des Äneas in ihrem Herzen
in Liebe umsetzen, weil sein Heldentum eine verwandte
Saite in ihr berührt. Weil sie jeder Zoll eine Königin ist,
muß sie den königlichen Helden aus Göttergeblüt
lieben[2]. Der Anstoß, den Venus und Juno zu den entscheidenden Wendungen geben, das Eingreifen des Amor
in Ascanius' Gestalt, die Jagd, das Gewitter, sind nur die

---

[1] S. u. S. 246 ff.
[2] IV 3: Multa viri virtus animo multusque recursat
Gentis honos, haerent infixi pectore voltus.
11: Quem sese ore ferens, quam forti pectori et armis,
Credo equidem nec vana fides genus esse deorum.
Degeneres animos timor arguit. Heu quibus ille
Iactatus fatis, quae bella exhausta canebat.

begleitenden Versinnlichungen dieser inneren Vorgänge. Denn wie für Homer, für den es Walter F. Otto in seinem Buch über die ‚Götter Griechenlands‘ gezeigt hat, fällt auch für Virgil das Göttliche mit dem Natürlichen weitgehend zusammen. Dies bedeutet jedoch nicht, daß es angängig wäre, das Eingreifen der Götter ‚nur‘ rationalistisch zu erklären und die Götter ‚nur‘ als sichtbares Symbol natürlicher Vorgänge zu betrachten. Es ist vielmehr ein Irrtum, zu meinen, daß Virgil Psychisches ‚umgesetzt‘ habe und der ‚gebildete Leser‘, wie sich beispielsweise Heinze ausdrückt, die Göttererscheinungen ‚allegorisch‘ verstanden, d. h. also ins Psychologische rückübersetzt hätte. Ein solches Spiel ließe sich mit dem religiösen Geist des Dichters nicht vereinbaren und wäre auch dem Wesen der Poesie als solchem nicht gemäß, sondern die großen Leidenschaften der Seele erschienen bei ihm in der Weise der Griechen als Manifestationen des Göttlich-Dämonischen. Sie werden dadurch nicht sinnlich ‚faßbar gemacht‘, nicht in die ‚Würde und Idealität des erhabenen Stils erhoben‘, sondern ganz ursprünglich so gesehen. In der märchenhaften Form des Mythos, in seinen Göttern und Dämonen, seinen Orakeln und Träumen wird das Geheimnisvoll-Unheimliche des Lebens kräftiger sichtbar, die höheren Mächte treten in ihr deutlicher ervor. Aber erscheinen konnten sie auch sonst. Denn die Zeit des Augustus hatte den Kundgebungen des Göttlichen noch nicht den Rücken gewandt und war für sie noch nicht erblindet. Virgil glaubt wahrhaft an göttliche Mächte. Der Mythos ist für den ernsten und frommen Dichter nicht nur eine poetische Fabel, sondern

Symbol seiner Religion, und dem ‚Frommen ist Symbol das einzig Wirkliche‘, wie Hugo von Hofmannsthal in einem ‚Gespräch über Gedichte‘ sagt, das so viel Aufhellendes über das Wesen der Dichtkunst und die poetische Symbolsprache enthält[1].

Aus einer solchen Ehrfurcht vor dem Geheimnisvollen und Schicksalhaften, aus der Religiosität des Römers, der an sichtbare Götter glaubt, und aus der sinnenhaften Einstellung des antiken Menschen, die den Erfordernissen der Poesie sosehr entgegenkommt, schaut Virgil die Seelenvorgänge nicht psychologisch, sondern mythisch-religiös. Wenn er dichtet, befindet er sich in dem von Baudelaire so treffend bezeichneten Zustande der ‚enfance retrouvée à volonté‘. Die Welt des Dichters ist nicht eigentlich eine ‚würdigere und idealere‘, sondern eine ursprünglichere und kindlichere. Ihn interessiert die ‚natürliche Psychologie‘ nicht[2]. Aber die Götter sind ihm sichtbar. Die gegenteilige Auffassung entspringt einer Vorstellung von der Kunst, wie sie nur ein Nichtkünstler haben kann, und einer Meinung von der Religion, wie sie einer entgötterten Zeit entspricht. Bei Virgil ist das Auftreten der Götter zudem aufs engste verknüpft mit seiner Konzeption eines göttlichen Weltenplanes, der die Vorgänge lenkt. Alles, was in der Äneis geschieht, muß auch darum über die psychologi-

---

[1] Die Prosaischen Schriften gesammelt, Erster Band, Berlin 1917, S. 89.
[2] Heinze versteigt sich in seiner ‚psychologischen‘ Ausdeutung der virgilischen Götter so weit, daß er die Szene, wo Merkur den Äneas beim Bau Karthagos überrascht, in der Weise ‚natürlich‘ erklärt, daß dem Helden beim Bau der fremden Stadt der Gedanke an die eigene komme!

122

schen Voraussetzungen des Einzelschicksals hinaus-
geführt und mit dem Göttlichen verknüpft werden. So
wird durch das poetische Mittel der Götterwelt, in dem
sich der Glaube des Dichters an ein höheres Walten
manifestiert, der Doppelcharakter alles Geschichtlichen
zur Darstellung gebracht: denn alles, was geschieht, was
Geschichte wird, spielt sich auf zwei Ebenen ab: auf der
Ebene der menschlichen Zwecke, Wünsche und Leidenschaften und auf dem großen geheimnisvollen Plan, den
der göttliche Lenker des Weltgeschehens daraus webt.
So verstanden erhebt sich Virgil zu einer Art der Betrachtung, die so divergierenden Geschichtsphilosophen
wie Augustin, Hegel und Jakob Burckhardt gemeinsam
ist.

Auch das, was sich an Dido vollzieht, ist wirklich mehr
als ein psychischer Prozeß, es ist ein von göttlichen
Mächten bewirkter Schicksalsablauf, ein welthistorisches
Ereignis gleichsam, ein Ring in der Kette der römischen
Fata. Er führt nicht nur zur Zerstörung ihrer Existenz,
sondern hat eine Vernichtung zur Folge, die über ihre
Person weit hinausgehend das ganze Schicksal Kar-
thagos in das Verderben mit hinabreißt.

Daß die Königin das Schicksal ihrer Stadt repräsentiert
und antizipiert, geht nicht nur aus dem Grundgedanken
des Gedichtes hervor, wonach Äneas und Dido als
mythische Inkarnationen der geschichtlichen Mächte
Rom und Karthago figurieren — wie auf höherer Ebene
Jupiter und Juno —, sondern es wird an einer Stelle
ausdrücklich darauf hingedeutet, und zwar dort, wo die
Wirkung der Nachricht vom Untergang der Königin
geschildert wird:

Geschrei dringt zu den hohen Höfen. Fama rast
gleich einer Mänade durch die erschütterte Stadt, von
Jammern und Wehrufen und Frauengeheul dröhnen
die Häuser, es hallt der Äther von lautem Klagen,
nicht anders, als stürze ganz Karthago zusammen
unter dem eindringenden Feind oder das alte Tyros[1],
und die Flammen wälzen sich rasend durch die Häuser
der Menschen und Götter.

IV 665: *It clamor ad alta*
Atria, concussam bacchatur Fama per urbem,
Lamentis gemituque et femineo ululatu
Tecta fremunt, resonal magnis plangoribus aether,
Non aliter quam si immissis ruat hostibus omnis
Carthago aut antiqua Tyrus. Flammaeque furentes
Culmina perque hominum voluuntur perque deorum.

Das ist nicht nur pathetische Auxesis, sondern transzendente Symbolik. Das Gleichnis ist nicht nur aus der
Situation der Erzählung heraus konzipiert, sondern für
den wissenden Leser zugleich aus höherer Sicht. Für
einen Augenblick leuchtet ein größerer Zusammenhang
auf. Das Schicksal Didos wird transparent und fließt
mit dem Schicksal ihrer Stadt zusammen.
Diese Wirkung hat der Dichter aus einem homerischen
Motiv gewonnen (Ilias 22, 408): „Erbarmungswürdig
stöhnte der liebe Vater, und ringsum war das Volk von
Jammern und Klagen erfüllt in der Stadt. Es war ganz
so, als würde das hohe Ilion bis zum Grunde vom Feuer
verzehrt." Auch in dieser Schilderung der Trauer um
Hektor schwingt eine Ahnung des trojanischen Schick-

---

[1] In den Worten aut antiqua Tyrus spiegelt sich mit
echt virgilischer Innigkeit die Anhänglichkeit der Karthager
an die alte Heimat. Sie sind von der Erinnerung an Tyros
erfüllt wie Äneas von der Erinnerung an Troja.

124

sals mit. Denn in der Ilias ist der Untergang Hektors mehrfach mit der endgültigen Niederlage Trojas, die er nach sich ziehen wird, verknüpft (6, 403 f. 22, 382 ff. 24, 499)[1].

Auch die Worte der Anna weisen über das Gedicht hinaus auf den gleichen Zusammenhang: ,,Du hast dich und mich ausgelöscht, o Schwester, das Volk und die sidonischen Väter und deine Stadt (IV 682)." Auch sie sind im engeren Rahmen der Erzählung nur ein hyperbolischer Ausdruck vom Schmerz der Schwester. Darüber hinaus aber sind sie in viel tieferem Sinne wahr, als Anna ahnt. Der Untergang Karthagos gibt dem Schicksal der Dido so den eigentlichen Abschluß.

Aber abgesehen von der politisch-historischen Symbolik, die mit Didos Gestalt verknüpft ist, und ganz losgelöst von ihr, läßt sich ihre Tragödie auch ganz aus den menschlichen Voraussetzungen verstehen, und das Übernatürliche gerät mit dem Natürlichen nicht in Konflikt. Nachdem die Göttinnen den Stein ins Rollen gebracht haben, wickelt sich alles ganz ‚natürlich' ab.

---

[1] Auch im Trauerlied des Kallimachos auf den Tod der Arsinoe wird das Feuer, das von dem Scheiterhaufen der Königin aufsteigt, von der fernen Beschauerin auf den Brand Alexandriens gedeutet:

Wer starb? Oder ist's eine Stadt.
Die ganz in Brand loht?
Angst faßt mich, fliege doch,
Es weht Südwind,
Der helle Süd: bedroht
Alexandrien Unheil?
Weh, wehe, ein großes Leid,
Ein schweres geschieht nun,
Von deiner Stadt steigt Rauch
In Wolken nordwärts.
(Übersetzung von Rudolf Pfeiffer.)

Zwar wehrt sich Dido im Gespräch mit der Schwester (zu Beginn des vierten Buches) gegen ihre Liebe, noch will sie dem toten Gemahl die Treue nicht brechen, und feierlich ruft sie aus (IV 24):

> Mir aber möge eher der Erde Tiefe sich auftun, der allmächtige Vater durch seinen Blitz mich zu den Schatten führen, den bleichen Schatten des Erebus, in tiefe Nacht, als daß ich, o Scham, dich verletze und deine Rechte löse.

> *Sed mihi vel tellus optem prius ima dehiscat*
> *Vel pater omnipotens adigat me fulmine ad umbras,*
> *Pallentis umbras Erebi noctemque profundam,*
> *Ante, Pudor, quam te violo aut tua iura resolvo.*

Dies ist weit mehr als rhetorisches Pathos, es ist eine Selbstverfluchung, die grausam in Erfüllung geht. Die Verse beschwören den Abstieg zu den bleichen Schatten des Erebus, der sich dann wirklich vollziehen wird. So wird schon zu Anfang des Buches auf das Ende hingedeutet.

In ihrem der Liebe geöffneten Herzen weckt Anna, nicht die lüsterne Einbläserin des attischen Dramas, keine euripideische Amme, keine menandrische Confidente, sondern die liebende Schwester — ihre ersten Worte fließen aus dem innigsten Empfinden: *o luce magis dilecta sorori* — den Gedanken, daß das bedrohte Reich eines Schützers bedürfe und daß erst Äneas die wahre Größe Karthagos heraufführen werde:

> Welche Stadt wirst du, Schwester, aus dieser erstehen, welch ein Reich sich erheben sehen durch solchen Ehebund, zu welch gewaltigen Taten wird sich, von Teukrerwaffen begleitet, der punische Ruhm erheben.

IV 47: *Quam tu urbem soror hanc cernes, quae*
                                    surgere regna
Coniugio tali, Teucrum comitantibus armis,
Punica se quantis attollet gloria rebus.

Hier gipfelt die Rede der Schwester, hier appelliert sie
an das Pflichtgefühl und die Ruhmesverpflichtung der
Königin, an die Liebe zu ihrer Gründung, der ihr ganzes
Tun und Trachten dient. So erst entfacht sie die Glut
zur Flamme und ‚löst die Scham'. Keineswegs also nur
durch die Gewalt der Leidenschaft verfällt Dido ihrer
Liebe, sondern ebensosehr durch ihr inneres Hinneigen
zu heldischem Wesen, durch ihren Sinn für Größe und
Ruhm, durch die Bindung an ihr königliches Werk. Und
auch die andern edlen Züge ihres Wesens sind im Spiel:
ihre Fähigkeit, in großem Sinne zu lieben, die sie dem
Sychaeus in Leben und Tod bewiesen hatte,[1] ihr mensch-
liches Mitgefühl mit den Trojanern, in dem die Liebe
so leicht Wurzel fassen kann, ihre weibliche Natur und
Neigung (von Anna ebenfalls geweckt, IV 33: *nec dulcis
natos Veneris nec praemia noris*), die sich schon in der
Zärtlichkeit verrät, mit der sie den vermeintlichen
Ascanius auf den Schoß nimmt und in dem süßen
Herzenston der Worte ‚*si quis mihi parvulus aula luderet
Aeneas*' ihren rührendsten Ausdruck findet.
Ihre Liebe ist mit den edeln und großen Zügen ihres
Wesens aufs engste verknüpft, und darin eben liegt die
eigentliche Tragik. Die Hoheit ihrer königlichen Seele
und die daraus resultierende Tiefe ihres Falles unter-

---

[1] Dies hebt schon Venus in den Worten an Äneas hervor
(I 344): Huic coniunx Sychaeus erat ... magno miserae
dilectus amore.

scheidet sie von den griechischen Vorbildern, mit denen man sie vergleicht. Sie ist weder wie die Medea des Euripides eine Barbarin, die das Maß verliert, eine blutdürstende ‚Löwin‘, noch wie die des Apollonius ein liebendes Mädchen, obwohl sie von beiden etwas hat. Mit Euripides verbindet sie die erhabene Leidenschaft und die antikische Größe, mit Apollonius die Innigkeit. Aber sie ist menschlicher als jene und größer als diese und nicht weniger zart. In viel weiter gespanntem Bogen schwingt ihre Schicksalsbahn: von der Ehre und Treue, die sie dem toten Gatten als ‚univira‘ hielt, bis zur Schmach des freien Liebesbundes[1], von der stolzen Würde und dem königlichen Glanze ihres ersten Auftretens bis zur tiefsten Erniedrigung (IV 412 ff.), von der Freude zur tiefsten Trauer, von tiefer Menschlichkeit zu haßerfüllter Grausamkeit, von dem königlichen Wirken zum Vergessen der königlichen Pflicht (IV 86 ff.), von der Erfüllung ihrer Aufgabe, das Reich groß zu machen, zur Vernichtung dieses Reiches. In der Weite des Kontrastes, in der erschütternden Umkehr liegt die Größe ihrer Tragik. Hierin ist eine der tiefsten Ursachen

---

[1] Vgl. die harten Worte des Dichters über Didos Schuld (IV 170):

> Neque enim specie famave movetur
> Nec iam furtivum Dido meditatur amorem.
> Coniugium vocat, hoc praetexit nomine culpam.

Ferner 193 ff. 220 ff. 321 ff. Daß die Liebesvereinigung aber schon am dritten Tage nach der Ankunft stattfinde, ist eine der Verirrungen des Heinzeschen Buches. Von seinen Ausführungen über diesen Punkt (S. 343) trifft nichts zu außer dem Hinweis, daß einige Züge diesen Zeitansatz auszuschließen scheinen, was mit ‚nachträglichen Bedenken‘ Virgils erklärt wird.

dafür zu sehen, daß das Didobuch, wie sich Friedrich Leo ausdrückte, die einzige Tragödie der Römer ist, die den griechischen Trauerspielen würdig zur Seite gestellt werden kann.

Nachdem der Dialog mit der Schwester in der Seele der Königin die ganze Gewalt der Gefühle befreit hatte, erreicht die fortschreitende Zerstörung durch die Leidenschaft in dem rasenden Umherirren durch die Stadt und im Hindinnengleichnis einen ersten Höhepunkt. Das Gleichnis entwickelt sich aus dem Kontrast zu dem voraufgegangenen Bild der opfernden Dido, die den Frieden der Götter erfleht:

> Sie selbst hält in der Rechten die Schale, die schöne Dido, und gießt sie zwischen den Hörnern der weißglänzenden Kuh aus oder schreitet vor dem Antlitz der Götter zu den fetten Altären.

> *Ipsa tenens dextra pateram pulcherrima Dido*
> *Candentis vaccae media inter cornua fundit*
> *Aut ante ora deum pinguis spatiatur ad aras.*

Zwischen der edlen Ruhe dieser Kultgebärden und dem wilden Rasen des Gleichnisses, zwischen der leuchtenden Opferszene und der dunkeln Fieberglut, steht vermittelnd die Eingeweideschau, die in ihrem tragischen Kolorit schon das Toben der Leidenschaft und die gnadenlose Verstrickung verrät, in welche die Königin geriet:

> *Pecudumque reclusis*
> *Pectoribus inhians spirantia consulit exta.*

Und hieran schließt der Schmerzensruf des Dichters:

> *Heu vatum ignarae mentes,*

„O daß doch der Menschen Geist die Sprüche der Seher nicht versteht!"[1] Und die nächsten Verse, die unmittelbar zum wilden Umherirren der Königin überleiten, künden von dem Feuer, das unter der scheinbaren Ruhe schwelt:

> *Quid delubra iuvant? Est mollis flamma medullas*
> *Interea et tacitum vivit sub pectore volnus,*

nehmen den Anfang des Buches wieder auf. Die gleichen Bilder bezeichnen ihre Leiden: die Wunde, die Flamme, der Pfeil (IV 4: *haerent infixi pectore voltus verbaque*), die Unruhe, der Wahn. Wird im Seesturm die dämonische Gewalt der Natur (und gleichnishaft die der Geschichte) und im Wirken der Allekto die des Krieges in einem Symbol festgehalten, so im Umherirren der

---

[1] Nicht wie Servius, Heinze (S. 130, Anm. 1) und Pease verstehen, ‚ignarae sc. amoris reginae'. Denn damit wird dem Leser zuviel Ergänzung zugemutet. Wenn man ‚vatum' als Genetivus subiectivus faßt, wird jeder Unbefangene die Unwissenheit der Seher auf die ‚Zukunft', nicht auf die ‚Liebe' beziehen, und dies kann, wie die Erklärer mit Recht einhellig annehmen, nicht gemeint sein. Die von Heinze angeführten ‚Nachahmungen' des Silius VIII 100: Heu sacri vatum errores und Apuleius Met. X 2: heu medicorum ignarae mentes beweisen höchstens, daß die Worte schon im Altertum so verstanden und vielleicht (bei Apuleius) als Bildungszitat (scherzhaft oder unbewußt) falsch verwendet wurden, wie es mit Zitaten dieser Art ja häufig zu geschehen pflegt. ‚Vatum' ist wohl eher Genetivus obiectivus. Die ‚ignarae mentes' sind die ‚mentes' hominum oder, wie Gossrau (zitiert bei Conington-Nettleship) vorschlägt (der ‚vatum' zwar als Genetivus subiectivus faßt, aber auf die Königin und ihre Schwester bezieht), die ‚mentes' der Dido und der Anna, die gemeinsam den Göttern opfern. ‚Vatum ignarae' ist dann wie in VIII 626 zu verstehen:

> Illic res Italas Romanorumque triumphos
> Haud vatum ignarus venturique inscius aevi
> Fecerat Ignipotens.

Königin und im Hindinnengleichnis die Wirkung des
Eros (IV 66):

> Was aber helfen die Tempel? Das weiche Mark ver-
> zehret indessen
> Flammenglut, und es lebt in der Brust die heim-
> liche Wunde.
> Dido brennt, die Unselige, und durch die ganze Stadt
> hin
> Irrt sie rasend wie vom geschleuderten Pfeile die Hindin,
> Die von ferne ein Hirt verletzte in kretischen Wäldern,
> Treibend mit Waffen die Wehrlose, das geflügelte Eisen
> Ließ er nichts ahnend zurück, durch des Dikte Wälder
> und Triften
> Eilt sie auf ihrer Flucht, das tödliche Rohr in der Seite.

> *Quid delubra iuvant? Est mollis flamma medullas*
> *Interea et tacitum vivit sub pectore volnus,*
> *Uritur infelix Dido totaque vagatur*
> *Urbe furens, qualis coniecta cerva sagitta,*
> *Quam procul incautam nemora inter Cresia fixit*

Henry, der diese Deutung vertritt, weist darauf hin, daß
‚ignarus‘ bei Virgil noch an elf anderen Stellen mit dem
Genetivus obiectivus verknüpft ist, niemals aber mit dem
Genetivus subiectivus. Die Weissagungen der Haruspices,
die offenbar das Unheil verkünden, werden von Dido und
Anna nicht verstanden, ebenso wie die Gebete und Opfer
nutzlos bleiben. Daß Weissagungen vorliegen, die sich
nachher furchtbar verwirklichen, deutet auch IV 464 an:

> Multaque praeterea vatum praedicta priorum
> Terribili monitu horrificant.

Die Tragik der Dido wird dadurch vergrößert, daß sie
ahnungslos in das Verhängnis schreitet. Dies wird öfter
hervorgehoben, so I 718:

> Haeret et interdum gremio fovet, i n s c i a D i d o,
> Insideat quantus miserae deus,

und in dem ‚incautam‘ des Hindinnengleichnisses. In ganz
ähnlicher Weise wird X 501 die tragische Blindheit der
Menschen an Turnus hervorgehoben: n e s c i a m e n s
h o m i n u m f a t i , eine Stelle, die dem ‚heu vatum
ginarae mentes‘ fast wörtlich entspricht.

Pastor agens telis liquitque volatile ferrum
Nescius, illa fuga silvas saltusque peragrat
Dictaeos, haeret lateri letalis arundo.

Die Szene ist nicht nur naiv realistisch zu fassen als
Moment im Ablauf der Erzählung, sondern als symboli-
sches Zeichen eines psychophysischen Vorgangs — denn
die Leidenschaft ist nach der Auffassung des Altertums
eine Krankheit, die den ganzen Menschen ergreift[1] —,
wie denn das Psychologische durchwegs in sichtbarer
Gestalt ausgedrückt wird, und zwar nicht nur durch
Götter und Dämonen, wo es üblich ist, von Symboli-
sierung zu reden, sondern vor allem durch die Versinn-
bildlichung in Gebärden, Bildern und Gleichnissen. Hier
ist die antike Gewohnheit lebendig, den Leib als Seele,
die äußere Bewegung als Ausdruck einer inneren zu
sehen. Es ist also auch hier unzutreffend, von einer
‚Umsetzung ins Symbolische' zu reden, als ob das
Psychologische primär, das Symbolisch-Poetische sekun-
där wäre. Beides bildet vielmehr eine unlösbare Einheit.
Der Mensch des Altertums verlangt nun einmal sinnliche
Anschauung, nicht abstrakte Zergliederung seelischer
Sachverhalte. Sein Geist ist noch mit Bildern und nicht
wie der moderne mit Begriffen gefüllt. Das Wort Goethes
aus der Propyläeneinleitung: „Wer nicht klar zu den
Sinnen spricht, redet auch nicht rein zum Gemüt",
drückt eine antike Grundforderung aus[2]. Die Dicht-

---

[1] Noch Kant definiert die Liebe als einen ‚sinnlich patho-
logischen Affekt'.
[2] Auf den akustischen Bereich sich beschränkend, spricht
ähnlich Quintilian davon, daß nur das zur Audienz der
inneren Empfindung und des Verstandes gelange, was im
Vorzimmer des Ohres nicht beleidigte. Analoges gilt für
das malerische und das poetische Bild.

kunst aber hat zu allen Zeiten etwas von dieser Einstellung bewahrt. Sie neigt immer einer symbolischen Auffassung der sinnlichen Erscheinungen als der dem Menschen ursprünglichen Fühlweise zu. Wie eine Oper seelische Vorgänge nicht in musikalische umsetzt, sondern als musikalische erlebt, so macht die Dichtung Seelenbewegungen *als* anschauliche Begebenheiten fühlbar. ,,Nichts ist falscher", sagt Gundolf von Shakespeare, ,,als sich vorzustellen, der Dichter habe erst einen abstrakten Gedanken und dann suche er sich ein Bild dazu, er fühle etwas und suche es dann faßlicher in einer Anschauung auszudrücken, nein, er lebt, denkt, fühlt, leidet und genießt in Bildern. Dies ist neben dem Zwang, die Welt als Rhythmus zu empfinden, ein Hauptzug der eigentlichen dichterischen Seelenverfassung selbst."[1]

Die Schönheit und Tiefe des berühmt gewordenen und oft nachgeahmten Hindinnengleichnisses beruht auf verschiedenen Momenten. Die Fluchtgebärde der Liebenden verrät eine ebenso tiefe psychologische Wahrheit wie der Gedanke, daß die Frau ungeschützt (*incauta*) der Gefahr des Sichverliebens preisgegeben ist. Zugleich spiegelt sich in dem Bild der Flucht die innere Unruhe der Königin wider, die ,*dubia mens*' (IV 55), die Scham, das subjektive Schuldgefühl. Es ist wie ein letzter Versuch, sich einem Schicksal zu entziehen, dem sie doch bereits verfallen ist. Das Wort ,*incautam*' verrät die Tragik, die in ihrer objektiven Unschuld liegt, genau wie in dem ,*pastor nescius*' zart angedeutet ist, daß auch Äneas

---

[1] Gundolf, Shakespeare und der deutsche Geist, Bonn 1911, S. 238.

keine Schuld hat. Darüber hinaus ist das Bild des edlen, leidenden Tieres wie kaum ein anderes dazu angetan, Rührung zu wecken. Die Flucht aber ist vergebens, wie es vergeblich war, die ‚*Pax deorum*' zu erflehen:

Haeret lateri letalis harundo.

Diese Worte, mit denen das Gleichnis bedeutsam schließt, sprechen den inneren Sinn aus, ebenso wie auch beim Dianagleichnis die geheime Bedeutung in dem abschließenden Vers zum Ausdruck kam. Das Gleichnis gehört gleichsam zwei Sphären an: es erhellt einen gegenwärtigen Zustand und enthüllt ein Schicksal. Es fügt dem geschilderten Vorgang eine neue Dimension hinzu.

Dies ist anders als bei Homer. Homer zielt mehr auf sachliche Klärung anschaulicher Verhalte, Virgil mehr auf Stimmungsfärbung, auf Deutung von Seelenzuständen, auf das Ahnenlassen eines drohenden Schicksals. Die homerischen Gleichnisse sind dementsprechend strenger umrissen, oft auffallend rational, eigentümlich kühl und ‚gefühllos', die virgilischen dagegen von verfließenden Konturen, mehr seelenhaft durchfühlt als sinnenmäßig angeschaut. Sie sind in weit stärkerem Maße *Symbole* als die homerischen. Homer sucht einen Vorgang zu verdeutlichen, Virgil ihn zu deuten.

Seine Gleichnisse sind kompliziertere Gebilde. So hat das Hindinnengleichnis, wenn es statthaft ist, das Untrennbare auseinanderzulegen, eine dreifache Funktion: 1. es verdeutlicht das Umherirren der Königin (dies ist die homerische Urfunktion des Gleichnisses: Klärung eines äußeren Vorgangs);

2. es enthüllt ihren Seelenzustand (Klärung eines inneren Vorgangs);

3. es deutet auf ihr tragisches Ende (symbolhaft vorausdeutende Funktion), und zwar inhaltlich sowie durch die Tonart und das Pathos seiner Bewegung. Es ist das stimmungsmäßige Vorspiel zu einer tragischen Entwicklung.

Zu dem Letztgenannten noch ein Wort. Die wilde Bewegung des Gleichnisses übt innerhalb der Didohandlung die gleiche Funktion aus, die der Seesturm im Rahmen des Ganzen oder die Allektoepisode im Rahmen des zweiten Teiles ausübt. In beiden Fällen wird ein tragischer Handlungsverlauf durch eine pathetisch dramatische Szene eröffnet und zugleich symbolisch antizipiert.

Wie in einem griechischen Tempel sich in den Baugliedern die Proportionen und Formen wiederholen, die das Ganze gestalten, oder in einer Symphonie die Teile das Ganze spiegeln, so prägen sich in der Äneis, die von einem ganz ähnlichen Baugesetz getragen ist, im Ganzen wie in den Teilen die gleichen Formprinzipien aus. Im Ablauf der Didotragödie wiederholt sich dieser Szenentypus dann noch einmal in großartiger Steigerung in dem Augenblick, da die ‚Schürzung des Knotens‘, die Tragödie im engeren Sinne einsetzt: in der Schilderung des wilden Wirkens der Fama, deren Auftreten über das Gebet des Jarbas in strenger Verkettung zum Eingreifen Jupiters und zur Einschiffung des Äneas führt. Und ein drittes Mal begegnen wir ihm in den Versen, die erzählen, daß Dido auf die Kunde von dem Entschluß des Äneas wie eine Mänade umherrast. All diese Szenen stellen, wie

der Seesturm und die Allektoepisode oder das Rasen
der Sibylle zu Beginn des sechsten Buches, Laokoons
Tod im Anfangsteil des zweiten[1], die Flucht des Metabus
und des Kindes über den über die Ufer getretenen Fluß
in der Camillaepisode (XI 547 ff.) verschiedene Ge-
staltungen eines architektonischen Baugliedes dar, das
die Funktion hat, die Einsatzstelle einer tragischen
Entwicklung zu akzentuieren.

In der nächsten Pathosszene, dem Gewitter, das die
Liebesvereinigung des Heldenpaares begleitet, kommt
die tragische Tönung, die das Buch durchzieht, in dem
erhabenen Grauen der kosmischen Erscheinungen zum
Ausdruck, die dem Geschehen einen steigernden Wider-
hall geben. Schon bei Homer erscheint die Natur als
Resonanz der Handlung. Dies entspringt dem ur-
griechischen Gefühl der Einheit von Mensch und Physis
und der urtümlichen Anschauungsweise, die die Natur
zusammen mit dem in ihr sich vollziehenden menschlichen Geschehen als eine Einheit begreift. Bei Virgil
tritt hinzu das Gestaltungsprinzip der klassischen Kunst,
das Vereinheitlichung anstrebt und nichts Überflüssiges,
Beziehungsloses duldet. Die Blitze sind die Hochzeits-
fackeln und das Geheul der Nymphen vom Bergesgipfel,
das sich in den Donner mischt oder ihn verkörpert, ist
der Hochzeitsgesang: die Liebeshochzeit ist symbolisch
ausgedrückt, sie selber braucht nicht geschildert zu
werden. Die Zeichen aber, zu denen das Beben der Erde

---

[1] Kleinknecht, Laokoon, Hermes 79, 1944, 66 erklärt die
Laokoonszenen als ,Prodigium'. Damit ist die religions-
geschichtliche Form, nicht aber die kompositionelle Funktion dieser Szene erklärt.

tritt (*Prima et Tellus et pronuba Iuno dant signum*)[1], sind
nicht die eines fröhlichen Hochzeitsfestes, sondern jenen
verwandt, die die Erscheinungen von Gottheiten der
Unterwelt begleiten[2]. Es sind Omina, in denen sich die
Vordeutung auf das Kommende verbirgt, die in homerischer Form auch noch ausdrücklich gegeben wird:

> *Ille dies primus leti primusque malorum causa fuit.*

Aus der Liebeshochzeit entwickelt sich das Wirken der
Fama, die als unentrinnbar wachsende dämonische
Macht, als eine Schwester der Allekto gleichsam, die
tragische Entwicklung ankündigt und auslöst[3].

Durch die Atmosphäre all dieser Bilder und Szenen
wird der tragische Ausgang vorbereitet. Er selbst aber
wächst wie die Liebe der Königin aus ihrem Wesen
mit innerer Notwendigkeit hervor. Der entscheidende
Zug, der hier ins Spiel tritt, ist die hochgespannte Selbstachtung, die sie beseelt. Sie ist der Kern ihres Daseins.
Die ,Selbstliebe' in dem hohen Sinn, in dem Aristoteles
das Wort verwendet und erklärt, ist ja vielleicht der
höchste Wert der römischen und der antiken Moral.

---

[1] Servius bemerkt hiezu: ,Satis perite loquitur: nam
secundum Etruscam disciplinam nihil tam incongruum
nubentibus quam terrae motus vel caeli.'
[2] Man vergleiche die Schilderung der Magie der Hesperidenpriesterin (IV 490 f.) und die Szene der Erscheinung der
Hekate vor dem Abstieg zur Unterwelt (VI 255 ff.), und
man wird die Verwandtschaft ermessen. Daß ululare eine
media vox sei, wie Servius erklärt, mag zutreffen, hier aber
ist nur die dunkle Bedeutung maßgebend. Als Gegenstück
halte man die Szene Apollonius III 1218 ff. daneben,
aus der Virgil die Liebesgrotte und die Nymphen übernommen hat.
[3] Es ist vielleicht kein Zufall, daß Fama, nachdem Dido
sich in das Schwert stürzte, wie eine Bacchantin, über ihr
Opfer gleichsam triumphierend, durch die Stadt rast.

Denn der ‚Ruhm‘, auf dem für den Menschen des Altertums der höchste Glanz ruht, ist damit ja aufs engste verknüpft. Er ist die Ausstrahlung dieses inneren Feuers. Weil Dido von dem Gefühl der Selbstachtung bis zum Äußersten erfüllt ist, glaubt sie, dem toten Gatten ewige Treue schuldig zu sein, und verflucht sich selber, falls sie die Treue bräche[1]. Sobald daher ihre Liebe, die sie ja um den Preis ihrer Selbstachtung erkaufte, verraten ist, gibt es für sie keinen andern Ausweg als den Tod. Vom Sterben spricht sie daher auch sofort, als sie dem Äneas entgegentritt:

Nec moritura tenet crudeli funere Dido (IV 308)?
Cui me moribundam deseris (323)?

Ebenso dann in der ersten Fluchesdrohung (384):

Sequar atris ignibus absens,
Et cum frigida mors anima seduxerit artus,
Omnibus umbra locis adero.

Mit den Worten *sequar atris ignibus absens* wird dunkel auf das Flammenomen des Scheiterhaufens hingedeutet, der der ausfahrenden Trojanerflotte nachleuchten wird. Zunächst freilich wird man an die Fackeln der Eumeniden denken, wie die unmittelbar folgenden Verse zeigen

---

[1] Als dies dennoch geschieht, verläßt der Schmerz über ihre verlorene Würde sie nicht und mit ganzer Gewalt lodert er auf, als Äneas sich zur Reise entschließt. In tiefem Gram schaut sie auf das verlorene Bild ihres Selbst zurück:

Te propter eundem
Exstinctus pudor et qua sola sidera adibam
Fama prior.

(IV 385 f.[1]). Der Leser aber, der das Ende kennt, vermag, den Doppelsinn herauszuhören. Es handelt sich um die in der griechischen Tragödie so häufige Form der sogenannten Amphibolie[2]. Die Erklärer folgen einer der Deutungen des Servius: *alii ,furiarum facibus' dicunt, hoc est ,invocatas tibi immittam diras', alii ,sociorum' ut paulo post ⟨594⟩ ,ferte citi flammas'. Melius tamen est, ut secundum Urbanum accipiamus ,atris ignibus rogalibus', qui visi tempestates significant, ut Aeneae sicut in quinto legimus, contigit.* Die Entscheidung für nur eine dieser Erklärungen wird jedoch nicht gefordert, eben weil es sich um einen beabsichtigten Doppelsinn handelt. Dem Rationalismus des Servius und seiner modernen Nachfolger ist dies natürlich unfaßlich[3]. Am allerwenigsten darf, wie der Servius Danielis möchte, die Beziehung auf die Eumenidenfackeln ganz ausgeschaltet werden.

---

[1] Auch als Allekto dem Turnus die Fackel in die Brust stößt, erscheint die ,in s c h w a r z e m Licht rauchende Fackel' als Attribut einer Furie.

[2] Über die Amphibolie in der griechischen Tragödie vgl. J. Pokorny, Gymnasialprogramm, Ungarisch-Hradisch 1884. 1885, und William Bedell Stanford, Ambiguity in Greek literature, Oxford 1939.

[3] Heinze erklärt (S. 135, Anm. 1): ,,Die Worte ,sequar atris ignibus absens' meinen, wie Penquitt (De Didonis Vergilianae exitu, Diss. Königsberg 1910, S. 17) richtig sagt, die l e b e n d e Dido, aber gewiß ist dabei nicht an Magie gedacht, sondern die erste der von Servius angeführten Erklärungen trifft das Richtige: Dido identifiziert sich selbst (sequar) mit ihren Flüchen und denkt diese als Erinyen, die ja keineswegs nur den Mord rächen (Beispiele genug bei Rapp in Roschers Lex. I 1322 ff.)." Diese Interpretation ist unhaltbar. ,Cum frigida mors anima seduxerit artus' muß ἀπὸ κοινοῦ auch auf das ,sequar atris ignibus absens' bezogen werden. Das Bild der Dido, die selber als Furie dem Äneas folgt, ist großartiger und einfacher als die abgesandten Erinyen, die der Wortlaut, das

Vollends künstlich ist die Deutung des Servius auf die *ignes sociorum'*, falls hier, wie Thilo wohl mit Recht annimmt, an IV 594 gedacht wird. Denkt man dagegen an die Kriegsflammen, mit denen Karthago Rom verfolgen wird (*exoriare aliquis nostris ex ossibus ultor, Qui f a c e Dardanios ferroque s e q u a r e colonos*), so wäre das vielleicht nicht ganz abwegig. Wieder würde die transzendente Symbolik wie beim Gleichnis von den Klagen um Didos Untergang für einen Augenblick sichtbar.

In der Didohandlung tritt die Amphibolie als Mittel tragischer Spannung auch sonst noch auf, so IV 478:

> *Inveni, germana, viam, gratare sorori,*
> *Quae mihi reddat eum vel eo me solvat amantem,*

> IV 638: *Sacra Iovi Stygio, quae rite incepta paravi,*
> *Perficere est animus finemque imponere curis,*

> IV 435: *Extremam hanc oro veniam, miserere sororis,*
> *Quam mihi cum dederit, cumulatam morte remittam.*

Auch an der letztgenannten Stelle hat Heinze den Doppelsinn nicht erkannt (S. 134, Anm. 2). In den Worten *,cumulatam morte remittam'* liegt,

1. so wie es Anna verstehen muß, ein Ausdruck hyperbolischen Dankes, 2. deutet er, für den Leser und im Geheimen für Dido selber, auf den Tod[1]. In der gleichen

---

klare und eindeutige *,sequar'* (neben *,adero'*), das Heinze höchst künstlich wegzuinterpretieren sucht, ausschließt. Auch den Orest verfolgt die Mutter selber als Furie (IV 471):

> Aut Agamemonius s a e v i s agitatus Orestes
> Armatam f a c i b u s matrem et serpentibus atris
> Cum fugit.

[1] Der Ausdruck ist noch nicht völlig befriedigend erklärt. Die Stelle wurde schon im Altertum zu den loci indissolubiles gerechnet. Conington hält sie für die schwierigste

Rede der Dido begegnet schon vorher ein ganz ähnlicher Doppelsinn (429):

Extremum hoc miserae det munus amanti

und (435): *Extremam hanc veniam*: es ist die letzte Gunst, die Äneas der Dido gewähren soll — so soll es Anna verstehen —, zugleich aber ist es die letzte, die Dido in diesem Leben erfleht. Heinze bestreitet zu Unrecht, daß Dido hier mit ihrem Tode rechne, was doch aus IV 308, 323, 385 und unmittelbar vorher 415 deutlich hervorgeht. Der Aufschub der Abfahrt würde für sie nur den Aufschub des Todes bedeuten.

---

im ganzen Virgil. Peerlkamp bemerkt apodiktisch: ‚Hunc locum nemo unquam intellexit neque intelleget'. Fast alle Exegeten irren darin, daß sie übersehen, daß ein Doppelsinn postuliert werden muß. Heinzes Deutung ‚vel morte' kann nicht richtig sein, denn ‚vel' gehört nicht wie ‚solum', ‚tantum' usw. zu den Worten, die im Lateinischen einfach weggelassen werden können. Die Änderung ‚dederit' in ‚dederis' ist unannehmbar, da die Rede mit dem Gedanken an Äneas schließen muß. (Die Überlieferung schreibt diese Änderung den Äneisherausgebern Varius und Tucca zu, was, wie mich H. Fuchs aufmerksam macht, eine der üblichen antiken Behauptungen ist, die keinen Glauben verdienen). Johannes Mewaldt schreibt mir zu der Stelle: „Da Dido schon vorher deutlich genug von ihrem nahen Tode redet, wenigstens für den Leser (das Wort ‚extremo' 429 und 435, untereinander korrespondierend, ist dabei auch ominös), so ist ‚morte' natürlich das Richtige. Ich könnte mir, da das für Anna doch zweideutig bleiben muß, bei diesem Ausdruck denken, daß ein außergewöhnlich hohes Maß von Geschenk, Gegengabe, Entgeltung aus der Gewohnheit einer familiären, liebevollen Sprechweise des sermo cotidianus urbanissimus bezeichnet werden soll. Aber ist dies möglich? Gibt es dafür ein anderes Beispiel? Die Äußerung würde sehr schwärmerisch, glutvoll sein: für Dido also passend, deren Feuer gegen die Kühle des Äneas überall kontrastiert". Pease erklärt in der kommentierten Ausgabe des vierten Buches, Cambridge Mass., Harvard University Press, 1935: ‚By her death she would

Vor aller Überlegung, vor allem Durchdenken der Situation ist es also für sie gewiß, daß die Einschiffung des Äneas ihren Tod besiegelt. Und könnte diese Reaktion auch nur als eine Folge der Unbedingtheit ihrer Leidenschaft ausgelegt werden, so erweist sie sich doch auch als eine notwendige Rückwirkung ihres verletzten Stolzes. Wie sie sich selber in diese unwürdige Situation stürzte[1], so kann sie auch nur selber den Ausweg aus ihr finden. Die Worte im nächtlichen Monolog, wo sie die Lage hin- und herwendend zum letzten Male nach einer anderen Lösung sucht — es ist die Stelle, auf die man

---

benefit Aeneas by relieving him of the encumbrance which her attentions apparently were to him'. Diese Deutung, die ,morte' als Ablativus Instrumentalis faßt, mag vielleicht den wahren Gedanken Didos treffen, läßt aber unerklärt, was sich Anna dabei zu denken vermöchte. Mir scheint die Deutung Henrys: morte Abl. temp. = in morte = ,bei meinem Tod, wenn ich tot bin' dem Richtigen am nächsten zu kommen, wobei man freilich der Vermutung, daß Dido als guter Geist dem Äneas helfen wolle, nicht unbedingt folgen wird. Ich möchte verstehen: ,,Ich werde die Gunst vervielfältigt noch bei meinem Tode (oder: noch durch meinen Tod) zurückzahlen." Der Doppelsinn liegt dann nur darin, daß Anna an ein entferntes Ende denken soll, während Dido ein nahes meint. Anna versteht: ,mein ganzes Leben und auch noch im Tod', während Dido (etwa im Sinne der Erklärung von Pease) sagen will: ,durch meinen Tod'. Oder sollte man es für möglich halten, daß Dido die Worte a parte spricht, fortgerissen gleichsam von der Leidenschaft ihrer sehnsüchtigen Wünsche, wie schon Holdsworth, Remarks and Dissertations on Virgil, 1768, S. 253 erklärte? Der Tod als letztes Geschenk der Liebenden begegnet auch in der 8. Ekloge, v. 61:

Extremum hoc munus morientis habeto.

[1] Sie selber erkennt dies sehr deutlich:

Per ego has lacrimas dextramque tuam te,
Quando aliud mihi iam miserae nihil ipsa reliqui (314).

142

hauptsächlich die Auffassung gründete, daß Virgil durch
Entfaltung der Situation ‚dem Leser die Notwendigkeit
eines tragischen Schlusses aufzwingen' wolle —, zeigen
im Gegenteil aufs deutlichste, daß wohl die Situation,
nicht aber ihr Wesen eine andere Lösung zuläßt: sie
könnte wohl die alten Freier wieder anflehen, aber jetzt,
da sie von Äneas ‚verhöhnt' wurde, ist sie zu stolz, es zu
tun (534 ff.), sie *könnte* den Trojanern folgen, aber die
Demütigung, die darin läge, wäre ihr unerträglich (543:
Sola fuga nautas comitabor ovantis?), sie *könnte* den
Tyrern befehlen, der Flotte nachzustoßen, aber sie ist
zu menschlich, sie wieder aufs Meer zu jagen, von wo
sie eben erst zurückkehrten (544 ff.). Ihr bleibt nur der
Tod, weil nur er allein ihr eigenstes Wesen rettet, ihr
höheres Selbst und ihren Ruhm wiederherstellt. Er ist
nicht nur die Flucht aus einer äußeren Not und auch
nicht allein die Lösung von unerträglichem Schmerz,
sondern die Sühne, die sie sich selber auferlegt (IV 547:
Quin morere u t m e r i t a e s), die Wiederherstellung des
‚großen Bildes', das sie der Nachwelt hinterlassen will:
denn in dem Fluch, den sie auf Äneas und die Römer
herabfleht, und in der prunkvoll feierlichen Art, in der
sich ihr Untergang vollzieht, stellt sich ihre Seele groß
und frei wieder her. Die Verfluchung ist nicht nur Ausdruck einer Liebe, die in Haß umschlug, sondern sie gibt
ihr die verlorene Würde zurück. Denn Rache ist für
den antiken Menschen die Wiederherstellung seiner
ideellen Existenz[1]. So rühmt sich Dido in ihrem ‚Epi-
taph' auch, den Tod des Sychaeus gerächt zu haben,

---

[1] Erst durch die Rache findet die Seele des Verstorbenen
Ruhe.

so verharrt Euander im Leben, um seinem gefallenen Sohn — wie rührend kommen diese Worte aus seinem Munde — die Botschaft der Rache ins Totenreich hinabzubringen (XI 177 ff.). Rache (für Pallas) ist die letzte Geste des Äneas im Gedichte, so wie Rache für Caesar den Beginn der Laufbahn des Augustus trug.

Der Stolz der Königin, ihre Selbstachtung, ihr Sinn für Würde, ihr Durst nach Ruhm sind es vor allem, die den Tod verlangen. Heinze, dem dies nicht entging, meinte freilich, wenn Virgil ‚den Schmerz um den Verlust des Geliebten nicht dominierend hervortreten‘ lasse, so stehe er ‚unter dem Banne der Tradition‘ und er brachte das mit dem ‚Verzicht des Dichters auf ausgeprägte Charakterisierung‘ in Zusammenhang (S. 139). Dies ist aber nun ganz irrig. Gerade die Charakterisierung der Dido erforderte es ja, daß nicht der Schmerz um den Verlust des Geliebten, sondern die Einsicht in die Tiefe ihrer Schmach das tiefere Motiv ihres Untergangs darstellt. Trieben sie nur die ‚unerledigten Wünsche‘ ihrer Leidenschaft zum Selbstmord, so wäre dies für das Empfinden Virgils von jeder wahren Größe weit entfernt gewesen. Es wäre vielleicht eine rührende, aber keine erhebende Wirkung erzielt worden, auf die es hier ankam.

Daß der Tod die einzige Lösung ist, bedurfte also gar keiner besonderen äußeren ‚Motivierung‘. Eher mußte verständlich gemacht werden, weshalb sie so lange zögert, ihn zu suchen. Und dies ließ sich am leichtesten durch die Hoffnung begründen, sie könne den Entschluß des Helden vielleicht doch noch umstoßen. Ihre beiden Reden im entscheidenden Gespräch mit Äneas zeigen die wahre Alternative: sie schwankt nicht zwischen

144

Sterben und Weiterleben (wie Heinze es auffaßte), sondern zwischen der Möglichkeit, Äneas zu halten und der andern, ihn und sich zu vernichten. Dieses Hin und Her zwischen Liebe und Haß, Vereinigung und Vernichtung, beherrscht die ganze Erzählung. Dreimal versucht sie das Schicksal zu wenden: in der Bittrede an Äneas, in den Bitten, die ihm Anna vermittelt, und im Monolog der qualvollen letzten Nacht vor der Abfahrt, wo sie nur mehr bei sich selbst noch die Möglichkeit erwägt, dem Geliebten zu folgen. Und jedes Scheitern ihrer Wünsche führt sie unweigerlich zum Entschluß des Todes zurück: der Bittrede folgt die Androhung ihres Unterganges und ihrer Rache, der Ablehnung von Annas Bitten die Zurüstung des Scheiterhaufens und dem Gedanken des Monologes, den Helden zu begleiten, der Entschluß: ,,Stirb, wie du's verdientest!''

Der Dichter ist bemüht, bis zuletzt einen Schimmer von Hoffnung aufrechtzuerhalten, ohne den der Schicksalsverlauf als weniger tragisch empfunden würde[1]. Ihr

---

[1] Über das retardierende Moment als konstitutives Element des Tragischen auch S. 161. Vgl. auch Max Scheler, Das Phänomen des Tragischen, Abhandlungen und Aufsätze, I, Leipzig 1915, S. 301: ,,Im Tragischen liegt das Paradoxe vor, daß die Wertevernichtung, wenn sie einmal vorliegt, uns zwar völlig ‚notwendig' erscheint, aber gleichwohl auch völlig ‚unberechenbar' eintritt.'' Auch der Zauber, den Dido auf den Rat der Hesperidenpriesterin vollzieht, läßt insofern einen letzten Rest von Hoffnung, als es nicht völlig ausgeschlossen scheint, daß er dazu dienen könnte, Äneas der Dido zurückzugeben (478):

Inveni germana viam, gratare sorori,
Quae mihi reddat eum vel eo me solvat amantem.

Daher auch die magischen Riten der Verse 512—516, die wie ein letzter Versuch der Priesterin anmuten, den Äneas durch Zauber zurückzugewinnen, während freilich Dido

Zögern vor dem Tode erklärt sich einzig und allein aus dieser trügerischen Hoffnung, dem Sich-nicht-Losreißen-können von ihrer Liebe. Mit dem Augenblick, da Äneas mit blitzendem Schwert das Schiffstau durchschlägt[1], ist ihr Schicksal entschieden.

Aber eben dieses Zögern ist vor dem unerbittlichen Richterauge ihres Selbstgefühls nur eine Vergrößerung ihrer Schuld. Das heißt: je mehr Dido angesichts der bevorstehenden Einschiffung den Gefühlen ihrer Leidenschaft gehorcht, um so mehr sinkt sie von ihrem stolzen Königinnentum herab. Das Zögern vor dem Tode gibt dem Dichter so die Möglichkeit, auf der einen Seite die Tiefe ihrer Liebe, auf der andern aber die Verworfenheit ihrer Schmach, ihres inneren Falles fühlbar zu machen. Die Bittrede enthält den rührenden, aber unwürdigen Wunsch, vor dem Abschied ein Kind von Äneas zu empfangen. Die Botschaften, die Anna übermittelt, flehen nur noch um leeren Aufschub:

Improbe Amor, quid non mortalia pectora cogis?

Im nächtlichen Monolog erwägt sie schließlich gar, dem Geliebten zu folgen, selbst wenn er sie nicht auf sein Schiff nehmen sollte. Sie, die unendlich Stolze, gleitet in immer tiefere Entwürdigung herab und ist sich dessen bewußt, und darin, nicht in ihrem äußeren Schicksal,

---

selber sich dieser Täuschung nicht mehr hingibt. Bis zuletzt bleibt so die Spannung lebendig, ob nicht doch noch eine andere Wendung eintreten könnte (vgl. auch unten S. 217 über den Zweikampf zwischen Äneas und Turnus). Eine andere Erklärung der Verse 512—516 bei Heinze, S. 142, Anm. 1.

[1] Erhöhung eines Schicksalspunktes durch eine symbolische Geste. Diese selbst ist aus dem Lästrygonenabenteuer der Odyssee übernommen.

liegt ihre eigentliche Tragödie. Angesichts dieses inneren
Sturzes wählt sie den Tod als Befreiung und Buße.
Durch ihn löst sie sich aus den unheimlichen Kreisen
in dem ausweglosen Trichter ihrer Leidenschaft, in dem
sie seit der Schicksalsnacht der Erzählung von Trojas
Untergang verfangen war. Durch ihn stellt sie ihre
Würde wieder her. Was aber Heinze als *Motive* ihres
Entschlusses ansah: die Verwandlung des Opferweins
in Blut, die Rufe des Sychaeus, das Klagen des Totenvogels, die Magie der Hesperidenpriesterin[1], alle Zeichen
und Träume, die sie verfolgen, alle Schuld- und Schmach-
gefühle, die sie martern, sind nur seine *Symptome*, Ge-
sichte, die ihn begleiten, symbolische Ausstrahlungen
ihrer inneren Hinwendung zum Tode.
Eine gewaltige Wirkung tragischer Erhebung geht von
der Erzählung aus, wenn geschildert wird, wie ihre große
Seele aus der Deformierung in Krankheit und Schmerz
und aus den Delirien der Leidenschaft sich wieder erhebt
zur Majestät der Worte, in denen sie sich selbst das Grab-
epigramm spricht:

> *Vixi et quem dederat cursum fortuna peregi*
> *Et nunc magna mei sub terras ibit imago.*

Hier ist sie wieder Königin wie am Anfang und größer
und ‚römischer‘ denn je. War die Leidenschaft eine Ver-

---

[1] Die Erwähnung der Hesperidenpriesterin enthält ebenfalls eine symbolische Beziehung: durch sie wird jenes
abendliche Reich in das Geschehen hineingezogen, wo nach
den Vorstellungen des Altertums das Land der Toten lag.
Die Priesterin ist nicht nur eine Zauberin, die die Königin
magische Praktiken lehrt, sondern eine Mittlerin zu dem
jenseitigen Reich. So ist die Szene mit der Hinwendung
zum Tode auch innerlich verknüpft.

dunkelung ihres Selbst, so ist ihr Tod seine heroische Behauptung und Bestätigung, seine Steigerung und Verklärung. Durch die Würde ihres Sterbens wandelt sie sich zu dem ‚großen Bild‘, als welches sie in die Unterwelt herabsteigt. ‚Denn in der Gestalt, wie ein Mensch die Erde verläßt, wandelt er unter den Schatten‘[1] Symbolisch drückt sich diese Rückkehr zur Größe vierfach aus:

erstens in der Szene (IV 450—521), wo sie aus dem Dunkel der Gefühle, die sich in jenen Unheilszeichen versinnbildlichen, über die fast heitere Gefaßtheit ihrer Rede an Anna (IV 478 ff.) zu der feierlich großartigen Bereitung des Scheiterhaufens innerlich emporsteigt;

ein zweites Mal im nächtlichen Monolog (534 ff.), wo sie sich aus der Qual der Leidenschaft, in die sie erneut verfiel, zum Todesentschluß durchringt;

ein drittes Mal dann im großen Selbstgespräch, wo sie wiederum die Zügelung der Leidenschaft in sich vollzieht und von den zerrissenen Fragen und Ausrufen des Anfangs zu der feierlich gebändigten und unerbittlichen Leidenschaft des Fluchgebetes emporwächst (IV 607: *Sol, qui terrarum flammis opera omnia lustras*), aus einer erhabenen Furie sich zur stolzen Gebieterin Karthagos wandelnd, die vom Pathos heiliger Rache erfüllt zu ewiger Feindschaft aufruft;

und zum vierten Mal im letzten Monolog, wo sie aus der Erscheinung zurücktritt zum ewigen Sein im ‚großen Bild‘, dessen Ruhm über die Zeiten strahlt, als die große

---

[1] So drückte Goethe diese antike Anschauung in seiner Winckelmannbiographie aus, wo er vom Tode des großen Mannes redet.

Gründerin Karthagos und die große Liebende. Denn auch die innigen Töne der Liebe fehlen in den letzten Worten nicht. Echt virgilisch mildern sie die heroisch strenge Herbheit des ‚*Exoriare aliquis*‘ und lassen ihren Untergang ins Sanftere ausklingen. Wie in der feierlichen Zurüstung des Scheiterhaufens und im Rachegebet an Sol und Juno, an Hecate und die Diren die kultische Form das Symbol ist der Wiederherstellung ihrer inneren Größe, so ist es hier das lapidare Römerpathos des Inschriftenstils. Dem Gedanken der Rache aber gelten die letzten Worte (661: *Hauriat hunc oculis ignem crudelis ab alto Dardanus et nostrae secum ferat omina mortis*), nachdem sie ihre Leidenschaft zu einer Geste innigen Wohllauts beruhigend sich ein letztes Mal zur Liebe hinüberneigte (*paulum lacrimis et mente morata . . . dulces exuviae*) und stolze Unversöhnlichkeit — nach einem neuerlichen zarten Zaudern — ist ihre Abschiedsgebärde in der Unterwelt (VI 469 ff.). So stirbt sie, auf dem Lager der Liebe, das über dem Scheiterhaufen errichtet wurde, das Schwert des Äneas sich in die Brust stoßend[1], die unzerreißbare Liebesbindung noch im Akte des Todes bezeugend, als Königin in erhabener Größe. Der eigentliche Todesaugenblick gibt noch einmal den ergreifenden Ausdruck ihrer lichtsuchenden Seele (IV 690):

Dreimal erhob sie sich, auf den Arm emporgestützt, dreimal rollte sie aufs Lager zurück und mit schweifen-

---

[1] Der Vorgang selbst wird nicht beschrieben, sondern nur die Wirkung, wie beim Tod der Eurydike im vierten Buch der ‚Georgica‘ der tödliche Schlangenbiß übergangen und auch das Sterben des Laokoon nicht geschildert wird.

den Augen suchte sie am hohen Himmel das Licht und
seufzte auf, da sie es fand.

Ter sese attollens cubitoque adnixa levavit,
Ter revoluta toro est oculisque errantibus alto
Quaesivit caelo lucem ingemuitque reperta.

Wie ihr Gebet mit dem Anruf an die Sonne beginnt, so
gilt ihr letzter Blick dem Sonnenlicht. Und in der
Sänftigung durch die Nähe der Schwester, die in rühren-
der Gebärde ,mit ihrem Gewand das schwarze Blut der
Sterbenden auffängt', und der liebevollen Geste der
Juno, die Iris erlösend herabschickt —

Ergo Iris croceis per caelum roscida pennis
Mille trahens varios adverso sole colores —

endet ihr Leben und das Buch.
Erschien uns ihr Tod, als er sich zuerst abzuzeichnen
begann, mehr als die Folge ihres Schmerzes und ihrer
Leidenschaft, so erweist er sich nun auch als deren Verwandlung und Überwindung. Jenes Schwanken zwischen
Liebe und Haß war offenbar zugleich ein Schwanken
zwischen Erniedrigung und Größe, doch so, daß auch
in der Erniedrigung noch eine Spur von Größe liegt:
denn obwohl die Liebesleidenschaft der Dido von ihrem
Stolz, ihrer Würde her gesehen als Wahn und Schmach
erscheint, so empfinden wir sie doch auch, und damit
berühren wir einen wesentlichen Teil ihrer Tragödie, als
die Erfüllung ihres Menschentums, die aus ihrer großen
und zarten Seele hervorwächst. Sie schwankt also in
Wahrheit zwischen ihrem Herzen und ihrer Würde,
zwischen ihrem Glück und ihrem Ruhm.
In Dido vollzieht sich so ein Kampf, der dem Konflikt
verwandt ist, der immer wieder im Herzen des Äneas

entbrennt und der seinem Schicksal die tragische Note
verleiht. Wie der Held leidet sie unter der unlösbaren
Spannung zwischen den Wünschen ihrer Seele und den
harten Forderungen der Selbstachtung und des Ruhmes.
In der inneren Verwandtschaft der Gestalten verwirklicht so Virgil die Forderung Goethes, daß die Figuren
zwar bedeutend von einander abstehen, aber alle unter
ein Geschlecht gehören sollten[1]. In dem Gemeinsamen
aber, das sie verwandtschaftlich umschließt, enthüllt
sich die Seele des Dichters. Ihre Konflikte sind die
Konflikte, die sein Dasein im Innersten bewegen.

Auch die andere Forderung Goethes, daß jeder Teil (des
Dramas) das Ganze repräsentieren müsse, ist im Didobuch erfüllt. Es ist eine Abwandlung des Grundthemas,
das sich uns als Bändigung dämonischer Gewalten, als
Ausbruch und Überwindung der Leidenschaften darstellte. Im Schicksal der Dido kommt dieses Grundmotiv
am tragischesten zum Ausdruck, weil der Kampf in

---

[1] Goethe an Schiller 8. April 1797: ,,Diejenigen Vorteile,
deren ich mich in meinem letzten Gedicht (Hermann und
Dorothea) bediente, habe ich alle von der bildenden Kunst
gelernt. Denn bei einem gleichzeitigen, sinnlich vor Augen
stehenden Werke ist das Überflüssige weit auffallender als
bei einem, das in der Succession vor den Augen des Geistes
vorbeigeht. Auf dem Theater würde man große Vorteile
davon spüren. So fiel mir neulich auf, daß man auf unserem
Theater, wenn man an Gruppen denkt, immer nur sentimen-
tale oder pathetische hervorbringt, da doch noch hundert
andere denkbar sind. So erschienen mir dieser Tage einige
Szenen im Aristophanes völlig wie antike Basreliefe, und
sind gewiß auch in diesem Sinne vorgestellt worden. Es
kommt im Ganzen und im Einzelnen alles darauf an: daß
alles voneinander abgesondert, daß kein Moment dem
andern gleich sei; so wie bei den Charakteren, daß sie zwar
bedeutend voneinander abstehen, aber doch immer unter
ein Geschlecht gehören.''

ihrer eigenen Seele, auf engstem Raum, ausgetragen wird. Dem Äneas treten die Mächte der Leidenschaft von außen entgegen — als Gottheit, als Naturgewalt, als Liebe, als Kampf —, er muß sie als Held äußerlich überwinden und innerlich als mitfühlender leidoffener Dulder tragen. Aber sein Helden- und Duldertum wird von Schuld nahezu freigehalten, alles, was so gedeutet werden müßte, wird zurückgedrängt und abgeschwächt[1], während Dido, und weniger erhaben auch Turnus, ihr tief verfällt. Äneas nimmt an der trüben Verwirrung der Welt durch sein Schicksal und seinen Schmerz teil, aber er versinkt nicht in sie: wie der Dichter steht er gleichsam über ihr, an ihr leidend und doch zugleich über sie sich erhebend. Dido ist die spannungsreichere, tragischere Figur, als *Gestalt* das größere Symbol der Tragik des Gedichtes, weil sie in sich zusammenschließt, was die Äneis als Ganzes in verschiedenen Mächten auseinanderfaltet. In diesem Sinne kann das Didobuch als der Höhepunkt des Ganzen gelten.

---

[1] So insbesondere die Schuld des Äneas gegenüber Dido. Es scheint mir fraglich, ob Conways schöne Deutung der Verwünschungen, die sich an Äneas erfüllen (als eines Beweises der ritterlichen Auffassung Virgils von der Mannespflicht, die Äneas verletzt), das Richtige trifft, obwohl Heinze ihr Beifall zollt (S. 274, Anm. 1. S. 136, Anm. 2). Die Verse VI 463:
      Nec credere quivi
    Hunc tantum tibi me discessu ferre dolorem,
die unser feineres Empfinden beleidigen und so einen vom Dichter nicht beabsichtigten Makel auf Äneas werfen, scheinen mir die Möglichkeit nahezulegen oder wenigstens nicht auszuschließen, daß Virgil hier von der modernen Auffassung abweicht. Die Hauptschuld des Äneas in Karthago liegt darin, daß er seine Aufgabe vergißt und für seinen Ruhm keine Anstrengungen macht:
    Nec super ipse sua molitur laude laborem.

3. TURNUS

Die Szene, in der Turnus zum ersten Male auftritt, spielt
in schwarzer Mitternacht (VII 414). Schon dadurch wird
angedeutet, daß sein Schicksal dem Wirkungsbereich der
Gewalten der Tiefe angehört. Im Traum erscheint dem
Helden die ‚Tochter der Nacht‘, die Kriegsfurie Allekto,
in Gestalt der Junopriesterin Calybe, die im Haar den
Olivenzweig trägt. Voll ruhiger Würde und mit sarkasti-
scher Überlegenheit weist er im Vertrauen auf die Hilfe
seiner Göttin[1] ihren Versuch zurück, ihn zum Kampf
gegen die vor Anker gegangene Flotte der Trojaner zu
bewegen. Da läßt die Furie zornentflammt die Maske
fallen und zeigt sich in ihrer wahren Gestalt[2]: ‚‚Schau
hierher, ich komme von der Stätte der Schwestern des
Grauens und bringe Tod und Krieg in Händen.‘‘ Damit
wirft sie ihm eine Fackel zu und stößt ihm die ‚in
schwarzem Licht rauchenden Kienscheite‘ in die Brust.
Angstgeschüttelt wacht er aus dem Schlaf und ruft

---

[1] Keineswegs nur aus Unglauben gegen die Worte der
Priesterin, wie Heinze will (S. 189).
[2] Es würde sich verlohnen, die Geschichte dieses drei-
gliedrigen Szenentypus zu verfolgen. Das Motiv erscheint
in zweierlei Gestalt: erstens in der allgemeinen: jemand,
der sein Vorhaben durch Güte oder List zu erreichen versucht, wird durch Widersetzlichkeit dazu gebracht, seine
Macht zu gebrauchen oder anzudrohen; zweitens der
spezielleren: ein Gott oder Dämon demaskiert sich, durch
Widerspruch gereizt, und braucht Gewalt. Ein frühes
Beispiel dieses zweiten Typus ist das Gespräch der Helena
mit Aphrodite im dritten Buch der Ilias, wo die Gottheit
zuerst in einer Maske, dann in ihrer wahren Gestalt erscheint, wenn sie auch — anders als im Turnustraum —
sogleich erkannt wird. Heinze führt außerdem noch die
Erysichthonszene aus dem Demeterhymnus des Kallimachos
als ‚Vorbild‘ Virgils an, doch sind diese Stellen kaum
direkte Vorbilder, sondern nur Beispiele eines immer

nach Waffen. Der ‚Zorn', die ‚Leidenschaft des Eisens',
der ‚verbrecherische Wahnsinn des Krieges', beginnen
in ihm zu wüten,

> wie wenn mit lautem Prasseln eine Reisigflamme
> unter die Rippen des wallenden Kessels gelegt wird,
> und es springt das Naß siedend hoch. Innen tobt
> des Wassers dampfender Strom und schäumt hoch
> über und nimmer hält sich die Woge. Schwarzer
> Rauch fliegt in die Lüfte.

> VII 462: *Magno veluti cum flamma sonore*
> *Virgea suggeritur costis undantis aeni*
> *Exsultantque aestu latices, furit intus aquai*
> *Fumidus atque alte spumis exuberat amnis*
> *Nec iam se capit unda, volat vapor ater ad auras.*

Das homerische Bild des brennenden Skamander[1] —
das Wort ‚*amnis*' gemahnt noch an die Herkunft —
hat sich in ein Gleichnis verwandelt, das die auch im
Lateinischen geläufige Metapher von der ‚kochenden'
‚wallenden' Wut[2] zu poetischer Anschauung erhebt und

---

wiederkehrenden Typus. Der Szene, wo Somnus den
Palinurus überwältigt (V 835 ff.), liegt das gleiche Schema
zugrunde: Verlockung durch den in fremder Gestalt er-
scheinenden Gott — Widerstand des Menschen — An-
wendung der dem Gotte eigenen Gewalt. Auch der große
Dialog zwischen Dido und Äneas in IV gehört diesem
Typus in seiner allgemeineren Form an: Bitte — Ablehnung — Drohung. Der Szenentypus ist der natürliche
Ausdruck einer Steigerung, für die sich namentlich im
Drama manche Beispiele finden.
[1] Ilias 21, 362. Das wenig erhabene Detail „das Fett
schmelzend des wohlgenährten Mastschweins" hätte dem
Stil des Virgil nicht entsprochen.
[2] Vgl. die Verwendung der Begriffe ‚fervere', ‚fervidus'
‚fervor' usw. Ferner bei Virgil IX 66: ignescunt irae.
IX 736: mens exaestuat ira, beide Stellen gleichfalls von
Turnus. Vgl. auch Ilias 18, 108: „Sein Zorn mehrt sich
wie Rauch."

die Kampfesleidenschaft des Turnus in ihrer dunkeln dämonischen Gewalt darstellt. Die tragische Perspektive, die sich so eröffnet, wird durch die rhythmische und melodische Bewegung der Verse, namentlich des Schlußverses, ausgedrückt:

Nec iam se capit unda, volat vapor ater ad auras.

Wie in den meisten Gleichnissen Virgils dominiert das Gefühlhafte vor dem Anschaulichen, das Symbolische vor dem Konkreten. Denn ist auch das ‚Wüten des Zornes‘ etwas Sichtbares, so spielen doch die Liebe zum Eisen‘ und der ‚verbrecherische Wahnsinn des Krieges‘, deren Ausbruch das Gleichnis verdeutlichen will, ins Abstrakte hinüber, und auch wenn man diese Begriffe als dämonische Kräfte faßt, die sich aus Allekto lösen und in das Herz des Turnus übertreten, bleibt die Anschauung durchaus im Vagen. Das Gleichnis gibt nicht einen sinnlichen Vorgang wieder, sondern die Deutung des Einbruchs dämonischer Mächte, die sich des Helden bemächtigen. Das Bild wird zum Sinnbild. Wie sich das Hindinnengleichnis des Didobuches durch die Tiefe der Schicksalsperspektive von den Gleichnissen Homers abhebt, so das vorliegende durch die unmittelbare Bildwerdung einer seelischen Bewegung[1], die das Verhängnis symbolisiert, das sich zu vollziehen beginnt.

---

[1] Wie angemessen ist dagegen das Bild des siedenden Kessels der Vorstellung von dem ‚brennenden‘ Skamander bei Homer, angemessen im Sinne der Anschaulichkeit, die Virgil ja nicht sucht. Umgekehrt sind Gleichnisse, die Seelenbewegungen verdeutlichen, namentlich in der Ilias selten. Man könnte hierher rechnen 7, 4 ff.: Hektor und Alexandros kommen den Trojanern erwünscht wie der Wind den Schiffern oder 9, 3: Das Herz der Achäer ist zerrissen, wie wenn Stürme aus Nord und West das thra-

Das Gleichnis verrät die Absicht des Dichters, etwas von
der Dämonie und der Tragik zur Erscheinung zu bringen,
die sich mit der Gestalt des Turnus verknüpft. Der Eindruck des Tragischen wird noch durch andere Momente
verstärkt. Im Verlauf der Szene vollzieht sich in Turnus
eine Wandlung, die das Mitgefühl mit dem Helden steigert. Aus seinen ersten Worten spricht männliche Besonnenheit und Gottvertrauen. Man sieht, er ist im Kern
seines Wesens eine edle Heldennatur. Durch die Geste

---

kische Meer mit jäher Gewalt erregen. Oder 14, 16ff.:
Nestor ist unentschlossen, wohin er sich wenden soll,
wie das Meer in leerem Gewoge, ehe ein bestimmter
Wind herabfährt, oder 21, 573: Agenors Mut ist wie
der Mut des Parders. Aber in all diesen Fällen dominiert
doch der sinnliche Vorgang vor dem seelischen. Die
Seeleneigenschaft des Mutes wird beispielsweise sogleich
in den angeschauten Vorgang mutigen Angreifens umgesetzt. Mut ist für Homer mehr ein sichtbar sich
vollziehender Akt als eine seelische Eigenschaft. Es
läßt sich da bei Homer wie überhaupt in der Antike gar
kein scharfer Trennungsstrich ziehen. Die Seelenbewegung
wird immer auch als sichtbar und greifbar vorgestellt.
Aber bei Virgil hat sich zumindest der Akzent verschoben.
Das Hauptgewicht des Interesses ruht bei ihm weit mehr
als bei Homer auf dem Seelischen. — Daß zwischen Innen
und Außen keine scharfe Grenze bestehe, hat Goethe als
seine und des Altertums Auffassung hervorgehoben: ‚Sicut
animam non nisi mediante corpore cognoscere possumus,
ita deum non nisi perspecta natura‘ (Ephemeriden zu
Fabricius, Bibliotheca antiquaria, zitiert bei Konrad Bur-
dach, Die religiöse Idee in Goethes Faust, Euphorion 1932).
Max Planck hat das Leib-Seeleproblem für ein Schein-
problem erklärt: Scheinprobleme der Wissenschaft, Leipzig
1947. Zu Ilias 9, 8 („Also war in den Brüsten der Griechen
der θυμός zerrissen") bemerkt Emil Staiger, Grundbegriffe
der Poetik, Zürich 1946, 102: „θυμός, Gemüt, ist ein reales
Ding wie etwa unser Herz. Und ebenso dinglich sind
Schmerz und Unruhe, die das Gemüt zerreißen. Die Bild-
lichkeit der Sprache, mit der wir uns heute oft wider-
willig behelfen, hat hier eigentliche Bedeutung."

der Allekto aber verfällt er den höllischen Gewalten. Er wird vom Feuer der Leidenschaft ergriffen und äußerlich und innerlich aus seiner Bahn geworfen. Sein anfänglicher Widerstand ermöglicht nicht nur die Darstellung des Kontrastes zwischen der Priesterin und der Höllenfurie, er gibt nicht nur das Stichwort zu einem dramatischen Effekt[1], sondern er deutet zugleich auf den inneren Sturz des Turnus und die Schuldlosigkeit seiner Schuld hin[2].

Auch der Schluß der Szene dient dazu, Bewunderung und Sympathie für ihn zu wecken. Es werden ihm die hervorragendsten Eigenschaften eines Helden nachgerühmt: Schönheit, Jugend, Adel und Tapferkeit (VII 473). Seine Schönheit und seine hohe Herkunft wurden auch schon früher erwähnt (VII 55). Ja, er ist der schönste von den Italikern (VII 650), und auch dadurch ist er als eine *edle* Jünglingsgestalt gekennzeichnet. Denn Schönheit des Leibes und Schönheit der Seele sind nach der antiken Anschauung, daß die Schönheit die Blüte der Arete sei, auch im virgilischen Epos untrennbar: die jugendlichen Gestalten, auf denen das Auge des Dichters mit besonderer Liebe ruht, sind alle hiedurch ausgezeich-

---

[1] Dies hat Heinze richtig erkannt.
[2] Dies hat Heinze (S. 189) übersehen und darum behauptet er, daß der anfängliche Widerstand des Turnus ,innerlich nicht völlig berechtigt' sei. Virgil könne höchstens beabsichtigt haben, zu zeigen, daß Turnus von vornherein ruhigen Bluts und keineswegs geneigt sei, seine Ansprüche mit bewaffneter Hand geltend zu machen, aber dies scheine dadurch ausgeschlossen, daß seine Abweisung bloß durch seinen Unglauben gegenüber dem wahrheitsgemäßen Bericht der Kalybe begründet wurde. Auf die Unrichtigkeit dieses Arguments wurde bereits hingewiesen (S. 153, Anm. 1).

net, so Pallas, Euryalus, Lausus und natürlich auch Äneas selbst. Turnus macht keine Ausnahme.

Die Szene enthält also wichtige Voraussetzungen dafür, daß sein Schicksal als tragisch empfunden wird. Man hat dies freilich mit großer Entschiedenheit bestritten. So meinte Friedrich (Philologus 1940) im Anschluß an einen (bis jetzt nicht erschienenen) Artikel der Realenzyklopädie[1] und wohl auch unter dem Eindruck von Heinzes Autorität[2], Turnus werde von Virgil nicht als tragische Figur, sondern als Staatsfeind charakterisiert. Aber das eine schließt das andere nicht aus. Er ist in der Tat, wenn auch nicht als ‚Staatsfeind‘, so doch als die Verkörperung des ‚*Furor impius*‘ gezeichnet und trotzdem erscheint er zugleich als von *tragischer* Verblendung getroffen, hierauf aber liegt zweifellos der Hauptton. Denn Virgil ist wie jeder wahre Dichter in erster Linie Darsteller menschlicher Schicksale, nicht politischer Wertungen. Nichts ist falscher als die nicht erst in neuester Zeit vorgetragene Meinung, ‚Virgil sei mit Homer verglichen ein parteiischer Dichter‘[3].

Vollends in die Irre geht die Deutung, die Heinze durch das Zitat von Ciceros *De officiis* I 62 der Gestalt des Turnus gibt: „Diejenige Erhöhung der Seele, die in Gefahr und Kampf sichtbar wird, ist dann ein Fehler,

---

[1] W. Ehlers, RE s. v. ‚Turnus‘: „Für seine Zeitgenossen redete Virgil eine nicht mißzuverstehende Sprache; nur modernes Gefühl kann der Gefahr erliegen, die eigentümliche nationale Tendenz zu überhören und in Turnus mehr das Bild eines tragischen Helden zu sehen."
[2] Heinze bezieht sich seinerseits auf Nettleship, Lectures and essays 108 ff.
[3] Die Formulierung stammt von Friedrich, Cato, Caesar und Fortuna bei Lucan, Hermes 1938, S. 402.

wenn sie der Gerechtigkeit entbehrt und nicht für das
gemeinsame Heil, sondern für den eigenen Vorteil
kämpft. Dies zeugt nicht nur nicht von Tugend, sondern
von einer Gewalttätigkeit, die jeder Menschlichkeit ins
Gesicht schlägt." Turnus kämpft keineswegs ‚für den
eigenen Vorteil' (*pro suis commodis*), sondern zum
Schutze Italiens (VII 468 f.), ferner für sein *Recht* auf
Lavinia (VII 423), das er als Verteidiger der Herrschaft
des Latinus gegen etruskische Bedrohung (VII 425 ff.
VIII 493) ‚durch sein in der Schlacht vergossenes Blut'
erworben hat, und nicht zuletzt für seinen Ruhm, ‚*ut
virtus enitescere possit*', wie Sallust von Caesar sagt, und
dies ist nach römischer Auffassung kein Tadel, sondern
ein Lob[1]. Die ungeheure Selbstachtung, die dem Ruh-
messtreben des antiken Menschen zugrunde liegt[2], erfüllt allerdings auch ihn in höchstem Maße. Aber dies ist

---

[1] Zur Salluststelle jetzt Lämmli, Sallusts Stellung zu Cato,
Caesar, Cicero, Museum Helveticum 1946, 105.
[2] Nur von diesem Gefühl aus, das modernem Empfinden
ferne liegt, lassen sich Stellen verstehen wie I 378:

   Sum pius Aeneas ... fama super aethera notus;
   VIII 131: Sed mea me virtus et sancta oracula divom
   Coniunxere tibi;
   X 829 (Aeneas zu Lausus): Hoc tamen infelix miseram
   solabere mortem,
   Aeneae magni dextra cadis.
   XI 688 (Camilla zu Ornytus): Nomen tamen haud
   leve patrum Manibus hoc referes telo cecidisse Camillae.
   XII 435 (Aeneas zu Ascanius): Disce puer virtutem
   ex me.
Über die wichtige Rolle dieser Eigenschaft im Schicksal
der Dido wurde oben gehandelt. Auch Ciceros vielge-
schmähte ‚Eitelkeit' in seinen Reden hängt mit dieser
Grundauffassung des Altertums zusammen. R. Heinze
dagegen bezeichnet diese Eigenschaft des Turnus als
‚krankhaftes Ehrgefühl'.

gerade ein Zeichen seiner Größe. Die andern Gestalten Virgils sind kaum weniger hievon durchdrungen. Für Dido habe ich es gezeigt, und auch für Ascanius (VII 496), für Nisus und Euryalus (IX 197 ff. 205 ff.), für Pallas[1] und vor allem für Äneas selber gilt das gleiche. Mit dem ‚*pro suis commodis pugnare*' der Offizien hat das ‚*letum pro laude pacisci*' des Turnus (XII 49) nicht das geringste zu tun. Turnus ist einer der großen Helden in der italischen Geschichte und als solchen hat ihn schon Dante aufgefaßt, indem er ihn mit Nisus, Euryalus und Camilla in die Reihe derer stellte, die ‚für Italien starben':

> *Di quell'umile Italia fia salute,*
> *Per cui morì la vergine Cammilla,*
> *Eurialo e Turno e Niso di ferute* (Div. Comm. Inf.
> I 106).

In der herabziehenden Deutung der Turnusgestalt liegt etwas von der kleinen und engen Gesinnung der Wissenschaft des neunzehnten Jahrhunderts und auch der politischen Verblendung des zwanzigsten, die immer nach irgendwelchen Parteinahmen fahndet, ohne zu ahnen, wie unendlich erhaben die großen Genien der Menschheit solchen Überlegungen gegenüberstehen. Mehr als für jeden andern gilt für Virgil das Wort Dehmels: „Dichten heißt: die Welt liebend umfassen und zu Gott emporheben." Auch die Feinde des Äneas sind Menschen. Turnus ist dämonisch, aber nicht böse,

---

[1] Jupiter bei seinem Tode:
   Famam extendere factis hoc virtutis opus (X 468).
Besonders deutlich ist diese Ruhmesauffassung im Werke des Sallust ausgesprochen.

160

und selbst der Unhold Mezentius enthüllt in seinem Untergang sein liebendes Herz.

Das Zögern des Turnus vor dem Abgrund verdeutlicht und steigert seine Tragik. Denn das ‚retardierende Moment‘, das Stillstehen vor dem Furchtbaren, wo das Herz des Lesers noch einmal das Unabwendbare für abwendbar hält, ist nicht nur ein Mittel der äußeren Spannung, ein erregendes Moment im tragischen Ablauf, sondern ein konstitutives Element des Tragischen selber: durch den Kontrast reißt es den Abgrund erst in seiner ganzen Furchtbarkeit auf. Indem es die andere, die ‚untragische‘ Möglichkeit zeigt, läßt es das nahende Verhängnis umso grauenvoller erscheinen[1].

Von Anfang an also ist sein Schicksal vom Hauch des Tragischen umweht und tragische Zeichen und Warnungen begleiten es bis zum Ende[2]. Andererseits ist es als ein den Höllendämonen verfallenes charakterisiert, und dies hebt ihn von den anderen Gestalten des Gedichtes

---

[1] Daß Turnus einem tragischen Schicksal verfällt, wird noch durch ein anderes Moment angedeutet. Allekto spricht zu ihm die Worte:

Bella manu letumque gero.

Dies ist tragischer Doppelsinn: bringt sie doch dem Turnus selber den Tod. Dieses Unheimliche wird durch das wilde Aufschrecken des Träumenden noch unterstrichen (VII 458), das im Ausdruck stärker ist als das Aufschrecken aus dem Schlaf an anderen Stellen, z. B. des Äneas nach dem Penatentraum (III 175) oder nach der Erscheinung des Mercur (IV 280).

[2] Vgl. die warnenden Worte des Latinus zu Beginn des Krieges (VII 596):

Te Turne nefas te triste manebit
Supplicium votisque deos venerabere seris,

die Warnungen in der Versammlung (XI 305) und die Symbole tragischer Schicksalsentwicklung, die im Folgen-

und allen homerischen Vorbildern ab. Durch die magische Geste der Allekto wird er selber zu einer Inkarnation der Kriegsfurie. In ihm ist das Dämonische in der Geschichte Gestalt geworden. Gottlos und frevelhaft ist sein Kampf, weil er sich gegen den Auserwählten des Fatums richtet und die Völker, die zu ‚ewigem Frieden‘ bestimmt sind (‚*aeterna genies in pace futuras*‘) in den Krieg treibt. Dadurch wird Jupiter sein Feind (XII 895: *Juppiter hostis*). Es ist ein Bruderkrieg, ein Symbol der furchtbaren Bürgerkriege der ausgehenden Republik, denen Augustus ein Ende setzte, und insofern besteht ein inniger Zusammenhang zwischen der Turnusgestalt und dem ‚*Furor impius*‘ der Jupiterrede und seiner Bändigung durch den Kaiser. Der Sieg des Äneas über ihn ist daher der gewaltigste Ausdruck der Grundidee des Gedichtes, wie sie am Schluß der Jupiterrede sichtbar wird.

Doch auch dieses Moment mindert seine Tragik nicht, sondern dient ebenfalls dazu, sie zu vertiefen. Gerade aus dem Gegensatz zwischen seiner edlen Natur und seiner dämonischen Leidenschaft, die ihn blind und maßlos macht[1], dem Kontrast zwischen seinem Helden-

---

den behandelt werden. In ganz ähnlicher Weise ist der Leidensweg der Dido von unheilvollen Zeichen begleitet. Auch diese Verwandtschaft mit dem Didobuch ist ein Beweis dafür, daß das Turnusschicksal als ein tragisches aufzufassen ist.

[1] Seine Maßlosigkeit z. B. VII 470:

Se satis ambobus Teucrisque venire Latinisque.
IX 148: Non armis mihi Volcani, non mille carinis Est opus in Teucros.

Beim Raub des Wehrgehenkes des Pallas verkündet der Dichter (X 501):

tum und dem höllischen Trug, der seine Kraft auf ein frevelhaftes Ziel lenkt, wächst die bewegende Gewalt echter Tragik hervor.

Wie kommt nun in der Erzählung der letzten Bücher der dämonisch-tragische Charakter seines Wesens und Schicksals zum Ausdruck? Im Katalog der italischen Völker, in dem Turnus vor Camilla an vorletzter Stelle erscheint, wird seine Rüstung beschrieben:

> Sein hoher Helm, mit dreifachem Busche behaart, trägt die Chimaere, die aus dem Rachen aetnaeische Flammen bläst, umso heftiger donnernd und wilder mit unheilvollen Flammen wütend, je mehr Blut vergossen wird, je grausamer sich die Kämpfe gestalten.

> VII 785: *Cui triplici crinita iuba galea altaChimaeram*
> *Sustinet Aetnaeos efflantem faucibus ignis,*
> *Tam magis illa fremens et tristibus effera flammis*
> *Quam magis effuso crudescunt sanguine pugnae.*

Wie seinem dämonischen Wesen im Homer nichts Vergleichbares gegenübersteht, so hat auch der Helm mit der flammenspeienden Chimaere kein homerisches Vorbild[1]. Trotzdem wird man sagen können, daß die Erfindung im Geiste der Ilias gehalten ist, wo sich die

---

Nescia mens hominum fati sortisque futurae
Et servare modum rebus sublata secundis.

Das zwiespältige Wesen des Turnus ist in den Versen XII 667 ausgedrückt:

Uno in corde pudor mixtoque insania luctu
Et furiis agitatus amor et conscia virtus.

,Mores sinistros' wirft ihm Drances vor (XI 347), ,Tumidus Marte secundo' (X 21) nennt ihn Venus.

[1] Der Tadel, den Heyne an die Stelle knüpft: ,Ornatus sane verbis, sed ut rei miraculo fidem parum faciat', verkennt den Zusammenhang mit dem dämonischen Wesen des Turnus, auf dem der Unterschied zu den Homerstellen beruht.

kämpfenden Helden zu Schlachtdämonen erhöhen oder in die Elementargewalt des Feuers zu verwandeln scheinen: „Hektor rast wie der lanzenschwingende Ares oder wie das verderbliche Feuer auf den Bergen rast im tiefen Dickicht des Waldes. Schaum stand um seinen Mund, die Augen leuchteten unter den finsteren Brauen, der Helm schwankt furchtbar um die Schläfen des Kämpfenden (15, 605)." „Keiner hätte ihn aufhalten können außer den Göttern, als er in die Tore hineinsprang, von Feuer brannten seine Augen (12, 465)." „Dort, wo der rasende Hektor der Flamme gleich voranstürmt (13, 53)." „Hektor wendet hierhin und dorthin die schönmähnigen Pferde im Kreis, mit Augen der Gorgo und des männermordenden Ares (8, 348)." „Wie gewaltiges Feuer die tiefen Schluchten des trockenen Berges durchwütet, es brennt in der Tiefe der Wald, und überallhin wirbelt durch sein Drängen der Wind die Flamme, so rast er allenthalben mit dem Schwerte, einem Dämon gleich, den Getöteten nachstoßend, von Blut floß die schwarze Erde (20, 490)."

Doch bleibt Homer an all diesen Stellen in den Grenzen des Natürlichen, wenn auch die Taten seiner Helden das Wunderbare streifen. Virgil geht darüber hinaus[1].

---

[1] Eine Ausnahme bildet die Erscheinung des Achill, dem Athene das Haupt mit einer goldenen Wolke umkränzt, die einen Flammenschein zum Himmel wirft (18, 205). — Auch sonst erhebt sich Virgils Darstellung gelegentlich über das Wahrscheinliche zum Phantastisch-Wunderbaren, so wenn er die märchenhafte Schnelligkeit der Camilla schildert (VII 808 ff.), wenn er die Wirkung der Lanze des Äneas beschreibt, die an Gewalt die Balliste, ja den Blitz übertrifft (XII 921 ff.) oder den von Turnus geschleuderten Felsblock, den zwölf Männer nicht zu heben vermögen.

Die Chimaere auf dem Helm des Turnus ist nicht nur
ein sinnbildhafter Ausdruck der Kampfeskraft und -wut
des Helden (so z. B. R. Heinze). Sie ist wirklich ein
Höllendämon[1], der im Kampf Leben gewinnt und wie der
Aetna dröhnt und Feuer speit.

Auch im neunten Buch, das bis auf das Kernstück der
Euryalusepisode dem Heldentum des Turnus gehört,
kommen Dämonie und Tragik seines Wesens zu großer
Erscheinung. Das Buch beginnt mit einer Geste der
,pietas', in der sich sein den Ahnen treu zugewandter
Sinn enthüllt:

> *Luco tum forte parentis*
> *Pilumni Turnus sacrata valle sedebat.*

Es ist schön, daß Turnus am Anfang des Buches seiner
Heldenschaft mit seinem Ahn Pilumnus verknüpft gezeigt wird. Er erneuert gleichsam dessen Ruhm:

> *Magnorum haud umquam indignus avorum* (XII 649)

Alles Folgende wird durch diesen Anfang gehoben. Mit
Kulthandlungen schließt die Szene, nachdem Iris den
Helden zum Kampfe rief (22 ff.):

> *Sic effatus ad undam*
> *Processit summoque hausit de gurgite lymphas*
> *Multa deos orans oneravitque aethera votis*[2].

---

[1] Die Chimaere hat unter den mythischen Ungeheuern
der virgilischen Hölle ihren Platz (VI 288).
[2] Mit dem Sinn für Symmetrie und Ponderation, der den
Dichter auszeichnet, mündet das Buch, wie es begann, in
der Rückkehr des Turnus zu der reinigenden Gewalt des
freundlichen Flusses, der ihn vom Mordblut befreit (IX
816 ff.). Einige Beispiele für Rahmung von Sinnesab-
schnitten durch verwandte Motive bei Franz Bömer,
Rhein. Mus. 92, 1944, 333 f.

Wie Dido beginnt auch er den Weg, der ins Verderben führt, mit religiösen Riten und Gebeten. Ich hebe dies hervor, weil es mit der Auffassung des Turnus als eines ,Staatsfeindes' und Kämpfers ,*pro suis commodis*' nicht im Einklang steht.

Vor diesem ruhevollen Hintergrund erheben sich dann die wildbewegten Kampfszenen. Im Kontrast zu dem fromm sich versenkenden Helden triumphiert in ihnen der von wilder Leidenschaft erfüllte Streiter. Den Beginn der Schlacht nicht erwartend[1], sprengt er an der Spitze einer Reiterschar den Truppen voran, und als sich die Trojaner hinter die Mauern des Lagers zurückziehen, glüht er von Blutdurst:

> Wie ein Wolf einem vollen Schafpferch auflauernd vor den Hürden knurrt, Winde leidend und Regen um Mitternacht, unter den Müttern geborgen blöken die Lämmer, grimmig vor Zorn tobt der Unhold gegen die Abgetrennten, die seit langem gespeicherte Freßwut peinigt ihn und der bluttrockene Schlund. So brennt in dem Rutuler der Zorn wie Feuer, der Schmerz glüht in den harten Gebeinen.
>
> IX 59: *Ac veluti pleno lupus insidiatus ovili*
> *Cum fremit ad caulas, ventos perpessus et imbris*
> *Nocte super media, tuti sub matribus agni*
> *Balatum exercent: ille asper et improbus ira*
> *Saevit in absentis, collecta fatigat edendi*
> *Ex longo rabies et siccae sanguine fauces:*
> *Haud aliter Rutulo muros et castra tuenti*
> *Ignescunt irae: duris dolor ossibus ardet.*

Hier wird nicht nur eine Kampfessituation geschildert wie in dem entsprechenden Gleichnis der Ilias (11, 548ff.),

---

[1] Dieses nicht Wartenkönnen unterscheidet ihn von dem stets zögernden Äneas.

sondern das Wesen des Turnus ballt sich sich zu einem
Bild zusammen.

Das Gleichnis bildet den Auftakt zu den blutrünstigen
und sinnlosen Kämpfen der folgenden Szenen.

Die Kampfeswut des Turnus wird wiederholt im Bilde
wilder Tiere illustriert, während Äneas nur ein einziges
Mal mit einem Raubtier verglichen wird. Die Ausnahme
ist charakteristisch (II 355):

> Von hier schreiten wir wie reißende Wölfe, die des
> Bauches böse Gier hinaustrieb und die die zurück-
> gelassenen Jungen mit trockenen Kehlen erwarten,
> durch Speere und Feinde in den sicheren Tod.
>
> *Inde lupi ceu*
> *Raptores atra in nebula, quos inproba ventris*
> *Exegit caecos rabies catulique relicti*
> *Faucibus exspectant siccis, per tela per hostis*
> *Vadimus haud dubiam in mortem.*

Es wird weniger der Blutdurst der Raubtiere gemalt als
ihre Todesbereitschaft, die verzweifelte Wut des Hun-
gers und der Instinkt der Sorge für die zurück-
gelassene Brut. Die ‚Verzweiflung aus Liebe‘ gibt genau
die Stimmung des Äneas und seiner Gefährten in der
Nacht des Untergangs ihrer Stadt wieder.

Eine Zusammenstellung der Gleichnisse mag den Unterschied veranschaulichen:

Turnus: Wolf IX 59, Adler oder Wolf IX 563, Tiger
IX 730, Löwe IX 792, Löwe X 454, Hengst XI 492,
Löwe XII 4, Stier XII 103, Mars XII 331, Boreas XII
365, Steinlawine XII 684, Menschen im Angsttraum
XII 908.

Äneas: Elfenbein, Silber und Marmor von Gold umgeben I 592, Wölfe (Äneas und seine Gefährten) II 355,

Apollo IV 143, Eiche IV 441, der Gigant Aegaeon X 565, Gießbach oder Wirbelwind X 603, Wanderer im Hagelsturm X 803, Wasserhose XII 451, Athos, Eryx und Appennin XII 701, Jäger XII 749.

Äneas und Turnus: zwei Feuerbrände oder überströmende Gebirgsflüsse XII 521, zwei Stiere XII 715.

Hieraus geht hervor, wie sehr dem Dichter daran gelegen ist, den Turnus als die Verkörperung dämonischer Zerstörungskraft zu schildern[1], von Äneas aber einen solchen Eindruck fernzuhalten. Durch den Kontrast wird das Kämpfertum des Äneas in einen noch helleren Glanz gehoben. Die leidenschafterfüllten Gegengestalten Dido und Turnus lassen seine gebändigte Beherrschtheit, die Kraft und Erhabenheit seines Geistes noch stärker hervortreten. Von den von dunklen Dämonen Getriebenen hebt sich die lichte Gotterfülltheit seiner Heldenschaft strahlend ab. Er ist gleichsam ein Wesen höherer Art.

Ferner ergibt sich hieraus mit zwingender Klarheit, daß die Gleichnisse Virgils mit dem Wesen der Person, zu der sie gehören, viel enger verknüpft sind als bei Homer[2]. Homer sucht einen einzelnen Zug eines Vor-

---

[1] Schon Gislason, Die Naturschilderungen und Naturgleichnisse in Virgils Äneis, Diss. Münster 1937, S. 89, hebt die Häufung der Raubtiergleichnisse als für die Charakterzeichnung des Turnus bemerkenswert" hervor.

[2] Auch sonst sind Raubtiergleichnisse bei den Trojanern und ihren Verbündeten selten. Pallas: Morgenstern VIII 589. Viole oder Hyazinthe XI 67. Pandarus und Bitias: Eichen IX 679. Ascanius: Edelstein und Elfenbein X 134. Nur Tarchon, der einen Reiter entführt, wird mit einem Adler verglichen, der eine Schlange davonträgt, Arruns, der Camilla hinterhältig erlegt, einem Wolf, der sich feige in die Berge verzieht, und Nisus im Rausche des Mordens,

gangs zu erhellen, einen sinnlichen Eindruck festzuhalten, und alles andere tritt bei ihm zurück. Man kann
es verstehen, daß man früher zu der irrigen Meinung
gelangen konnte, daß ihm nur das ‚Tertium comparationis‘ wichtig sei. Virgil hingegen sieht im Gleichnis ein
seelenhaftes Ganzes. Seine Gleichnisse sind Licht- und
Brennpunkte des Geschehens, in denen sich dieses gesteigert zusammenfaßt, schöne und kühne Bilder, in
denen Wesen und Schicksal der epischen Gestalten
Form gewinnen[1]. Daher vermag der Dichter Äneas
nicht mit einem Raubtier gleichzusetzen und jede rauhe
Diskrepanz in der Art der bekannten homerischen
Gleichnisse hat er sorgfältig vermieden, wo Aias mit
einem Esel, Menelaos mit einer Fliege, Odysseus mit
einem Blutmagen, sein Chiton mit einer Zwiebelschale,
der Kampf um die Leiche des Patroklos mit einer hin-
und hergezogenen Stierhaut und sein Leichenzug mit
Maultieren verglichen wird, die einen Baumstamm
schleppen. Die gefühlhafte Beziehung der verglichenen
Objekte ist ihm so wichtig, daß nur solche Dinge und
Gestalten miteinander in den Zusammenhang des Ver-
gleiches treten können, die eine derartige Beziehung
gestatten.

Die blutigen Kampfesschilderungen des letzten Äneisdrittels werfen die Frage auf, wie denn Virgil diese Auf-

---

das später (durch den damals erbeuteten Helm des
Messapus) den Tod des Heldenpaares verursacht, einem
Löwen.
[1] Ansätze zu einer Beseelung der Erzählung durch Gleichnisse finden sich auch schon bei Homer, wie namentlich
Riezler, Die Antike 12, 1936, dargetan hat. Doch überwiegt bei ihm die plastische Realität.

gabe bewältigen konnte, die seinem Kunstempfinden und seinem ganzen Wesen eher fremd zu sein scheint. Die homerische Art des Kämpfens und Tötens ist ja in ihrer gefühlsindifferenten Realistik und harten Drastik so recht eigentlich die Sphäre, wo der Dichter der Ilias von dem Begriffe einer ‚klassischen‘, auf harmonische Schönheit gerichteten Kunst am weitesten absteht[1]. Die Klassizisten der Goethezeit haben dies wohl empfunden und die Abweichung von ihrem idealistischen Griechenbild notiert. Schiller bemerkt hierzu in einem Brief an Goethe vom 7. Juli 1797: „Wie hat man sich von jeher gequält und quält sich noch, die derbe, oft niedrige und häßliche Natur im Homer und in den Tragikern bei den Begriffen durchzubringen, die man sich von dem griechischen Schönen gebildet hat. Möchte es doch einmal einer wagen, den Begriff und selbst das Wort Schönheit, an welches einmal alle jene falschen Begriffe unzertrennlich geknüpft sind, aus dem Umlauf zu bringen und wie billig die Wahrheit an seine Stelle zu setzen.“ Trotzdem hat Virgil die Realistik der homerischen Kampfschilderungen aus seinem Werke nicht verbannt, wohl aber gedämpft und weit stärker als Homer durch Kunst verklärt. Im Bestand des Gedichtes war sie innerlich notwendig als ‚materia gloriae‘ für Äneas und als Sinnbild der blutigen Geschichte Roms. Das Grauen des Krieges mußte dargestellt, die Gewalt der

---

[1] Es ist bezeichnend, daß Goethe aus der ‚Achilleis‘ diese Sphäre, die ihm wesensfremd war, verbannte. Kämpfe sollten überhaupt fehlen. Über die ‚Achilleis‘ jetzt Otto Regenbogen, Griechische Gegenwart, Zwei Vorträge, Leipzig, 1942 und Karl Reinhardt, Von Werken und Formen, Godesberg 1948, 311 ff.

Leiden und Leidenschaften auch in diesem Daseins-
bereich entfesselt werden, damit die Kraft an der Gegen-
kraft wachse und die Römergröße umso heller erstrahle.
Es ist aber nicht so, daß im Wesen des Dichters nichts
vorhanden gewesen wäre, was dem entgegenkam. Über
der Seelenzartheit Virgils darf man sein Römertum
nicht vergessen. Wie in Äneas sich hartes Heldentum
und Menschlichkeit, Unbeugsamkeit und Milde die
Waage halten, wie Dido zwischen herbem Stolz und
glühender Hingabe wechselt, so sind im ganzen Gedichte die harten und die weichen Züge im Gleichmaß
gemischt. Der Dichter ist von jeder Verzärtelung ebenso
weit entfernt wie von der barocken Grausamkeit des
Lucan und des Seneca. Er ist römischer und härter als
die modernen Betrachter glauben, die mit den letzten
Äneisbüchern wenig anzufangen wissen.
Aber auch künstlerisch empfinden wir die leidenschaftlich bewegten Schilderungen als notwendig.
Homer hatte das Grauen des Krieges mit der gleichen
Gerechtigkeit in seinen Blick genommen, mit der er
alle Erscheinungen des Daseins umfaßte. Auch dieses
Grauen wird als natürlich und groß und von Schönheit umflossen gesehen. Etwas hievon ist auch in die
Darstellung Virgils übergegangen, wie es denn zum
Wesen seiner Dichtung nicht weniger als der homerischen gehört, auch das Furchtbare zu adeln und ein-
zubeziehen in die Feier menschlicher Existenz und
geschichtlicher Größe, als die sein Heldengesang gelten
muß. Das Symbol des Tempels im dritten Prooemium
der Georgica, der auf das vom Dichter geplante Römerepos hinweist, ist ja in dem tiefen Sinne zu ver-

stehen, daß sein Lied ein heiliges Werk zum Preise der Gottheit ist.

Neben dem dunkeln Aspekt des Krieges, dem blutigen Morden, steht wie bei Homer der lichte des heroischen Blühens der Kraft und der erhabenen Bewegung der Schlacht, ja beide Aspekte gehen ständig ineinander über, völlig getrennt sind sie nirgends. Die blutigen Taten des Krieges dienen wie bei Homer dazu, die Kraft und den Glanz der Helden in Bildern prächtiger Bewegung zu entfalten[1], aber die ,Schönheit' im Sinne des bei aller Wildheit Maßvollen, Ausgeglichenen und Harmonischen ist gegenüber Homer bedeutend gesteigert. Dafür fehlt seinen Szenen die mächtige Lebendigkeit und urtümliche Gewalt des griechischen Epos. Die elementare Grausamkeit und beängstigende Wirklichkeitsnähe der Ilias ist einer entrückteren Idealität gewichen. Homer ist bei aller runden Fülle und allem Zauber, der auch ihm eignet, aller zarten und glühenden Menschlichkeit härter und roher, sein Auge hält dem Wirklichen aus größerer Nähe stand. Der heiße Atem des Lebens ist in ihm stärker als die strenge und gereinigte Schönheit der Kunst.

Der grausame Aspekt des Krieges tritt in den Turnusszenen besonders stark hervor, während der lichtvolle sich im Heldentum des Äneas, aber auch z. B. der

---

[1] In der Aristie des Pallas ist der blutigste Augenblick zugleich der Höhepunkt des Glanzes: als der Held dem Larides den Arm und seinem Zwillingsbruder das Haupt abschlägt, flammt die Bewunderung der Arkader (,praeclara facta tuentis') zu begeistertem Kampfe auf. Ebenso gipfelt das Heldentum des Nisus und Euryalus in einem wilden Morden.

172

Camilla deutlicher enthüllt. Der „barbarischen' Kampfesweise des Turnus tritt die ‚römische' des Äneas entgegen, und auch die Aristie der Camilla im elften Buche
ist weniger grausam. Die schnelle, fast freudige Bewegung der von ihrer Gestalt beherrschten Reiterschlacht,
die über das Furchtbare des Todes gleichsam hinwegeilt,
ist ganz Glanz und Schönheit. Die blutigen Detail-
schilderungen Homers treten völlig zurück[1]. Hier hat
Virgil die höchste und eigenste Leistung einer Schlacht-
schilderung vollbracht.

Doch ist auch die Kampfesweise des Turnus dem verschiedenen Charakter der Bücher angeglichen. Im Aufbau des letzten Äneisdrittels läßt sich eine wohlberech-
nete Steigerung beobachten: von den blutigen Gefechten
des neunten Buches, denen sich auch das Gemetzel einfügt, das Nisus und Euryalus unter den schlafenden
Feinden veranstalten, steigert sich das Geschehen zu
den seelisch reicher umkleideten, ‚tragischen' Einzel-
kämpfen des zehnten Buches und gelangt in XI zu dem
Gipfel der Schlachtschilderungen, in XII zum Gipfel der
Einzelkämpfe. Dementsprechend sind auch die Gleich-

---

[1] Von den Verletzungen, die Heinze S. 206 verzeichnet,
stammt nur XI 698 (‚das warme Hirn bespritzt das Gesicht') aus diesem Buch. Auch in II fehlen solche Szenen.
Der dramatische Atem der Iliupersis und der Umstand,
daß sich alles um Äneas gruppiert (vielleicht auch die Rücksicht auf Dido) veranlaßten den Dichter, die Bilder des
Grauens zugunsten einer tragischen Gesamtbewegung zu-
rückzuschieben. Der einzige Tod, der genauer geschildert
wird, ist der des Priamus, der auch als Überleitung zum
Schicksal des Anchises wichtig ist. Über die Scheu des
Dichters, das Gräßliche auszusprechen, vgl. auch Heinze
S. 208, Anm. 1. Immerhin hat er es nicht ganz gemieden
wie beim Ende des Laokoon, das Goethe ‚ekelhaft' fand.

nisse, die den Turnus charakterisieren, abgestuft. Sie
sind in die jeweilige Atmosphäre eingefügt und vom
Geist des Ganzen getragen. Im neunten Buch ist er der
blutige Kampfdämon, der ‚Wolf‘ vor dem Schafpferch
und dann der ‚lupus Martius‘, im zehnten, das von
seinem Sieg über Pallas erzählt, der Löwe, der den
Kampf mit dem Stier sucht (X 454). Im elften, dem
hellsten der Kampfesbücher, gibt das Bild des kraft-
strotzenden Hengstes (XI 492) den Eindruck seines
Heldenmutes wieder. Dieses Gleichnis ist dem lichten
Charakter der Camillaepisode angepaßt, der es voran-
geht, es bereitet bild- und stimmungsmäßig die an-
schließende Reiterschlacht vor: in ihm beginnt bereits
die Bewegung, die sich dann in der Schlacht fortsetzt.
Im zwölften Buch schließlich ist Turnus der todwunde
Löwe, als der er gleich zu Anfang erscheint.

In IX kommt seine wilde Dämonie und übermenschliche
Kraft am stärksten zur Geltung, weil sie sich hier in
Abwesenheit des Äneas am ungehemmtesten entfalten
kann. In drei sich steigernden Szenen entwickelt sich
seine Angriffslust: in dem Versuch, die Schiffe der
Trojaner in Brand zu setzen, in der Bestürmung des
Lagers und in der eigentlichen Aristie, die zu seinem
Einbruch in die Mauern führt.

In mächtigem Crescendo entfacht sich in der Brandszene
(IX 66 ff.) mit der dem Dichter eigentümlichen Angleichung der Bilder aus dem inneren Feuer des Helden
(*ignescunt irae*) der äußere Brand. Von dem brennenden
Fichtenscheit, das er in die Hand nimmt, steigert sich
die Kraft der Flammen über die Fackeln der Mann-
schaft bis zum Wirken des Feuergottes selbst, zum Aus-

174

bruch des Feuers als einer kosmischen Gewalt, die ‚bis zu den Sternen' dringt.

Wie Feuer brennt der Zorn, der Schmerz glüht in den harten Gebeinen. Er dringt zur Flotte und fordert von den siegjauchzenden Gefährten Brände. Und siedend füllt er die Hände mit brennendem Fichtenholz. Da stürzen auch sie sich vollends darauf, es drängt sie die Gegenwart des Turnus und die ganze Jugend rüstet sich mit schwarzen Fackeln. Sie plündern die Herde. Der rauchende Kienspan trägt das Pechlicht und Vulkan die vermischte Asche zu den Sternen.

IX 66: *Ignescunt irae, duris dolor ossibus ardet* . . .
Classem . . .
Invadit sociosque incendia poscit ovantis
Atque manum pinu flagranti fervidus implet.
Tum vero incumbunt, urget praesentia Turni,
Atque omnis facibus pubes accingitur atris.
Diripuere focos, piceum fert fumida lumen
Taeda et commixtam Volcanus ad astra favillam.

Die Intensität, mit der das wachsende Toben des Feuers geschildert wird, fehlt den homerischen Szenen, wo Hektor den Brand in die Achäerschiffe schleudert (15, 596. 716. 16, 122). Dort wird das Feuer nur kurz erwähnt, ohne Ausnutzung der poetisch dramatischen Wirkung, und ohne daß man einen Bezug auf den Charakter des Hektor annehmen müßte. Bei Virgil hingegen wird das Wüten des zerstörenden Elementes als Ausstrahlung von Turnus' Wesen empfunden. Das Motiv ist nicht nur gesteigert, es hat einen neuen Ausdruckswert bekommen. Wieder ist aus dem Bild ein Sinnbild geworden.

Mit dem ennianischen Trompetenton setzt dann der letzte Teil des Buches ein:

At tuba terribilem sonitum procul aere canoro
Increpuit, sequitur clamor caelumque remugit (IX 503)

Durch die Anrufung der Calliope (IX 525) wird das Folgende als der Höhepunkt angekündigt. Es beginnt die Aristie des Turnus. Sie wird durch den Einsturz des Festungsturmes eingeleitet, in den er als erster die Brandfackel schleudert, und in der Szene fortgesetzt, wo der Held wie der Adler einen Hasen oder Schwan, oder wie der ‚Wolf des Mars' ein Lamm den Lycus samt einem Mauerstück herunterreißt[1]. Dann aber entwickelt sich ein allgemeiner Kampf, und die Aristie wird durch die Ascaniusepisode unterbrochen, die offenbar erst eingeschoben wurde, als das Kalliopeprooemium bereits verfaßt und der Plan entworfen war, zu dem es gehört. Denn es kündigt etwas an, was zunächst nicht kommt. Die Unausgeglichenheit ist vielleicht der mangelnden Vollendung des Werkes zuzuschreiben. Zwar sind die ‚ungeraden' Bücher durchweg weniger einheitlich als die ‚geraden', die ‚Äneasbücher'. Sie sind der epischen Erzählung Homers näher. Die ‚geraden' weisen eine Geschlossenheit auf, die sie der dramatischen Form nähert, während die ‚ungeraden' stärker an die Erzählweise des homerischen Epos erinnern, und darum konnte hier vielleicht eine Abschweifung geduldet werden, die dort

---

[1] Nach Ilias 22, 308. Das Gleichnis ist bei Virgil der Situation besser angepaßt. Turnus stößt wirklich wie der Adler auf sein Opfer, während Hektor den Achill nicht erreicht, sondern selber erliegt. Charakteristisch ist, daß Virgil den ‚lupus Martius' aus eigenem dazutut. Dem ersten Wolfsgleichnis (IX 59) wird ein zweites hinzugefügt, um den Eindruck des Blutrünstigen zu verstärken. Wieder sind die Bilder einander angenähert, um das Buch möglichst auf einen Ton zu stimmen.

nicht erlaubt gewesen wäre. Doch ist wohl nicht zu verkennen, daß die Wirkung der Erzählung durch solche Unterbrechungen verliert, zumal wo die Entwicklung einen längeren Atem verlangt[1].

Der Grund des Einschubs aber ist in der Rede des Numanus zu suchen (IX 598 ff.). Sie ist aus der Situation kaum gerechtfertigt, hat ihren Ursprung jedoch in dem Bestreben Virgils, die Italiker zu verherrlichen. Die Rede klingt an die ,*Laudes Italiae*' der Georgica an und sollte wie der Katalog am Ende des siebenten Buches die gesunde Kraft der italischen Völkerschaften rühmen. Im Lichte der Numanusrede erscheint die folgende Aristie des Turnus geradezu als eine Glorifizierung altitalischer ,*virtus*', und Turnus selber als die Verkörperung der ,*populi feroces*' des alten Italiens. Die positive Stellung Virgils zu den Italikern, die aus der Schilderung klar hervorgeht, wird explicite am prägnantesten in der Bitte der Juno ausgesprochen, die Juppiter erfüllt (XII 827): ,,Mächtig werde der Römerstamm durch die italische Kraft." Wie wenig sich auch dies mit dem Bild eines Dichters verträgt, der gegen den Führer der Italiker Partei ergreift, dürfte einleuchten. Wer die Meinung vertritt, daß Virgil ihn in ungünstigem Licht

---

[1] Auch die Unterbrechung hinter IX 76 empfinde ich als störend; mitten in einer dramatischen Entwicklung wird die Vorgeschichte der Verwandlung der Schiffe breit erzählt. Erträglicher ist die Unterbrechung des Zweikampfes des Äneas und Turnus durch die Szene zwischen Jupiter und Juno, da sie in genauerem Zusammenhang mit der Handlung steht. Natürlich wollte der Dichter durch diese Unterbrechungen die Spannung erhöhen, ein Mittel, das seitdem von zahllosen epischen Erzählern angewendet worden ist.

darstellte, vergißt völlig die symbolische Bedeutung des zweiten Äneisteiles, in dem sich das Urteil des Dichters über einige Jahrhunderte römischer Geschichte verbirgt. Die Auffassung dieses Kampfes als eines tragischen[1] und die Absicht, den Anteil Italiens an der Größe Roms ins gebührende Licht zu stellen, ein Bestreben, das der Herkunft des Dichters ebenso entspricht wie der italischen Politik des Augustus, schließt eine abschätzige Beurteilung des Turnus aus. Das Herz des Dichters schlägt für beide Parteien.

Nach der Episode setzt die eigentliche Aristie mit der Tötung des Antiphates ein. Es ist ein blutig grausamer Tod, wie er zum Kämpfertum des Turnus gehört:

> Die Lanze aus italischem Kornellenholz fliegt durch die dünne Luft, dringt in den Schlund und weicht tief in die Brust, die Höhle der schwarzen Wunde spendet schäumendes Blut, und das Eisen wird warm an der durchbohrten Lunge.

> IX 698: *Volat Itala cornus*
> *Aera per tenerum stomachoque infixa sub altum*
> *Pectus abit, reddit specus atri volneris undam*
> *Spumantem et fixo ferrum in pulmone tepescit.*

Das ‚italische Kornellenholz‘ soll gleich zu Beginn des Kampfes hervorheben, daß ein Italiker kämpft. Es dient der bezeichneten Tendenz. Hierauf folgt die Erlegung des troischen Riesen Bitias durch die ‚Phalarica‘ und noch blutrünstig schauriger die seines Bruders Pandarus.

---

[1] Vgl. X 758: Di Iovis in tectis iram miserantur inanem
      Amborum et tantos mortalibus esse labores,
und XII 503: Tanton placuit concurrere motu,
      Iuppiter, aeterna gentis in pace futuras?

Hierauf dringt Turnus als Einziger in die Mauern ein und beginnt ein blindwütiges Morden.

> Plötzlich glänzte ein nie gesehenes Licht in seinen Augen und die Waffen klirrten grauenerregend: es zittert am Scheitel der blutrote Helmbusch und mit dem Schild sendet er zuckende Blitze.

> IX 731: *Continuo nova lux oculis effulsit et arma*
> *Horrendum sonuere, tremunt in vertice cristae*
> *Sanguineae clipeoque micantia fulmina mittit.*

Die Verse sind aus homerischen Elementen zusammengesetzt, doch wird weder Äneas noch sonst einer von den trojanischen Helden in ähnlicher Weise charakterisiert.

Aus Mordlust versäumt er, die Gefährten in das Tor einzulassen und so den Krieg zu beenden (IX 757 ff.). Die ungeheure Kampfkraft des allein innerhalb der Mauern Eingeschlossenen kommt hiedurch nicht weniger zum Ausdruck als die tragische Verblendung.

Noch deutlicher tritt diese in X hervor. Die Steigerung seiner ‚Tragik' folgt der Gesamttendenz des Buches. Das Auftreten des Äneas in den ‚geraden' Büchern geht ja immer mit einer Verinnerlichung und Tragisierung des Geschehens parallel[1]. Im neunten Buche wird viel gekämpft und gemordet, aber tragisch ist eigentlich nur die Mitte, das Schicksal des Freundespaares Nisus und Euryalus. X beginnt gleich mit der *tragischen* Entscheidung der Götterversammlung, daß der von Jupiter

---

[1] Es sind die ‚pathetischen' Bücher im Gegensatz zu den ungeraden ‚weniger pathetischen'. Nach R. S. Conway, The Architecture of the Epos, in: Harvard lectures on the Vergilian Age, Cambridge, 1928, zitiert bei Stadler, Vergils Äneis, Einsiedeln, 1942.

179

gewollte Krieg ausgetragen werden muß. Pallas und in weit stärkerem Maße noch Lausus und Mezentius sind tragische Figuren: sie fallen nicht nur durch das Verhängnis des Krieges, sondern attrahieren ihr Schicksal durch die Größe ihrer Seelen, was ein Hauptmerkmal des Tragischen ist. Pallas stellt sich dem Turnus, bereit, ‚ruhmvollen Tod' (X 450) zu leiden. Lausus opfert sein Leben für den Vater, Mezentius aber sucht den Tod, weil ihm ein Dasein ohne den Sohn nichts mehr bedeutet. Das Mitleiden des Äneas schließlich gelangt im Tod des Pallas und des Lausus zu erschütternden Höhepunkten: beim Tod des jugendlichen Freundes drückt es sich in der Erbitterung aus, mit der er seine Gegner in Scharen erlegt und die vier Ufentiner zur Opferung bestimmt, beim Tode des Lausus in den Worten an den toten Feind und in der Gebärde, mit der er die Leiche des jungen Helden mit eigenen Händen aufhebt, eine jener Gesten virgilischer Menschlichkeit, die sich in die Erinnerung graben:

> *Terra sublevat ipsum*
> *Sanguine turpantem complo de more capillos*[1].

Und so erlangt auch die Tragik des Turnus in diesem Buch größere Tiefe. War schon im siebenten Buch sein innerer Sturz im Symbol des Allektotraumes sichtbar geworden und im neunten seine tragische Blindheit, so wird hier beim Tod des Pallas (X 501 ff.) nach Homers Worten über Patroklos (16, 46) und im Gespräch zwi-

---

[1] Das äußere Vorbild ist die Iliasszene, wo Menelaos die Leiche des Patroklos aufhebt (17, 587 ff.). Über die Menelaos-Patroklosgruppe: B. Schweizer, Die Antike 14, 1938, 43 ff.

schen Jupiter und Juno (X 606 ff.) unverhüllt auf sein
Ende hingedeutet.

Er raubt dem toten Pallas das Wehrgehenk, und das
wird sein Untergang sein. Aber es vertieft seine Tragik,
daß er gerade hier Milde zeigt: Hektor war weniger
maßvoll, er raubte dem Patroklos die ganze Rüstung
und lieferte den Leichnam nicht aus. Turnus dagegen
erklärt:

> Wie er ihn verdient hat, sende ich den Pallas zurück.
> Alle Ehre des Grabes, allen Trost der Bestattung
> gewähre ich ihm.

> X 492: *Qualem meruit, Pallanta remitto.*
> *Quisquis honos tumuli, quidquid solamen humandi est,*
> *Largior.*

Und dann vor allem: hier zum ersten Male erscheint er
in einer Situation, die er selber als tragisch empfindet.
Als er dem Trugbild des Äneas auf das Schiff folgt
(X 636 ff.)[1] und der wirkliche Äneas den Abwesenden
zum Kampfe fordert, treibt ihn ein Wirbelsturm mitten
über das Wasser, ein suggestives Symbol des den blinden
Kräften rettungslos Preisgegebenen. Und als ihn dann
die Flut gegen Ardea entführt und er die Täuschung
erkennt, wird er von Verzweiflung zerrissen. Ihn zer-
martert das Gefühl, durch seine Flucht ehrlos geworden
zu sein und seine Gefolgschaft dem Feinde preisgegeben
zu haben.

> Was soll nun die Schar der Männer tun, die mir und
> meinen Waffen folgten, sie habe ich alle, o Unheil,
> unseligem Sterben preigegeben und nun seh ich sie
> wanken und höre das Gestöhn der Sterbenden.

---

[1] Das Vorbild ist nicht die Rettung des Äneas (Ilias 5, 445),
sondern die des Agenor vor Achill (21, 595 ff.).

X 672: *Quid manus illa virum, qui me meaque*
                              arma secuti?
Quosne, nefas, omnis infanda in morte reliqui,
Et nunc palantis video gemitumque cadentum
Accipio?

Hier wird er sich zum ersten Male einer Schuld bewußt.
Und so tief und mächtig ist sein Schmerz, daß er wie der
sophokleische Ajas den Tod herbeiwünscht, um den
Verlust seiner Ehre nicht zu überleben und der
‚*conscia fama*‘ zu entgehen, die ihn verfolgt:

> Erbarmt ihr euch lieber, ihr Winde, freien Willens
> flehe ich, Turnus, Euch an, in Felsen, auf Steine
> führt das Schiff und treibt es in die grausamen Un-
> tiefen der Syrte, wohin mir weder die Rutuler folgen
> noch mein Ruhm, der mein Gewissen bedrückt.

X 676: *Vos o potius miserescite, venti,*
In rupes in saxa, volens vos Turnus adoro,
Ferte ratem saevisque vadis immittite Syrtis,
Quo neque me Rutuli nec conscia fama sequatur.

Dreimal versucht er, Hand an sich zu legen, doch Juno
hält ihn zurück. Trotz der dämonischen Leidenschaft,
die sein Wesen ergriffen hat, ist sein Ehrgefühl und der
Adel seiner Seele ungebrochen. Auch diese Szene läßt
sich mit der Auffassung des Turnus als eines Frevlers
nicht in Einklang bringen.
In der Ratsversammlung nach der schweren Niederlage
(XI 225—444) setzt er den Reden des Venulus, der die
Absage des Diomedes kundgibt, des Latinus, der als
weiser Warner zum Einlenken rät, und des Drances,
der ihn persönlich angreift, in männlich beherzten
Worten seine Begriffe von Ehre und Heldentum ent-

gegen und den Entschluß, sein Leben zu wagen und bis zum Letzten zu kämpfen.

XI 416: Glücklich scheint mir im Kampfe und von hoher Seele, der sterbend fiel, daß er solches nicht schaue (die Niederlage), und den Boden einmal für immer mit dem Munde biß.

Ille mihi ante alios fortunatusque laborum
Egregiusque animi, qui, ne quid tale videret,
Procubuit moriens et humum semel ore momordit.

Es ist die Gesinnung, die Livius an den Samniten rühmt[1].

Seine Tragödie im eigentlichen Sinne aber enthält gesteigert und machtvoll zusammengedrängt das zwölfte Buch, ,sein' Buch, wie das vierte der Dido gehört. Wie dort ist hier alles von Anfang darauf angelegt, tragische Besorgnis zu erregen. Es beginnt mit einem Gleichnis:

Wie in Puniergefilden der Löwe, von schwerer Wunde der Jagenden in die Brust getroffen, nun erst den Kampf beginnt und froh den mähnigen Nacken schüttelt und des Wegelagerers festhaftende Lanze furchtlos bricht und mit blutigem Maule brüllt: nicht anders wächst dem entflammten Turnus die Kraft zur Gewalttat.

XII 4: *Poenorum qualis in arvis*
Saucius ille gravi venantum volnere pectus
Tum demum movet arma leo gaudetque comantis
Excutiens cervice toros fixumque latronis
Impavidus frangit telum et fremit ore cruento:
Haud secus accenso gliscit violentia Turno.

---

[1] 10, 31, 13: Imperatorem clarissimum gentis suae amiserant, socios belli .. in eadem fortuna videbant qua ipsi erant, nec suis nec externis viribus iam stare poterant, tamen bello non abstinebant: adeo ne infeliciter quidem defensae libertatis taedebat et vinci quam non temptare victoriam malebant.

Die Kunst der Steigerung von der Verwundung über die unheimlich drohende Bewegung, die in der Häufung der dumpfen m- und u-Laute ausgedrückt ist (*tum demum movet arma leo*), zum Schütteln der Mähne[1], zum Brechen der Lanze und zum Gebrüll ‚aus blutigem Mund‘ geht über das an sich vortreffliche homerische Löwengleichnis (Ilias 20, 164 ff.) weit hinaus. Das Ende stimmt nicht nur äußerlich mit dem Schluß der Jupiterrede überein (I 294):

> *Furor impius intus*
> *Saeva sedens super arma et centum vinctus aenis*
> *Post tergum nodis f r e m e t h o r r i d u s o r e*
> > *c r u e n t o.*

Denn Turnus ist ja selber die Personifizierung des ‚*Furor impius*‘.

Die tiefe Wunde, die den Schmerz symbolisiert, der den Helden nach der Niederlage der Seinen verzehrt, erinnert an den Anfang des vierten Buches:

> *At regina gravi iamdudum saucia cura =*
> *Saucius ille gravi venantum volnere pectus.*

Wie dort die Leidenschaft der Liebenden, so erscheint hier die Leidenschaft des Kriegers als eine zehrende Wunde, eine Krankheit, die ihr Opfer tragisch zerstört. Das Didobuch und das Turnusbuch sind durch dieses Einleitungssymbol auch äußerlich miteinander verknüpft. Auch sonst weisen die Tragödien der beiden großen Gegenspieler des Äneas im Aufbau bedeutsame Ähnlichkeiten auf, auf die ich noch zurückkommen werde.

---

[1] Das wenig erhabene Schlagen des Schwanzes bei Homer ist durch diese majestätischere Geste ersetzt.

184

Im Gleichnis der Ilias wird der Mut des Löwen ebenfalls aus seiner Verwundung abgeleitet. Aber für Achill, der hiedurch charakterisiert wird, scheint nur die Kampfgier zuzutreffen, nicht die Verwundung: der Held steht am Beginn seines Sieges[1]. Turnus aber ist wirklich — schicksalmäßig — ein zu Tode Getroffener, ein dem Untergang Preisgegebener, so daß der Vergleich weit angemessener scheint[2]. Die tödliche Verwundung trifft für ihn in geheimnisvoller Weise ‚auch' zu, wie im Hindinnengleichnis für Dido. In beiden Gleichnissen wird das Todesschicksal symbolisch vorweggenommen. Zugleich deutet sich in dem Gleichnis die Entwicklung an, die das zwölfte Buch beherrscht: je näher die Niederlage heranrückt, desto mehr wächst seine innere Größe. Je mehr er erkennt, daß die Götter ihn verlassen, umso stärker wird seine Entschlossenheit, der Ruhmesverpflichtung bis in den Tod treu zu bleiben:

Increscunt animi, virescit volnere virtus[3].

Betrachtet man die Entwicklung seiner Haltung im

---

[1] Oder darf man an die innere Wunde, den Schmerz über den Tod des Patroklos denken?

[2] Das bei allen Echtheits- und Datierungsfragen auftauchende Argument, daß ein Motiv dort zu Hause sein müsse, wo es besser passe, entbehrt der Beweiskraft. Wir begegnen gerade bei Virgil immer wieder dem Fall, daß ein mit poetischem Takt begabter ‚Nachahmer' die Möglichkeiten eines Motivs feinfühliger auszubeuten vermag als der kunstlosere ‚Originaldichter'! Der hier zutagetretende Irrtum hängt mit der Fehlbeurteilung des ‚Nachahmers' zusammen, der in der römischen Literatur mit dem großen Dichter zusammenfällt. In vielen Fällen könnte man jenes Argument geradezu umkehren. Vgl. hiezu auch Reinhardt, Sophokles, S. 68.

[3] Vers des Furius Antias, den Nietzsche sich zum Motto erwählte.

ganzen, so wird man gewahr, daß sie der des Äneas entgegenläuft[1]. Während Äneas von der Verzweiflung des ersten Buches immer mehr zum Bewußtsein emporwächst, daß er vom Willen der Fata berufen ist, ist Turnus umgekehrt wie der König Ödipus des Sophokles im Anfang vom Schutze der Götter überzeugt: *nec regia Juno immemor est nostri* (VII 438) und glaubt sich mit ihnen ebenso wie Dido durch Zeichen, Opfer und Gebete in Übereinstimmung[2]. Die sichtbaren Beweise göttlicher Hilfe, die den Trojanern zuteil werden, vermag er nicht zu erkennen: das Wunder der Schiffe, die sich in Meeresnymphen verwandeln, deutet er zu seinen Gunsten um (IX 128). Die ‚Fata' nimmt er für sich selber in Anspruch (IX 136 ff.). Und auch der Anblick des Äneas und seines strahlenden Schildes vermag nicht sein Siegesvertrauen zu brechen (X 276). Im weiteren Verlaufe des Geschehens aber wird er immer unsicherer. In der Trugbildszene spürt er zum ersten Male, daß die Götter ihn täuschen und strafen. Trotz der ersten großen Niederlage, trotz der Absage des Diomedes und trotz der vielen Gräber, in denen sich für die Latiner der Zorn der Götter offenbart (XI 232 f.)[3], gibt er zwar die Hoffnung auf den Sieg noch nicht völlig auf (XI 419 f.), aber

---

[1] Wie in der Ilias bei Achill und Hektor läßt sich hier eine ‚gegensätzliche Parallelität der Schicksalswege' (Schadewaldt) erkennen. Schadewaldt hat gezeigt, daß der Kontrapost eines der ‚festesten Stilmittel des Iliasdichters' ist.

[2] IX 21: Sequar omina tanta.
Seine Frömmigkeit hebt Juno hervor (X 619):
Tua larga
Saepe manu multisque oneravit limina donis.

[3] Virgils Neigung, auch die Momente der Ruhe für die Entwicklung der Handlung fruchtbar zu machen, tritt hier

er rechnet doch schon mit der Niederlage[1], die er nicht überleben will. Er ist bereit, sein Leben zu opfern:

> Euch und dem Schwiegervater Latinus habe ich diese Seele geweiht, ich Turnus, keinem der Vorfahren an Heldentum unterlegen.

> *Vobis animam hanc soceroque Latino*
> *Turnus ego haud ulli veterum virtute secundus*
> *Devovi.*

In dem Gleichnis des Hengstes, der sich von seiner Krippe losreißt und von Kraft und Übermut strotzend dahinrast (XI 492), spiegelt sich dann noch einmal seine jugendliche Heldenkraft und sein überquellender Mut, doch auch die Zügellosigkeit seiner Leidenschaft tut sich darin kund[2].

Im zwölften Buch ist schon im Löwengleichnis am Anfang die Wendung zur Verzweiflung und tragischer Todesentschlossenheit angedeutet. In der Antwort an den König taucht der Satz auf, der allem folgenden die Richtung gibt:

---

deutlich hervor: aus der Trauer an den Gräbern und in der Stadt entfaltet sich der Widerstand gegen den Krieg, den dann Turnus noch einmal in der Ratsversammlung bricht.
[1] XI 411—418.
443: Nec Drances potius sive est haec ira deorum Morte luat.
[2] Es ist eines der Gleichnisse, die Virgil am getreuesten aus Homer entlehnt (Ilias 6, 506 ff.). Doch liegt in ‚tandem' und ‚campoque potitus aperto' eine Steigerung. Vielleicht ist auch der Gedanke, daß der Hengst den Stutenherden zustrebt, eine Hinzufügung, sofern das μετ᾽ ἤϑεα καὶ νόμον ἵππων des Homer nicht gleichfalls so gemeint war. Auch in ‚luxurians' ist dies enthalten. Virgil hat es hinzugefügt, um die blinde Leidenschaft, die zu dem Helden gehört, hervortreten zu lassen. Charakteristisch ist, daß Virgil mit einem prächtigen Bilde schließt (luduntque iubae per colla, per armos), während das homerische Gleichnis stumpfer endet.

187

Letumque sinas pro laude pacisci.

Und durch die Tränen der Amata und der Lavinia[1] wird seine Siegeszuversicht vollends ins Wanken gebracht (XII 72):

> Ich bitte dich, geleite mich nicht mit Tränen und mit einem solchen Omen, da ich in den Kampf des harten Mars schreite, o Mutter, denn dem Turnus steht des Todes Verzögerung nicht frei.
>
> *Ne quaeso ne me lacrimis neve omine tanto*
> *Prosequere in duri certamina Martis euntem,*
> *O mater, neque enim Turno mora libera mortis.*

Während der Schluß der Rede an Latinus noch einmal zu dem Gedanken an den Sieg zurücklenkte, steht jetzt nur noch eines fest: der Entschluß zu kämpfen, die Bereitschaft, sich zum Zweikampf zu stellen. Es ist eine Haltung, die etwas von der tragischen Größe des äschyleischen Eteokles hat:

> *Nostro dirimamus sanguine bellum*
> *Illo quaeratur coniunx Lavinia campo.*

Wie Achill in seinem Gespräch mit Thetis entscheidet er sich freien Willens für einen ruhmreichen Tod. Er wiederholt, was man die ,tragische Prohairesis' des Achill genannt hat.

In der folgenden Wappnungsszene steigert sich seine Kampfesleidenschaft fast zur Raserei. Heinze (S. 229,

---

[1] Lavinias Liebreiz, der sich im Schmerze doppelt entfaltet (XII 64 ff.), wird für Turnus ein Grund mehr zum Kampfe. Wie die Liebe des Äneas zu Dido ist auch die des Turnus mit Zurückhaltung behandelt. Die Liebe ist nach römischer Auffassung, solange sie nicht durch Ehe und Familie geheiligt zur ,pietas' emporgehoben ist, eher etwas Verwerfliches als Rühmenswertes. Sie trübt eher den Glanz eines Helden als daß sie ihn steigert.

188

Anm. 1) hat sehr mit Recht die Frage aufgeworfen, weshalb für die Rüstung nicht wie bei Homer und Apollonius der Augenblick vor dem Kampfe selbst gewählt werde. Die Antwort, meinte er, liege darin, daß es dem Dichter nicht sowohl auf die Tatsache der Rüstung als den Charakter des Turnus ankomme: „Am Abend vorher, unmittelbar nach dem Entschluß, der wütendste Kampfesmut, der es gar nicht erwarten kann, die Waffen gegen den Verhaßten zu schwingen, am Morgen und angesichts des Kampfes selbst der Abfall; dagegen Äneas bleibt sich gleich." Aber ob das richtig gesehen ist, scheint zweifelhaft. Stärker als der ‚Charakter‘ kommt jedenfalls in den vermessenen und in Grausamkeit schwelgenden Worten des lanzenschwingenden Helden und in der folgenden Beschreibung seines Tobens, das den Kampf gleichsam schon vorwegnimmt, der Wahn zum Ausdruck, die tragische Verblendung, der er verfallen ist. „Von solchen Furien wird er getrieben und vom ganzen Antlitz springen ihm Funken und in den wilden Augen blitzt Feuer." Die Verse erinnern an das ‚*stant lumina flamma*‘ (VI 300) des Höllenfergen Charon. In ihnen flammt die höllische Dämonie seines Wesens auf[1].

Der Vergleich mit dem liebestollen Stier aber, der sich anschließt, malt nicht nur die wilde Kampfeslust des Helden, sondern wieder seine Verblendung und das Ver-

---

[1] Vgl. auch Ilias 19, 16, ferner 1, 200 und das Bild Hektors 15, 605: „Er raste wie der lanzenschwingende Ares oder das verderbliche Feuer, Schaum stand um seinen Mund, seine Augen leuchteten unter den finstern Brauen." Die Verse stehen der Virgilstelle näher als die der Rüstung des Achill. Auch das Schwert des Daunus, das der ‚feuermächtige Gott in der stygischen Woge‘ schmiedete (XII 90), deutet auf diese Höllensphäre.

gebliche seines Bemühens. Er hat ebenso tragische Färbung wie der Abschnitt über den Eros aus den Georgica, dem er entnommen ist:

Ventosque lacessit ictibus[1].

Der Vers ist dem ,*nec ferre videt sua gaudia ventos*' der Trugbildszene innerlich verwandt. Es ist eine Weiterführung des Gleichnisses vom Hengst, eine Steigerung des Motivs, das dort in der Zügellosigkeit der Liebesleidenschaft angedeutet ist.

Doch daß die Szene an dieser Stelle notwendig ist, hat einen formalen Grund. Die erste Szeneneinheit des zwölften Buches, die hier endet, verlangte einen steigernden Abschluß. Der ,Furor' des Turnus, der als Ursache und Symptom des nahenden Verhängnisses gleich zu Beginn im Löwengleichnis hervorgetreten war, mußte auch ihr Ende erfüllen. Und hiezu bot sich die Rüstung als geeignetes Motiv dar.

Auffallend ist hiebei wieder die Verwandtschaft mit der ersten Szenengruppe des Didobuches (IV 1—89). Auch

---

[1] Georgica III 224:

    Alter
    Victus abit longeque ignotis exulat oris
    Multa gemens ignominiam plagasque superbi
    Victoris, tum quos amisit inultus amores,
    Et stabula adspectans regnis excessit avitis,
    Ergo omni cura vires exercet et inter
    Dura iacet pernox instrata saxa cubili
    Frondibus hirsutis et carice pastus acuta
    Et temptat sese atque irasci in cornua discit
    Arboris obnixus trunco ventosque lacessit
    Ictibus et sparsa ad pugnam proludit harena.

Zu ,irasci in cornua' vergleicht Heyne Euripides: Bacch. 742: ταῦροι εἰς κέρας θυμούμενοι.
Voß erklärt treffend: ,Iram quasi colligere in cornua'.

190

diese setzt mit der Schilderung des Leidens der Königin ein. Nach dem Gespräch mit Anna, in dem noch einmal die ‚andere‘ Möglichkeit aufleuchtet, steigert es sich zur Raserei. Die Bewegung gipfelt in dem Hindinnengleichnis, das das Wahnmotiv des Anfangs gesteigert wieder aufnimmt. Ebenso beginnt das zwölfte Buch mit dem Schmerz und Wahn des Turnus, der dann in der folgenden Szene durch die Warnungen des Latinus, die das Verhängnis abwenden könnten, noch mehr entfesselt wird und sich in der Rüstungsszene im Gleichnis des Stieres, der mit den Winden kämpft, zu krankhaftem Ausbruch steigert. Ja, die Parallele geht noch weiter: wie die Raserei der Dido sich aus der leuchtenden Opferszene über die dunkle Eingeweideschau zum eigentlichen Ausbruch entfaltet, so beginnt die Rüstungsszene mit dem Aufzug der weißen Rosse der Oreithyia in leuchtender Pracht, um im dunklen Rasen der Leidenschaft zu enden. Die Rüstung des Achill, in der man nicht mit Unrecht das homerische Vorbild sah, *schließt* umgekehrt mit dem Erscheinen der Rosse. Die beiden Szenengruppen, die sich auch im Umfang genau entsprechen, haben eine analoge Aufgabe. Sie sind die Exposition einer Tragödie. Sie leiten die Entwicklung zur Katastrophe ein und kündigen sie symbolisch an. Die funktionelle Verwandtschaft dieses Szenentypus mit den Seesturm- und Allektoszenen wurde anläßlich der Erörterung des Hindinnengleichnisses nachgewiesen: die Tragödien der Dido und des Turnus und, wenn man die Bezeichnung gelten lassen will, die beiden Tragödien des Äneas in den zwei Hälften des Gedichtes (‚Odyssee‘ und ‚Ilias‘) werden in analoger Weise entwickelt. Der

191

Anfang des zwölften Buches ist einem Aufbautypus eingeformt, der als eine Schöpfung Virgils, als einer der ,Griffe' anzusprechen ist, die seine Dichtkunst charakterisieren[1].

Die Eigenart der inneren Bewegung, die den Aufbau förmt, wird noch deutlicher, wenn man die Szenen zwischen Hektor, Priamos und Hekabe zu Beginn des 22. Gesanges der Ilias und des Abschieds von Andromache im sechsten Iliasbuch, die (neben dem Gespräch zwischen Achill und Thetis) hier einwirken, zum Vergleich heranzieht. Die Rolle, die die Leidenschaft bei Turnus spielt[2], fällt bei Hektor ganz weg. In der Andromacheszene bestimmt ihn nur der Gedanke an den Ruhm, in dem Auftritt mit den Eltern allein die nüchterne Überlegung der sonst drohenden Schmach zu dem

---

[1] Die Wirkung der Szenenfolge wird durch die folgenden sechs Verse (XII 107—111) gemindert, die von der Kampfesvorbereitung des Äneas handeln. Eine Erwähnung des Äneas mag wegen der erforderlichen Zustimmung zum folgenden Vertrag notwendig gewesen sein. Doch kann ich nicht glauben, daß es der Dichter bei dieser Fassung hätte bewenden lassen. Es handelt sich wohl um eine Gruppe von ,Stützversen' (tibicines), die Virgil vorläufig skizziert oder Varius und Tucca nachträglich eingefügt oder ergänzt haben. Besonders verdächtig erscheinen die Verse (XII 107 f.):

Nec minus interea maternis saevus in armis
Aeneas acuit Martem et se suscitat ira,

die wenig zu der sonstigen Art des Äneas passen. Wohl ergreift auch ihn während des Kampfes Leidenschaft und Zorn, aber daß er sich — gleichsam der Parallelität mit Turnus zuliebe — am Vorabend des Kampfes solchermaßen in Wut hineinsteigert, mutet befremdend an.

[2] Vgl. XII 9. 10. 19. 45. 101. An anderen Stellen tritt Hektors Vermessenheit stark hervor. Über sie Schadewaldt, Iliasstudien, 1938, 106 ff. H. Gundert, Neue Jahrbücher, 1940, 225 ff.

Entschlusse, sich zum Zweikampf zu stellen, und auch von einer dramatischen Steigerung ist nichts zu bemerken. Dagegen findet sich ein solches Anschwellen in der Exposition der Ilias. In der Art, wie sich da der Groll des Achill entwickelt und steigert, um schließlich zum tragischen Ausbruch zu führen, liegt eine gewisse Verwandtschaft mit den dramatischen Steigerungen des Virgil. Überhaupt wird das tragische Interesse, das in der Ilias hauptsächlich auf Achill ruht, bei Virgil auf Turnus übertragen.

Seine einsame Größe, die göttliche Abstammung (VI 90: *natus et ipse dea*), die unbeugsame Todesbereitschaft, die Treue, die ihn mit seinen Gefolgsmannen verbindet (S. 210), die Zartheit bei aller Grausamkeit, die Spannungen seines Wesens, die ,,Unmenschlichkeit neben der Menschlichkeit, Groll und zugleich Ergebung in sein Schicksal" (Karl Reinhardt), sind achilleische Züge. Er ist der Achill der Äneis, so wie ihn die Sibylle ankündigt (VI 89):

> *Alius Latio iam partus Achilles*
> *Natus et ipse dea.*

Alle großen Züge stammen von ihm, von Hektor kommt nur die Verblendung und die äußeren Stationen der Heldenbahn: der Einbruch in die Mauern, der Schiffsbrand, der Abschied, die Niederlage im Zweikampf. Aber selbst in diesen Szenen fließt Achilleisches bedeutsam mit ein wie hier in der Abschiedsszene und vor dem entscheidenden Zweikampf. Turnus verkörpert gleichsam die homerische Stufe des Heldentums, von der sich die Gestalt des Äneas mit stillem Glanze abhebt. Nach der ersten Szenengruppe des zwölften Buches, in der es

klar wird, daß Turnus nicht mehr fest an den Sieg glaubt,
darum aber umso entschlossener dem Tod ins Auge
schaut, wächst seine Unsicherheit weiter in der Szene
des Vertrages, der zwischen ihm und Äneas geschlossen
wird (XII 161—221)[1]. Schon bei seinem Erscheinen verrät sie sich (164 f.):

> *Bigis it Turnus in albis*
> *Bina manu lato crispans hastilia ferro,*

wo ,*crispans*' das krampfhaft Ängstliche malt [2]). Durch
den Gegensatz des folgenden Aufzuges des Äneas und
Ascanius tritt sie noch stärker hervor (XII 166):

> *Hinc pater Aeneas, Romanae stirpis origo,*
> *Sidereo flagrans clipeo et caelestibus armis*
> *Et iuxta Ascanius, magnae spes altera Romae,*
> *Procedunt castris.*

Auf den Waffen des Äneas liegt göttlicher Glanz und
damit die Vorbedeutung des Sieges. Aus diesen knappen,
von allem Überflüssigen gereinigten Versen strahlt die
einfache Größe und sakrale Würde Roms. Nicht zufällig
wird der römische Name zweimal erwähnt. Die Verse

---

[1] Äneas schließt mit dem Gegner einen Vertrag über den
Zweikampf im Gegensatz zu Achill, der einen solchen aufs
heftigste ablehnt (Il. 22, 262): ,,Wie es zwischen Löwen und
Menschen nicht Treuverträge gibt und Wölfe und Lämmer
nicht den gleichen Sinn haben, so können du und ich sich
nicht lieben und es wird kein Vertrag zwischen uns sein!''
[2] Von keinem Erklärer beachtet. Der Vers erscheint schon
I 313. Dort ist er dem Charakter der vorsichtigen Aus-
kundschaftung des unbekannten, bedrohlichen Landes
durch Äneas und Achates angemessen. Hier kontrastiert
er zudem mit der Mächtigkeit des Verses, der die Rüstung
des Äneas beschreibt:
Sidereo flagrans clipeo et caelestibus armis.

194

sind ein Musterbeispiel klassischen Stiles und römisch augusteischer Monumentalgesinnung. Es ist der Geist der Ara Pacis, der uns hier entgegenweht. Die Wirkung der ‚römischen‘ Einfachheit wird durch den Kontrast zu dem weißen Zweigespann des Turnus und dem prächtigen Viergespann des Latinus, der die goldene Sonnenkrone trägt, noch gesteigert.

Angesichts solcher Größe verläßt den Turnus der Mut: er ist schon der vom Tode Gezeichnete (XII 219):

> *Incessu tacito progressus et aram*
> *Suppliciter venerans demisso lumine Turnus*
> *Pubentesque genae et iuvenali in corpore pallor.*

Das ist nicht ‚Charakterschilderung‘ in dem Sinne, daß ihm im Angesicht der Entscheidung der Mut entsinkt [1], während er, solange der Kampf noch fern lag, mutig und aufbrausend war, sondern in der schwindenden inneren Kraft des Helden wird, abgesehen von der technischen Absicht, auf solche Weise das Eingreifen der Juturna und den Vertragsbruch zu motivieren, das aufsteigende Verhängnis sichtbar, es offenbart sich darin die in seinem Geist aufdämmernde Erkenntnis des göttlichen Willens, ja, eine leise Scham [2], die man als Schuldbewußtsein deuten könnte.

---

[1] Heinze (S. 212) empfindet das als einen ‚fein beobachteten Zug‘ und verweist, wie mir scheint, ganz zu Unrecht auf Aristoteles Eth. Nic. III 10, 1116 a 7: ,,Die prahlerisch Verwegenen sind kühn und entschlossen vor der Gefahr, in ihr aber fallen sie ab, die Tapferen hingegen sind im Kampfe feurig, vorher aber ruhig.‘‘

[2] Demisso lumine. Auch I 561 ‚voltum demissa‘ hat diesen Sinn der Scham (vgl. o. S. 118). Die Trauer des Todgeweihten bezeichnen ähnliche Worte in der Schilderung des Marcellus (VI 862):

Nach der Verwundung des Äneas jedoch faßt er noch einmal Hoffnung (XII 325):

Subita spe fervidus ardet.

Noch einmal erfüllt sich vor der Mitte und Höhe des Buches wie in Didos Jagd und Liebesvereinigung Glanz und Glück. Noch einmal zögert das Verhängnis. Durch den Kontrast zu Äneas wird jedoch dem Tieferblickenden sein Verhängnis nur umso erschreckender deutlich. Denn während Äneas mit waffenloser Hand und bloßen Hauptes seinen Kriegern, die zum Kampfe drängen, Einhalt gebietet, weil der Vertrag den Zweikampf vorschreibt, jedes andere Gefecht aber verbietet, während er so als ein Märtyrer der Rechtsidee von einem Pfeil getroffen wird, scheint für Turnus, der nur aus dem blinden Impuls seiner Leidenschaft handelt, der Vertrag gar nicht zu existieren: er sieht in der Verwundung des Äneas nur eine Gelegenheit zum Angriff. Seine letzte Aristie ist völlig verschieden von dem blutigen Wüten des Helden im neunten Buch, an leidenschaftlichem Schwung und glanzvoller Schönheit steht sie der Aristie der Camilla nahe, wenn sie auch, den Charakter des Helden und die tragische Tönung des Buches wahrend, dunkler und grausamer ist als jene.

Auch sie vollzieht sich in einer gewaltig anwachsenden

Sed frons laeta parum et deiecto lumina voltu.
So wie Turnus ist Dido vom Tode gezeichnet (IV 499):
Haec effata silet, pallor simul occupat ora.
644: Pallida morte futura.
Auch von Cleopatra heißt es (VIII 709):
Illam inter caedes pallentem morte futura.

Bewegung. Zu Beginn wird Turnus mit dem Kriegsgott
verglichen:

Wie an den Fluten des eisigen Hebrus der blutige
Mars eiligen Laufes an den Schild schlägt, und Kriege
aufregend die rasenden Pferde in die Schlacht brausen
läßt: sie fliegen auf offenem Feld den Südwinden und
Zephyros voraus. Das äußerste Thrakien stöhnt unter
dem Schlag ihrer Hufe und rings um ihn jagen des
schwarzen Schreckens Gesichter, die Geister des Zornes
und Angriffs, des Gottes Gefolge: so tummelt der
schnelle Turnus die Pferde, sie rauchen von Schweiß,
mitten durch das Kampfesgetümmel, über den elend
gefällten Feind sprengt er dahin, der schnelle Huf
spritzt blutigen Tau und tritt das mit Sand vermischte Blut.

XII 331: *Qualis apud gelidi cum flumina concitus*
Hebri
Sanguineus Mavors clipeo increpat atque furentis
Bella movens immittit equos, illi aequore aperto
Ante notos Zephyrumque volant, gemit ultima pulsu
Thraca pedum circumque atrae Formidinis ora
Iraeque Insidiaeque, dei comitatus, aguntur,
Talis equos alacer media inter proelia Turnus
Fumantis sudore quatit miserabile caesis
Hostibus insultans, spargit rapida ungula rores
Sanguineos mixtaque cruor calcatur harena.

Nicht mehr das Bild eines edlen Raubtiers vermag den
Helden in seinem letzten Glanz zu versinnbildlichen,
sondern nur noch der Kriegsgott selbst. Er erscheint auf
der Höhe vor seinem Untergang als das, was er durch
Allekto wurde: als der blutige Dämon des Krieges[1].

---

[1] Das Gleichnis ist, obwohl der Kampfesfahrt des Achill und
des Hektor nachgebildet (Ilias 20, 499 und 11, 534; der
‚blutige Tau‘ dürfte in bezeichnender Kontamination aus
11, 53 stammen), als solches nicht homerisch. Wenn die

Die wilde Schönheit der dahinstürmenden Rosse erinnert an die Reiterschlacht, aus der sich der Einzelkampf der berittenen ‚Amazone' Camilla herauslöst, und auch an das Bild des Hengstes, mit dem Turnus selber verglichen wird (XI 492 ff.). Es scheint, als solle wie in der Aristie der Camilla durch das Motiv der dahinsprengenden Rosse, das in seinem barocken Pathos dem virgilischen Kunstideal in besonderem Maße entspricht[1], die italische Kraft noch einmal in vollem, alles Homerische übersteigenden Glanze zur Geltung kommen.

Von der Sturmfahrt des Mars-Turnus steigert sich die Bewegung, übergreifend selbst in die Charakteristik der Getöteten wie des Paares Glaucus und Lades:

> *Imbrasidas Glaucum atque Laden, quos Imbrasus*
> *ipse*
> *Nutrierat Lycia paribusque ornaverat armis*
> *Vel conferre manum vel e q u o p r a e v e r t e r e*
> *v e n t o s* (343 ff.)[2]

Helden Homers mit Ares verglichen werden, entspringt das einer bestimmten Situation des Kampfes, bei Virgil aber wird das Wesen des Turnus durch das Gleichnis bezeichnet. Wie Dido bei ihrem Erscheinen mit einer Göttin, Äneas vor der Liebesvereinigung mit Apollo, so wird Turnus auf der Höhe seines Glanzes ebenfalls mit einem Gott verglichen. Sonst wird keine der Gestalten des Gedichtes einer Gottheit gleichgestellt. Auch dadurch sind die drei Hauptgestalten als solche herausgehoben.

[1] Auch beim Tode des Mezentius tritt das Motiv in dem Bild des sich aufbäumenden und aushufenden Pferdes auf, das an die Darstellungen der Amazonensarkophage erinnert (X 892 ff.). Es würde sich lohnen, der Rolle des Pferdes bei Virgil eine Studie zu widmen und das Absehen dabei vor allem auf die stilistische und kompositionelle Funktion zu richten. Der Vergleich mit Homer wäre auch hier lehrreich.

[2] Für solche ‚übergreifende' Bewegung lassen sich manche Beispiele finden. So ist der Zusatz ‚aut radiantis imagine

198

bis zum Gleichnis des Boreas, wo zum dritten Male das Bild der windesschnellen Rosse erscheint. Gegenüber dem Marsgleichnis stellt es, ihm auch durch die ‚thrakische' Atmosphäre verwandt, noch eine Steigerung an Kraft, Weite und Erhabenheit der Bewegung dar:

> Wie des edonischen Boreas Wehen über die hohe Aegaeis braust und die Fluten bis zu den Ufern verfolgt: wohin die Winde sich werfen, fliehen am Himmel die Wolken, so weichen die Scharen vor Turnus, wo immer er sich Bahn bricht, und die gewendeten Schlachtreihen stürzen davon: der Schwung trägt ihn dahin, und die Luft schüttelt den fliegenden Helmbusch der Fahrt entgegen.

> XII 365: *Ac velut Edoni Boreae cum spiritus alto*
> *Insonat Aegaeo sequiturque ad litora fluctus,*
> *Qua venti incubuere, fugam dant nubila caelo,*
> *Sic Turno, quacumque viam secat, agmina cedunt*
> *Conversaeque ruunt acies, fert impetus ipsum*
> *Et cristam adverso curru quatit aura volantem.*

Dies ist die Steigerung eines homerischen Gleichnisses (Il. 11, 305 ff.). Bei Homer wird die Menge der fallenden Häupter mit den zahlreichen Wolken und Wellen verglichen, in die der Wind fährt, bei Virgil ist die Bewegung der Fliehenden der Vergleichspunkt. Homer schließt mit dem spritzenden Schaum der Woge, Virgil mit den fliehenden Wolken am Himmel, die einen großartig weiten Schlachtenhorizont eröffnen.

---

lunae' (VIII 23) in dem Sorgengleichnis (u. S. 239ff.) aus der Stimmung der nächtlichen Tiberlandschaft entstanden. Das Gleichnis, das das Heer der Latiner mit einem wachsenden Meeressturm vergleicht, ist in die wachsende Bewegung der ganzen Szenenfolge eingefügt worden (o. S. 52 f.).

Unmittelbar darauf endet die Aristie mit der Tötung des
Phegeus, die, ohne homerisches Vorbild, ganz von dem
Elan der Gesamtbewegung ergriffen, die Siegesfahrt des
Turnus wirkungsvoll beschließt:

> Phegeus ertrug den vorwärts Drängenden und von
> Zorn Dröhnenden nicht: er warf sich dem Wagen ent-
> gegen und drehte, mit der Rechten am Zaum, die
> schäumenden Mäuler der gejagten Rosse zur Seite.
> Indes er am Joche hängend fortgerissen wurde, er-
> reichte den Ungedeckten die breite Lanze, brach durch
> den doppelt geketteten Panzer und kostete den
> Leib oben mit der Wunde. Da wandte er sich
> mit vorgehaltenem Schilde dem Feind entgegen und
> suchte mit gezogenem Schwerte Rettung: jetzt stieß
> ihn das Rad und die schnell rollende Achse kopfüber
> und warf ihn zu Boden, nachstoßend schlug ihm
> Turnus zwischen dem untersten Helm und dem
> obersten Saume des Panzers mit dem Schwert das
> Haupt ab und ließ den Rumpf dem Sande zurück.

XII 371: *Non tulit instantem Phegeus animisque*
frementem,
Obiecit sese ad currum et spumantia frenis
Ora citatorum dextra detorsit equorum.
Dum trahitur pendetque iugis, hunc lata retectum
Lancea consequitur rumpitque infixa bilicem
Loricam et summum degustat volnere corpus.
Ille tamen clipeo obiecto conversus in hostem
Ibat et auxilium ducto mucrone petebat:
Cum rota praecipitem et procursu concitus axis
Impulit effuditque solo Turnusque secutus
Imam inter galeam summi thoracis et oras
Abstulit ense caput truncumque reliquit harenae.

Nach einer ruhigeren Szene, die im Kontrast hiezu die
Heilung des Äneas schildert, setzt die Umkehr ein. Das

200

'schwarze Heer' des Äneas naht wie ein unheilvoller Gewittersturm vom Meere her:

> Da wird von blindem Staube das Feld getrübt und vom Schlage der Füße zittert die aufgeschreckte Erde. Es erblickte sie Turnus, wie sie vom feindlichen Walle kamen, es erblickten sie die Ausonier und eisiger Schrecken lief ihnen durchs innerste Gebein. Vor allen Latinern hörte Juturna zuerst das Tosen und sie erkannte es und floh erschreckt zurück. Jener fliegt dahin und reißt den schwarzen Zug über das offene Feld. Wie dem Lande zu eine Sturmwolke mitten über das Meer eilt, der Himmel stürzt hernieder, wehe, es erschauert den armen Landleuten das Herz, das es lange schon vorher weiß: er wird die Bäume vernichten und die Saaten hinwegmähn, wird in breiter Spur alles zerstören: ihm voraus fliegen die Winde und tragen das Brausen zu den Ufern.

> XII 444: *Tum caeco pulvere campus*
> *Miscetur pulsuque pedum tremit excita tellus.*
> *Vidit ab adverso venientis aggere Turnus,*
> *Videre Ausonii gelidusque per ima cucurrit*
> *Ossa tremor; prima ante omnis Iuturna Latinos*
> *Audiit adgnovitque sonum et tremefacta refugit.*
> *Ille volat campoque atrum rapit agmen aperto.*
> *Qualis ubi ad terras abrupto sidere nimbus*
> *It mare per medium, miseris heu praescia longe*
> *Horrescunt corda agricolis, dabit ille ruinas*
> *Arboribus stragemque satis, ruet omnia late;*
> *Ante volant sonitumque ferunt ad litora venti.*

Das Gleichnis ist von Homer angeregt (Ilias 4, 275): „Wie wenn von einer Warte der Schafhirt eine Wolke kommen sieht über das Meer unter des Zephyros Wehen. Dem Entfernten erscheint sie schwärzer als Pech, wie sie über das Meer kommt, und gewaltigen Sturm treibt sie vor sich her, und er erschrickt, als er sie sieht, und treibt die Schafe in eine Höhle. So zogen den beiden Aias zeusentsprossener Kämpfer dichte Scharen in den feindlichen Krieg, schwarz starrend von Schilden und Lanzen." Während bei Virgil vier Momente hervortreten:

1. das ‚schwarze' Heer: der optische Eindruck,
2. die Zerstörung: die physische Wirkung,
3. die lähmende Furcht: die psychische Wirkung,
4. das nahende Verhängnis: die symbolische Bedeutung,

spielt bei Homer nur das erste wirklich eine Rolle. Es dominiert der Sinneseindruck: die schwarze Wolke, während Virgil die seelische Wirkung das Wichtigste ist: in dem Schmerz der Landleute über die drohende Vernichtung ihrer Arbeit spiegeln sich die Gefühle des Turnus über das Scheitern seiner Aufgabe wider, an der er mit ganzem Herzen hängt. Wieviel stärker ist das als das Erschrecken des Hirten, der die Schafe ja doch in Sicherheit bringen kann. Es wird ein Stück seiner Tragik sichtbar. Auch die zerstörende Wirkung des Sturmes und die atemberaubende Wucht des nahenden Verderbens sind mächtig gesteigert worden[1]. Nicht wie bei Homer schließt das Gleichnis schlicht und einfach: „Er treibt die Schafe in eine Höhle", sondern wieder klingt es in einem größeren Bild aus in dem Rauschen des Windes, dem Boten des Verhängnisses. In wachsender Eile naht das Unheil, wie die Steigerung des Zeitmaßes, wie der daktylische Vers am Schluß zeigt

---

[1] Es wirkt wohl auch Ilias 5, 87 ein, wo die verheerende Wirkung des Diomedes im Bilde eines Winterstromes beschrieben wird, der Brücken und Hürden ‚prangender Saatfelder' zerstört.

Ante volant sonitumque ferunt ad litora venti.

Während das Gleichnis bei Homer nur eine nebensächliche Episode auf Agamemnons Rundgang in einem mehr epischen als dramatischen Zusammenhang darstellt, ist es bei Virgil ein wichtiger Baustein im Gesamtverlauf [1]: es ist zu einem Sinnbild des nahenden Endes geworden. Nach diesem Vorspiel begegnen sich Äneas und Turnus zum erstenmal, wenn auch zunächst nur von ferne: in dem Tod der Gegner, die sie erlegen, spiegelt sich ihr Wesensgegensatz wider (XII 500 ff.) Äneas tötet ‚*qua fata celerrima*‘ [2], Turnus steckt die abgeschlagenen Häupter bluttriefend als Siegestrophäen auf seinen Schlachtwagen und läßt die Köpfe des Nisus und Euryalus aufspießen[3]. Bei Homer ist Hektor nicht grausamer als Achill. Das Grauen im Umkreis des griechischen Helden zu dämpfen, etwa in der Absicht, ihm so den Glanz einer höheren Menschlichkeit zu verleihen, wie Virgil es bei Äneas getan hat, wäre Homer nicht in den Sinn gekommen. Kampf ist für Achill höchstes Genügen und tiefe Lust, für Äneas ist er die bittere Erfüllung einer Pflicht [4].

---

[1] Wie unvermutet weit die Einbeziehung in die Gesamtbewegung des Buches geht und wie überraschend sich die Bilder wiederholen, wird deutlich, wenn man sich vergegenwärtigt, daß die Entwicklung von diesem ‚atrum agmen‘ und dem ‚abrupto sidere nimbus‘ bis zu der Lanze des Äneas geht, die ‚atri turbinis instar‘ dem Turnus ‚grausen Untergang‘ bringt (XII 923).

[2] Auch sonst ist der Tod der Feinde, die Äneas erlegt, weniger grausam, z. B. X 313. 317. 322. 326. Dagegen Turnus z. B. IX 698. 749. 770. XII 356. 380.

[3] Dies geht aus dem Zusammenhang hervor. Turnus war unmittelbar vorher genannt (IX 462).

[4] Achill verzehrt sich vor Sehnsucht nach Schlacht und Krieg (1, 491). Agamemnon kennzeichnet ihn mit den

Man könnte hier einwenden, daß Virgil also doch, wenigstens in dieser Hinsicht, ‚parteiischer' sei als Homer. Ich glaube jedoch nicht, daß die unterschiedliche Charakterisierung des Äneas und des Turnus der früheren Aufstellung widerspricht, daß der Dichter mit seinem Herzen auf Seiten beider Parteien stehe. Die höhere Stufe der Menschlichkeit, die ‚römische' Art und Gesinnung, die innere Zucht und geistige Überlegenheit, das römische Gefühl für die Heiligkeit des Rechts und der Verträge hat allerdings Äneas dem Turnus voraus, und sein Sieg ist nach der römischen Auffassung von den Gesetzen der Politik die notwendige Folge einer höheren Moral. Aber das hat nichts zu tun mit der Bewunderung, die der Dichter gleichwohl dem Turnus zollt. Turnus stellt das Italikertum gleichsam in seinem kraftvollen Urzustand dar, vor der Berührung mit einer höheren Idee. Aus den zwei Elementen, die beide notwendig und wertvoll sind: der religiös und moralisch fundierten Sendung des Äneas, in der sich die Romidee symbolisiert, und der Anlage der italischen Natur ist die Größe Roms hervorgegangen. Äneas bringt Italien die troischen Götter (XII 192 *sacra deosque dabo*): er bringt ihm die Religion und die Sittlichkeit, auf der die Geschichte Roms beruhen wird; aber Italien ist dessen würdig. Es liefert die edle Kraft seiner zum Guten be-

---

Worten: ,,Immer ist dir Streit lieb und Kriege und Schlachten." Achill (19, 213): ,,An Speise und Trank liegt mir nichts, aber an Mord und Blut und dem Schmerzensgestöhn der Männer." Pulydamas nennt ihn den ‚Mann, der unersättlich ist im Kriege' (13, 746). Allerdings ist die Grausamkeit bei Achill, worauf Schadewaldt aufmerksam macht, Ausdruck des Willens, sich zu rächen.

stimmten Natur, die sich erst durch die Berührung mit einem Höheren segensreich entfalten kann. Der Deutung der römischen Geschichte aber, die in dem Gedanken liegt, daß die Stärke eines gesunden, unverbildeten Stammes und eine höhere Idee die Grundvoraussetzungen wahrer Politik und geschichtlicher Größe sind, wird man heute trotz Herder, Hegel und Mommsen und trotz mancher widersprechender Stimmen aus neuerer Zeit, die in dem einzigartigen geschichtlichen Erfolg der Römer nur das Resultat einer Gewaltpolitik sehen wollen, die mit dem Instinkt des ‚politischen‘ Menschen zielbewußt festgehalten wurde, die Anerkennung nicht mehr ganz versagen können.

Äneas verkörpert gegenüber Turnus eine höhere Stufe der Politik und der Kriegführung. Im ganzen greift er nur dreimal in die Kämpfe ein: das erstemal, als die Rutuler sich unter Bruch des Vertrages, den Latinus geschlossen hatte[1], der Landung widersetzen: der Angreifer ist Turnus (X 276 ff.) und der erste Gegner, den er erlegt, geht ihn zuerst an; dann ein zweites Mal, um Pallas zu rächen, und schließlich, und auch nur sehr zögernd[2], als die Latiner den feierlich beschworenen

---

[1] Die Zusage des Latinus an Ilioneus (VII 259 ff.) wird als ‚foedus‘ aufgefaßt. Vgl. VIII 540:
   Poscant acies et foedera rumpant!
   XII 582: Bis iam Italos hostis, haec altera foedera rumpi.
   VII 595: Ipsi has sacrilego pendetis sanguine poenas.
[2] XII 465: Nec pede congressos aequo nec tela ferentis
   Insequitur, solum densa in caligine Turnum
   Vestigat lustrans, solum in certamina poscit,
wie es der Vertrag bestimmt hatte. Erst als die Lanze des Messapus seinen Helmbusch streift, ergreift ihn Kampfeswut.

205

Vertrag brechen. Der Vertragsbruch wird bei den entscheidenden Kampfhandlungen des Äneas von ihm selbst ausdrücklich als Grund seines Angreifens genannt. (XII 496 f. und 573). Noch im Zweikampf mit Turnus holt nicht er, sondern sein Gegner zum ersten Schwertstreich aus. Er kämpft wie die Römer *,sui defendendi'*, *,ulciscendi'* und *,iniuriae propulsandae causa'*. Das heißt er verkörpert die römische Idee des *,bellum iustum'*. Es ist auf der andern Seite bemerkenswert, daß auch Turnus mit dem Bruch des Vertrages in keiner Weise belastet wird. Dieser ist auf Iuturnas Eingreifen zurückzuführen[1] und wird durch Tolumnius bewerkstelligt, den ein falsches Vogelzeichen täuscht. Auch dies ist ein Beweis dafür, daß die Auffassung des Turnus als eines *,Staatsfeindes'* in die Irre geht. Hätte ihn Virgil wirklich als solchen charakterisieren wollen, so wäre nichts näher gelegen, als ihm den Vertragsbruch aufzubürden.

Aus dem Herannahen der beiden Helden entwickelt sich zunächst, ähnlich wie vor dem Zweikampf zwischen Pallas und Turnus, eine allgemeine Schlacht. Äneas wendet sich in einer Szene, die als Gegenstück zu der Belagerung des trojanischen Lagers im neunten Buch gedacht ist, zunächst den Mauern der Stadt zu (XII 554 ff.). Dem sinn- und planlosen Einbruch des Turnus in IX, seinem blinden Berserkertum steht der geschlossene Einsatz der gesammelten Streitmacht durch Äneas entgegen, der *,vis consili expers'* die *,disciplina Romana'* (XII 574):

---

[1] Auch Juno hatte sich davon distanziert: XII 134 ff.

206

Dixerat atque animis pariter certantibus omnes
Dant cuneum densaque ad muros mole feruntur.

Im Gegensatz zu dieser disziplinierten Einigkeit steht
die wachsende ‚*discordia*' auf seiten der Latiner. Die
Königin Amata erhängt sich[1], Latinus bedeckt sein
Haupt mit Staub.

Zur gleichen Zeit steht Turnus, durch Juturna vor dem
Zusammentreffen mit Äneas bewahrt, ununterbrochen
in scheinbar siegreichem Kampf (XII 479). Doch wieder
kämpft er, wie im Grunde immer, an falschem Ort und
mit falschem Ziel. Im Gegensatz zu Hektor, der, mit
Wissen und Willen' dem Rat des Apoll folgt, Achill aus
dem Weg zu gehen (Il. 20, 379), weiß er nicht, wo der
Gegner steht [2]. Erst durch das Getöse aus der Stadt
wird er darauf aufmerksam gemacht, was dort vorgeht.

Der Dichter hat im Gegensatz zu Homer alles vermieden,
was ein schlechtes Licht auf den Helden der Feindseite
werfen könnte.

Aber seine Kampfesfreude läßt immer mehr nach. Jener
Lärm macht ihn vollends unsicher. Und die Worte an
die Schwester verraten, daß er einen Sieg nicht mehr
für möglich hält und dem Tod mit Gewißheit ins Auge
schaut:

---

[1] Dieses ‚letum informe' ist ein Zeichen der gnadenlosen
Verworfenheit der Königin, der die Furie Allekto eine
‚Schlangenseele einhauchte', ein charakteristischer Zug
also, nicht nur, wie Heyne erklärt, ein in der Tragödie
üblicher Modus des Sterbens.

[2] Irrig Heinze S. 212: „Dem Äneas läßt er sich halb mit
Wissen und Willen durch die göttliche Schwester entziehen, bis langsam das alte Ehrgefühl wieder angesichts
der leidenden Seinen erwacht."

,Wer wollte, daß du vom Olymp herabgesendet solche
Kampfesmühen erduldetest?[1] Etwa daß du des unglücklichen Bruders grausamen Tod sähest? Denn
was vermag ich noch und welcher glückliche Erfolg
gewährleistet die Rettung? Ich selbst sah den Murra-
nus vor meinen Augen fallen, als er mich rief, den
Teuersten von allen, die noch am Leben sind ...
der unglückliche Ufens starb, daß er unsere Schande
nicht schaue, die Teukrer bemächtigten sich der
Leiche und der Waffen.

XII 634: *Sed quis Olympo*
Demissam tantos voluit te ferre labores
An fratris miseri letum ut crudele videres?
Nam quid ago aut quae iam spondet fortuna salutem?
Vidi oculos ante ipse meos me voce vocantem
Murranum quo non superat mihi carior alter
Oppetere ...
Occidit infelix, ne nostrum dedecus Ufens
Aspiceret, Teucri potiuntur corpore et armis.

Hieraus spricht nicht nur der Gram über die sich deutlich abzeichnende Niederlage, sondern mehr noch die
Kümmernis und die Scham des Feldherrn darüber, daß
er seinen Getreuen nicht mehr helfen kann. Es flammt
hier wieder etwas auf von jenem edeln Schmerz, der in

---

[1] Dies ist den Worten des Äneas verwandt, in denen das
Gefühl des Dichters für die Tragik des Erdenlebens aus-
bricht:

Quae miseris lucis tam dira cupido (VI 721).

Auch ist es ein Nachklang der Szene aus der Ilias, wo die
Tragik des menschlichen Daseins in den Worten des Zeus
an die unsterblichen Rosse des Achill einen ergreifenden
Ausdruck fand (Ilias 17, 443): ,,Ihr Armen, gaben wir euch,
die ihr ewig jung seid und unsterblich, darum dem Herren
Peleus, daß ihr unter den unglücklichen Menschen Schmer-
zen erdulden müßtet? Denn nichts ist unglücklicher als der
Mensch von allem, was da atmet und kriecht.''

der Szene mit dem Trugbild des Äneas zum Ausdruck kam. Er wird in dem Punkte getroffen, wo er am verwundbarsten ist. Wie Dido, die dem grausam gemordeten Gatten ewige Liebe schwor, dazu verurteilt ist, den Schwur zu brechen, und als sie ihre Liebe dem Äneas schenkte, verlassen zu werden, so ist es das bittere Schicksal des Ehrliebenden, seine Ehre zu verlieren und die, die seiner Fahne folgten, ins Verderben zu stürzen. Nicht zufällig wird man in der Trugbildszene an das große tragische Vorbild eines solchen Schicksals, den sophokleischen Aias, erinnert. Wie damals überkommt den Helden das würgende Gefühl, von den Göttern verlassen und der Ehrlosigkeit preisgegeben zu sein. Die Niederlage im Kampf wird durch die innere Niederlage vorbereitet und vertieft. Wie falsch wäre es, hier von Charakterschwäche zu sprechen, statt die tragische Auflösung der inneren Kraft zu sehen, statt zu spüren, wie das wachsende Bewußtsein hievon ihn niederzwingt.

Dem inneren Schmerz und der inneren Schmach aber stellt Turnus — wer fühlte nicht wieder die Verwandtschaft mit Dido? — die wachsende Entschlossenheit zu Tod und Ruhm entgegen:

> Ich sollte den Rücken kehren, und dieses Land den Turnus fliehen sehen? Ist Sterben ein solches Unglück? Seid ihr mir gnädig, ihr Manen, da der Oberen Wille mir entgegen ist. Eine reine Seele, die frei ist von solcher Schuld, will ich zu euch hinabsteigen, der großen Ahnen niemals unwürdig.
>
> XII 645 *Terga dabo et Turnum fugientem haec terra videbit?*
> *Usque adeone mori miserum est? Vos o mihi manes*
> *Este boni, quoniam superis adversa voluntas.*

Sancta ad vos anima atque istius nescia culpae
Descendam magnorum haud umquam indignus
avorum[1].

Die tragische Größe, zu der sich Turnus hier erhebt,
gemahnt an Achill. Der Gedanke an die schmachvoll und
hilflos untergegangenen Kampfgefährten ist wie ein
Nachhall der Szene zwischen dem Helden Homers und
seiner Mutter: ,,Zu ihm sprach Thetis, Tränen ver-
gießend: ,Nach dem, was du sagst, wird dich der Tod
schnell ereilen, denn gleich nach Hektor ist dir das
Schicksal bereit.' Zu ihr aber sprach voll Unmuts der
schnellfüßige Achill: ,Sofort möchte ich sterben, da ich
meinem Gefährten, als er getötet wurde, nicht half. Fern
von der Heimat ging er zugrunde, meiner hätte er be-
durft, daß ich das Unheil ihm wehrte. Nun wurde ich
weder dem Patroklos ein Retter noch den andern Gefährten, die in großer Zahl von Hektor bezwungen
wurden" (18, 94 ff.). Und ist die Entschlossenheit zu Tod
und Ruhm, die hier wie schon am Anfang des Buches
hervortritt (vgl. o. S. 188), nicht eine Wiederaufnahme
der ,tragischen Entscheidung', der ,Prohairesis' des
Achill? ,,Jetzt geh ich, um den Verderber des lieben
Hauptes zu treffen, den Tod aber werde ich empfangen,
wann Zeus ihn vollenden will und die andern unsterblichen Götter. Auch des Herakles Gewalt entfloh dem
Tode nicht. So werde auch ich, wenn mir ein ähnliches
Schicksal bereitet ist, tot da liegen. Jetzt aber möchte
ich edeln Ruhm erwerben" (18, 114 ff.). ,,Xanthos, was
kündest Du mir den Tod? Du brauchst ihn nicht zu

---

[1] Die Worte sind in Pathos und Funktion mit dem Vers
der Dido verwandt: Et magna mei sub terras ibit imago.

künden, denn ich weiß es selber ganz wohl, daß es mein
Schicksal ist, hier zu sterben, fern dem lieben Vater und
der Mutter. Aber trotzdem werde ich nicht einhalten,
bevor ich den Troern den Krieg nicht verleide." (19,
420.)

Also nicht Hektor ist das wahre Vorbild des Turnus,
wie man immer geglaubt hat, sondern Achill, so wie ihn
ja auch die Sibylle ankündigt

> *Alius Latio iam partus Achilles*
> *Natus et ipse dea.*

Alle großen Züge stammen von ihm, von Hektor kommt
nur das äußere Schicksal: der Einbruch in die Mauern,
der Schiffsbrand, der Abschied, das Unterliegen im
Zweikampf. Aber selbst in diesen Szenen fließen Züge
des Achill bedeutsam mit ein, wie es für die Abschiedsszene hinsichtlich der ‚tragischen Entscheidung' gezeigt
wurde, und auch im Zweikampf weicht sein Verhalten
erheblich von dem des Hektor ab. Angesichts des Todes,
in aussichtsloser Lage, wächst er erst zur vollen Heldengröße heran. Entschlossen weist er die Zumutung
Juturnas zurück, sein Leben zu retten[1]. Bewußt wie

---

[1] Juturna ist in schwesterlicher Liebe nur auf das Leben
des Bruders bedacht, wie Venus auf das Leben ihres
Sohnes. Ihr sorgendes Herz würde gerne auf die Heldengröße des Geliebten (wie Thetis in der Ilias) verzichten.
Vgl. Venus X 42:

> Nil super imperio moveor ... liceat dimittere ab armis
> Incolumem Ascanium liceat superesse nepotem ...
> Est Amathus, est celsa mihi Paphus atque Cythera
> Idaliaeque domus: positis inglorius armis
> Exigat hic aevum.

Freilich sind diese Worte nicht völlig ernst zu nehmen.
Denn sie sind nicht ohne Malice gegenüber den ganz
anderen Plänen Jupiters gesprochen.

Achill und größer als Hektor, der vor dem Zweikampf mehr an die Schmach denkt, der er entgehen, als an die Ehre, die er erringen möchte (22, 99 ff.)[1], wählt er den Tod um seines Ruhmes willen. In der nächsten Szene entfaltet sich dann aus dem inneren Entschluß die äußere Verwirklichung[2]. Saces eilt auf schäumendem Pferde und blutenden Gesichts herbei, selber das Unglück verkörpernd, das er meldet. Von dem ‚waffenblitzenden‘ Äneas, der droht, die italischen Burgen zu schleifen, geht seine sich steigernde Rede über das Schwanken des Latinus zum Selbstmord der Amata über und von da, und das ist der Dolch, der den Turnus ins Herz trifft, zu der Schande des Feldherrn, die in den Schlußworten deutlich genug ausgedrückt ist (XII 661):

> Vor den Toren halten allein Messapus und der grimme Atinas die Reihen auf. Um sie zu beiden Seiten stehen dicht die Phalangen und von gezogenen Schwertern starrt das eiserne Kornfeld: du wendest den Wagen auf verlassenem Grase.

> *Soli pro portis Messapus et acer Atinas*
> *Sustentant acies. Circum hos utrimque phalanges*
> *Stant densae strictisque seges mucronibus horret*
> *Ferrea: tu currum deserto in gramine versas.*

Turnus ist fassungslos vor Schmerz (666)

> Es wogt in dem einen Herzen gewaltige Scham und Rasen mit Trauer gemischt und Liebe von Furien getrieben und schuldbewußtes Heldentum.

---

[1] Scham und Ruhm als Motive Hektors im Abschied von Andromache (6, 441 ff.).
[2] Dagegen meint Heinze, daß erst Saces das ‚alte Ehrgefühl in ihm anstachle‘.

212

Aestuat ingens
Uno in corde pudor mixtoque insania luctu
Et furiis agitatus amor et conscia virtus.

Und als sich das Dunkel um ihn lichtet, da sieht er den Turm im Flammenwirbel aufgehen und in Rauch zusammenbrechen, den er selber gebaut hatte, und er deutet dies als Symbol des Zusammenbruchs seines Schicksals. Da aber erhebt er sich, wie Dido sich für einen Augenblick gleichsam lösend von seiner Leidenschaft, gefaßt und ergeben zu einer Haltung, die in Gebärde und Ausdruck mit der stoischen Schicksalsgefolgschaft verwandt ist:

> Schon siegt das Verhängnis, o Schwester, halt mich nicht zurück. Wohin uns der Gott ruft und das harte Schicksal, wollen wir folgen, fest steht der Entschluß, mit Änèas zu kämpfen, im Tode zu dulden, soviel er des Bittern enthält. Schwester, du wirst mich nicht mehr unwürdig sehen.

> XII 676: *Iam iam fata, soror, superant, absiste morari,*
> *Quo deus et quo dura vocat Fortuna, sequamur.*
> *Stat conferre manum Aeneae, stat, quidquid acerbi est,*
> *Morte pati; neque me indecorem, germana, videbis*
> *Amplius.*

Die Bereitschaft des Großgesinnten zum Tode, die die Philosophie seit Plato verherrlicht hatte, vereinigt sich hier mit der heldenhaften Entscheidung des homerischen Achill zu einer großen Wirkung. Aber als sollte seine dämonische Natur noch einmal zu ihrem Rechte kommen, beschließt er seine Rede mit dem ganz unstoischen

> *Hunc sine me furere ante furorem.*

Hiemit schiebt er das letzte Hemmnis beiseite: er verläßt die Schwester, die ihn zu retten suchte und dadurch nur umso tiefer in Schmach stürzte. Nicht wie Hektor ist er aus Angst mutig (Ilias 22, 99 ff.) und auch nicht deshalb, weil er wie dieser[1] und er selber am Anfang des Krieges (Allekto und Iris) von den Göttern getäuscht wurde, sondern freiwillig nimmt er das Schicksal auf sich, das er kennt.

Das anfängliche Ausweichen vor dem Tode hat in der Didoerzählung sein Analogon ebenso wie die Rolle der Schwester und ihre Entfernung, als der Tod naht. Wie Dido erliegt Turnus immer wieder trügerischen Hoffnungen, bis auch er sich, als sie zusammengebrochen sind, dem Tode zuwendet, um in einem heroischen Untergang sein höheres Selbst zu retten. Wie die Königin kann er von dem nicht lassen, an das er sein Herz mit ganzer Leidenschaft hängte: die Rettung des Vaterlandes und seinen Ruhm. Aber je mehr er daran festhält, umso tiefer stürzt er hinab. Je mehr er seine Ehre zu retten sucht, desto mehr verliert er sie — genau wie Dido. Aber an ihn treten die trügerischen Lockungen, die ihn unter Vorspiegelung des winkenden Sieges (Trugbildszene, Aristie fern von Äneas) vom Tode zurückzurufen trachten, von außen heran, während sie bei Dido dem eigenen Herzen entsteigen, ebenso wie auch die Warnungen bei Turnus von außen, bei Dido aus der eigenen Seele kommen. In beiden Fällen liegt in dem Festhalten am Leben, dem Ausweichen vor der letzten Entscheidung, so etwas wie Schuld. Ja, es ist — ganz

---

[1] 18, 310: ,,So sprach Hektor und die Troer lärmten Beifall, die Toren, denn Pallas Athene nahm ihnen den Verstand.'' Beim Zweikampf wird er durch die Täuschung der Göttin, die in Gestalt des Deiphobos naht, veranlaßt, sich dem Achill zu stellen.

wie bei Dido — eine doppelte Schuld, mit der er sich belädt: die Schuld, den Kampf begonnen zu haben — die Schuld der dämonischen Leidenschaft — und die Schuld, ihn nicht zu beenden — die Schuld des Festhaltens an der Leidenschaft. Und das Einsehen dieser Schuld trägt bei Turnus nicht weniger zu seiner ,Tragik' bei als bei Dido, nur daß sein Seelendrama der Situation des kämpfenden Helden entsprechend, die weit mehr äußere Handlung erfordert, viel knapper angedeutet ist. Vorhanden aber ist es gleichwohl, und schon, daß überhaupt ein Seelendrama sich abspielt, zeigt, daß das Schicksal als ein tragisches angelegt ist.

Nach dem Abschied von Juturna erklärt Turnus vor den Rutulern, es sei richtiger, daß er für sie den Vertrag ,büße'[1]. Auch hierin liegt die Anerkenntnis seiner Schuld, die wie bei Dido umso ergreifender ist, als sie nicht moralischer, sondern tragischer Natur ist.

In rasendem Sturmlauf stürzen sich die Helden entgegen. In einem Gleichnispaar kommt ihr Wesen noch einmal zum Ausdruck, als wollte der Dichter in haftenden Bildern die Art der Kräfte kennzeichnen, die sich hier entgegentreten: Turnus stürmt der Stadt, in der Äneas wütet, wie ein Bergsturz entgegen:

> Wie der Felsen vom Bergesgipfel jäh herabstürzt, von Winden weggerissen oder wirbelnder Regen spülte ihn hinweg oder das schleichende Alter mit den Jahren, und der unheilvolle Berg stürzt in gewaltigem Schwunge steil zu Tal, springt über den Boden und wälzt Bäume und Herden und Menschen

---

[1] XII 694: me verius unum
Pro vobis foedus luere et decernere ferro.

mit sich: so stürmt Turnus durch die auseinander stiebenden Scharen zu den Mauern der Stadt, wo die Erde am meisten vom vergossenen Blute trieft und die Lüfte von Lanzen zischen.

> XII 684: *Ac veluti montis saxum de vertice praeceps*
> *Cum ruit avolsum vento seu turbidus imber*
> *Proluit aut annis solvit sublapsa vetustas,*
> *Fertur in abruptum magno mons improbus actu*
> *Exultatque solo, silvas, armenta virosque*
> *Involvens secum: disiecta per agmina Turnus*
> *Sic urbis ruit ad muros, ubi plurima fuso*
> *Sanguine terra madet striduntque hastilibus aurae.*

Wie anders naht Äneas:

> Vor Freude frohlockend donnert er furchtbar mit Waffen, so gewaltig, wie der Athos oder der Eryx, oder, wenn er mit lichtflimmernden Eichen rauscht und sich freut, sich mit schneebedecktem Gipfel zu den Lüften zu erheben, der Vater Appennin.

> XII 700: *Laetitia exultans horrendumque intonat*
> *armis*
> *Quantus Athos aut quantus Eryx aut ipse coruscis*
> *Cum fremit ilicibus quantus gaudetque nivali*
> *Vertice se attollens pater Appenninus ad auras.*

Der Fels, der zu Tal stürzt und eine Bahn der Zerstörung hinterläßt, und die majestätische Gewalt und festgegründete Dauer ewig in sich ruhender Berge, das Finstere und das Lichte, das Hinabstürzende und sich ‚in Lüfte Erhebende‘, die dunkeln Töne und die hellen: in diesen gegensätzlichen Symbolen ist nicht nur der Kontrast zwischen Turnus und Äneas ausgedrückt, sondern auch zwischen Niederlage und Sieg, zwischen dämonischen und göttlichen Gewalten, zwischen bar-

216

barischen und römischen Wesen[1], zwischen der Eintags-
gewalt wilder Zerstörung und einer Macht, die die Zeiten
überdauert. Und diese Wirkung ist unter Virgils Händen
aus den drei Worten Homers hervorgewachsen: ‚einem
beschneiten Berge gleich' (Ilias 13, 754), die nur einen
optischen Eindruck malen.

Der Kampf selbst ist erhöht von der Resonanz der Zu-
schauerschaft, ja der ganzen Natur, während um Hektors
Tod beängstigende Leere herrscht. Und es ist eine tragische Resonanz: ,,Die Erde seufzt", ,,von Wehklagen
widerhallt die ganze Welt", ,,gewaltiges Tosen erfüllt
den Äther". Das Wort ‚Äther' leitet über zu der Seelen-
wägung Jupiters, die, ohne beschrieben zu werden, sich
auswirkt in dem Zerbrechen des Schwertes, das Turnus
schwingt.

Dies ist für den aufmerksamen Leser eine große Über-
raschung. Glaubte man doch, daß es das Schwert des
Vulcan sei, das er in Händen hält. Denn in der Rüstungsszene war davon ausführlich die Rede (XII 91 ff.).
Turnus aber hatte es in der Eile vergessen — *vis consili
expers* — und von seinem Wagenlenker ein anderes er-
halten (735 ff.). Durch die Erfindung erreicht der Dichter
zweierlei: erstens wird die Spannung erhöht, weil die
beiden Gegner in der Bewaffnung zunächst gleichwertig
erscheinen: des Schwert des Vulcan könnte gegen den
Schild des Gottes wohl aufkommen. Zweitens wird dadurch deutlich gemacht, daß Turnus dem Äneas weder

---

[1] Die Romidee findet auch an anderer Stelle in einem
‚unbeweglichen Felsen' ihren symbolhaften Ausdruck:
 Dum domus Aeneae Capitoli immobile saxum
  Accolet imperiumque pater Romanus habebit (IX 448).

an Mut noch an Kampfkraft unterlegen ist, wohl aber an Geist, Besonnenheit und ‚Glück‘. Der Segen der Götter ruht nicht auf ihm. Äneas ist, wie der Poseidon der Ilias von Achill sagt, den ‚Göttern lieber‘.

Auch nach dem Verlust des Schwertes erlischt die Spannung nicht. Turnus flieht zwar, aber er tut es nicht aus Furcht und nicht nur, weil er keine Waffe mehr hat, um sich im Nahkampf des Feindes zu erwehren, sondern, um vielleicht doch noch das vergessene Schwert zu erlangen (758 ff.), wonach er den Kampf wieder mit Siegesaussichten beginnen könnte[1]. Er will nicht sosehr dem Gegner entkommen als vielmehr den Kampf mit neuen Waffen wieder aufnehmen. Darin aber unterscheidet er sich von Hektor, doch nicht, wie Heinze annimmt (S. 212, Anm. 2), zu seinem Nachteil. Denn er ergreift erst die Flucht, als er waffenlos geworden ist, Hektor flieht schon beim bloßen Anblick des Gegners. Und auch im weiteren Verlauf des Kampfes ist der Gegensatz zu Homer in einer für Turnus rühmlichen Weise herausgearbeitet. Es ist also genau umgekehrt, als man es dargestellt hat: Virgil ist hier nicht ‚parteiischer‘ als Homer, sondern weniger parteiisch: Turnus erscheint durchaus heldenhafter als Hektor. Der Vorwurf ‚kläglichen‘ Verhaltens, den Heinze erhebt, wäre bei ihm eher am Platz. Dem Turnus wäre es jedenfalls nicht beigefallen, dem Gegner alles kampflos auszuliefern, wie es Hektor in seiner Angst ernstlich erwägt, dann freilich verwirft, aber nicht, und das ist bezeichnend genug, weil es schändlich wäre, sondern weil er bei dem unerbittlichen

---

[1] Die Chance, daß ihm das gelingt, wird dadurch erhöht, daß die Pfeilwunde den Äneas beim Laufen behindert.

218

Gegner ja doch keine Gnade erhoffen darf (Ilias 22, 111 ff.). Hektor, nicht Turnus, von dem Heinze es behauptet (vgl. o. S. 189), ist mutig, als Achill fern ist[1], und als er wirklich naht, verläßt ihn der Mut[2]. Und auch bei dem andern Zweikampf, der Erlegung des Patroklos, bedeckt er sich wahrlich nicht mit Ruhm: erst als der Held von dem Speer des Euphorbos im Rücken getroffen zurückweicht, greift er ihn an und stößt ihm die Lanze in den Unterleib. Der Sterbende versäumt nicht, es ihm vorzuhalten (16, 847): ,,Solche (wie dich) hätte ich zwanzig erlegt. Mich hat die verderbliche Moira getötet und der Sohn der Leto, von den Menschen aber Euphorbos, Du nimmst mir als Dritter die Waffen."

Als es dem Turnus nicht gelingt, seines Schwertes habhaft zu werden und Äneas versucht, die Lanze aus dem Ölbaumstumpf herauszuziehen — den heiligen Baum des Faunus hatten die Trojaner gefällt und sich so mit einem Frevel belastet, der sich alsbald rächt —, hat das Gebet des Turnus an Faunus zuerst Erfolg: Äneas vermag sich der Lanze nicht zu bemächtigen, ein letztes Mal zögert das Schicksal. Erst als Juturna dem Bruder endlich das ersehnte Schwert des Vulcan überreicht und der Kampf für Äneas nun bedrohlich werden könnte, greift Venus ein und zieht die Lanze heraus. Die Göttin, nicht der Mensch, bringt die Entscheidung.

---

[1] Hektor 18, 306: ,,Ich werde nicht vor ihm fliehen aus dem schmerzensreichen Kampf, sondern ihm entgegentreten." 20, 371: ,,Ich werde ihm entgegentreten, auch wenn seine Hände dem Feuer gleichen und Sinn glühendem Eisen."
[2] Erst als es kein Entrinnen mehr gibt, entschließt sich Hektor zu einer heldenhaften Haltung.

Und nun stellt auch in der Sphäre der obersten
Götter Juno ihren Groll ein, nicht ohne zu erreichen,
daß der trojanische Namen für immer ausgelöscht und
Roms Geschlecht durch die ‚*virtus Itala*' mächtig werden
soll, wodurch auch auf das Ende des Turnus ein ver-
söhnliches Licht fällt.

Jupiter entsendet eine der beiden Diren, die am
Throne des Göttervaters als Boten des Todes wachen,
um Juturna von ihrem Bruder zu trennen. Sie um-
schwirrt den Helden in Gestalt eines Totenvogels,
schlägt seinen Schild mit den Flügeln[1] und nimmt
diesem die Kraft, so daß Äneas ihn dann durchstoßen
wird. Wie hier das Ende des Turnus vorbereitet wird,
steht in einem inneren Zusammenhang mit der Besitz-
ergreifung seines Wesens durch die Furie Allekto in der
Nacht, da sein Verderben den Anfang nahm: der Ring
seines Schicksals schließt sich im Wirken der ‚Töchter
der Nacht'.

Das Erscheinen des Dämons lähmt die Kraft des Helden,
wie Apoll den Patroklos lähmt (Ilias 16, 805), und bewegt Juturna zu ihrem ergreifenden Abschied. Ihre
Klage entspricht der Klage der Anna beim Ende der
Dido. Beide möchten dem Abscheidenden am liebsten
in den Tod folgen. Und wenn Turnus auch nicht in den
Armen der Schwester sterben kann wie Dido, so wird
doch auch sein Tod durch ihre Trauer gesänftigt.

Als Äneas ihn dann zum letzten Kampfe stellt, spricht
er noch einmal das Gefühl aus, daß ihn die Götter verlassen haben (XII 894):

---

[1] XII 865 ff. Auch der Dido erscheint ein Totenvogel
(IV 462).

Non me tua fervida terrent
Dicta, ferox: di me terrent et Iuppiter hostis.

Und dann schleudert er, weil er mit dem Schwerte gegen
den zum Lanzenwurf ansetzenden Feind nichts mehr
vermag, einen gewaltigen Stein. Aber er ist für ihn zu
schwer, was schon Heinze als Zeichen deutete, daß er
sich eine Aufgabe stellte, die seine Kräfte überstieg.
Als er ihn wirft, ist er wie von Sinnen (XII 903 ff.).
Seine innere Lähmung, die der Anblick der Dira in ihm
bewirkt, findet in einem Gleichnis ihren Ausdruck:

> Wie im Schlafe, wenn matte Ruhe auf den Augen
> lastet, uns träumt, wir wollten begierig unsere
> Schritte im Laufe dehnen und mitten im Versuch
> brechen wir elend zusammen, die Zunge hat keine
> Gewalt, die gewohnten Kräfte versagen, und es folgen
> nicht Stimme und Worte: so versagt dem Turnus,
> mit welchem Heldenmut er auch den Weg suche, die
> Dire den Erfolg. Mannigfache Gedanken wechseln in
> seiner Brust: er schaut nach den Rutulern und nach
> der Stadt und zaudert vor Furcht und zittert vor dem
> Drohen der Lanze und weiß nicht, wohin er ent-
> fliehen oder mit welcher Waffenkraft er gegen den
> Feind angehen soll, und nirgend sieht er den Wagen
> und seine Lenkerin: die Schwester.[1]

> XII 908: *Ac velut in somnis, oculos ubi languida*
> *   pressit*
> *Nocte quies, nequiquam avidos extendere cursus*
> *Velle videmur et in mediis conatibus aegri*
> *Succidimus: non lingua valet, non corpore notae*
> *Sufficiunt vires nec vox aut verba sequuntur:*
> *Sic Turno, quacumque viam virtute petivit,*

---

[1] Der Zug erinnert an Hektor, der vergebens den Deiphobos
sucht. Dort aber hat die Göttin den Helden getäuscht, hier
ist sie auf Jupiters Befehl von ihm gewichen.

Successum dea dira negat. Tum pectore sensus
Vertuntur varii: Rutulos adspectat et urbem
Cunctaturque metu telumque instare tremescit
Nec quo se eripiat nec qua vi tendat in hostem
Nec currus usquam videt aurigamque sororem.

Aus dem homerischen Gleichnis, das nur schildert, wie
Achill den Hektor nicht erreicht (Ilias 22, 199 f.),
so wie man im Traum sich vergebens verfolgt, ist ein
Angsttraum geworden, die beklemmende Vision einer
inneren Lähmung. Es ist klar, daß dies nicht nur die
äußere Überleitung bildet zu dem furchtbaren Augenblick, wo Äneas seine Lanze schleudern und Turnus zusammenbrechen wird, sondern den Zweck verfolgt, die
von den Göttern gewollte Ohnmacht des Turnus sichtbar zu machen, also tragische Furcht und tragisches
Mitleid wecken will. Als Turnus dann stürzt, springen
die Rutuler mit einem Schrei der Klage auf und
die Natur gibt der Klage einen gewaltigen Wider-
hall (XII 928 f.), so wie beim Tode der Dido die ganze
Stadt von Wehgeschrei erdröhnt. Nicht die Trojaner
frohlocken über seinen Tod, sondern die Rutuler trauern,
während bei Hektors Ende die Achäer den Siegesgesang
anstimmen. Auch dies zielt darauf hin, die Teilnahme
für das Schicksal des Helden zu vertiefen.
Und auch seine letzten Worte sind nicht anders gemeint:

Demütig und flehend Augen und bittende Hand erhebend spricht er: Ich habs verdient und will nicht
um Gnade bitten: nutze dein Glück. Wenn dich des
armen Vaters Sorge rühren kann, dann bitte ich —
auch dir war Anchises ein solcher Vater — erbarm
dich des Daunus Greisenschaft und gib mich, oder
wenn du lieber willst, meine Leiche den Meinen zurück.

XII 930: *Ille humilis supplexque oculos dextramque*
precantem
Protendens: Equidem merui nec deprecor, inquit,
Utere sorte tua. Miseri te si qua parentis
Tangere cura potest, oro — fuit et tibi talis
Anchises genitor — Dauni miserere senectae
Et me seu corpus spoliatum lumine mavis
Redde meis.

Die Bitte um Gnade und der Verzicht auf Lavinia ent-
springen keineswegs seinem wenig heldenhaften Charakter, wie Heinze[1] in Verkennung der Situation und
der Tragik des Buches glaubt, sondern sie zeigen an,
daß er den bittern Weg, den Vertrag einzulösen, bis
zum Ende geht. Danach war er durch Eid den Göttern
verpflichtet, die Entscheidung des Zweikampfes an-
zunehmen und Lavinia dem Sieger zu überlassen. Der
Verzicht ist daher nicht ‚kläglich‘, sondern eine Rechts-
folge des Vertrages. Es ehrt ihn, daß er dies ausdrücklich
anerkennt, zumal wir wissen, was einen Turnus ein
solches Zugeständnis kostet. Seine Worte aber gehen
über die Erfüllung des Vertrages noch hinaus. In dem
,,Ich hab's verdient'' liegt mehr. Zum ersten und einzigen
Male erkennt und bekennt hier Turnus seine *Schuld*
gegen Äneas, nicht nur die Schuld gegen seine eigene

---

[1] S. 212: ,,Aus seinen letzten Worten spricht der heiße
Wunsch, zu leben und um diesen Preis selbst auf Lavinia
zu verzichten: wer das vermag, will der Dichter sagen, ist
ihrer und der Krone niemals würdig gewesen.'' In der An-
merkung hiezu übt Heinze dann an Cauers Behauptung
Kritik, daß der Zweikampf zwischen Äneas und Turnus
dem zwischen Achill und Hektor fast wörtlich nachgebildet sei. Aber er ist offenbar der Meinung, daß der
Gegensatz zwischen Hektor und Turnus zuungunsten des
letzteren herausgearbeitet sei, während gerade das Gegenteil der Fall ist.

Würde, die in den letzten Worten an Juturna und an die Rutuler zum Ausdruck kam. Es erfüllt sich das Wort des Latinus: „Dich, Turnus, erwartet Unheil und düstere Strafe, spät wirst Du die Götter verehren." Weit entfernt also, dies als klägliches Versagen anzuprangern, wollte der Dichter hier vielmehr erst recht die Tragik des Helden fühlbar machen. Es liegt, meine ich, etwas Ergreifendes darin, daß der maßlose, wilde und unversöhnliche Turnus am Schlusse ein solches Bekenntnis ablegt, daß er sich zu dieser Ergebung in das Schicksal herabbeugt und zu der Erkenntnis seines Unrechts demütigt, die sich schon in dem *,aram suppliciter venerans demisso voltu'* der Vertragsszene (XII 220) leise vorbereitete. Die Sänftigung des Turnus ist der ,Bekehrung' des Götterverächters Mezentius zur Menschlichkeit am Ende des zehnten Buches innerlich verwandt, die eine der tiefsten Erfindungen des Gedichtes ist.

Auch ist das Schuldbekenntnis durchaus sinnvoll und notwendig als Vorbereitung auf die Versöhnung zwischen den Trojanern und den Italikern, die gleichfalls im Vertrag bereits festgelegt und durch Jupiters Zusage an Juno von der höchsten göttlichen Gewalt sanktioniert war. Blicken wir schließlich auf die andere große Gegnerin des Äneas zurück, so werden wir gewahr, daß die Versöhnung des Turnus in der Ökonomie des Ganzen den notwendigen Kontrapost bildet zu der Unversöhnlichkeit der Dido: die Königin wird aus der Liebenden zur unversöhnlichen Feindin, Turnus aber aus dem unversöhnlichen Feind zu dem demütig sich Unterwerfenden. So endet die Äneis nicht damit, daß der unterliegende Gegner in wildem Trotz mit einer Drohung der Rache untergeht wie Hektor oder Dido, sondern sein Schicksal trägt und sich mit ihm versöhnt.

Was aber die Bitte um sein Leben betrifft, an der man ebenfalls Anstoß nahm, so soll sie das Stichwort bilden zu dem Schwanken des Äneas, der wohl bereit wäre, den Besiegten zu schonen — *parcere subiectis* —, wenn nicht die Verpflichtung gegen Euander ihn zwänge, Rache für Pallas zu nehmen. Noch einmal leuchtet in Äneas die tiefe Menschlichkeit auf, die seiner Pflicht so oft entgegentrat und die den Grundzug seines Wesens und seiner Tragik bildet. Um aber dem Mißverstehen zu begegnen, dem Heinze verfallen ist, um den Turnus nicht unedel oder feige erscheinen zu lassen, spricht er zuerst die ebenso demütigen wie stolzen Worte:

> *Equidem merui nec deprecor, inquit,*
> *Utere sorte tua,*

erst dann bittet er, ihn oder seine Leiche, wie ja auch Hektor um Rückgabe seines Leichnams fleht, seinem greisen Vater auszuliefern:

> *Me seu corpus spoliatum lumine mavis redde meis*[1].

In *,seu mavis'*, in dem *,utere sorte tua'* und *,nec deprecor'* liegt die stolze Versicherung, daß es ihm selber gleichgültig ist, ob er lebend oder tot zu den Seinen zurückkehrt. Das Schwerste, was den Ehrliebenden trifft, ist nicht, daß er sein Leben verliert, sondern, daß die ,Ausonier sahen, wie er besiegt die Hände hob'. Nicht um seinetwillen fleht er um sein Leben, sondern um

---

[1] Die Worte ,seu corpus spoliatum lumine mavis' beinhalten freilich auch den Gedanken: ,So grausam wirst du nicht sein wollen.'

des Vaters willen, seine Bitte wird mit der Liebe begründet, die ihn an Daunus bindet:

> *Fuit et tibi talis*
> *Anchises genitor, Dauni miserere senectae.*

Und dies bleibt auf Äneas nicht ohne Eindruck. „Aus
‚*pietas*‘ will er ihn schonen und aus ‚*pietas*‘ muß er ihn
töten“, bemerkt schon Servius, „und beides dient“, wie
er zutreffend fortfährt, „ihm zum Ruhme“. Zieht man
in Betracht, was dem Dichter die Tugend der ‚*pietas*‘
und Sohnesliebe gilt, so kann man nicht annehmen, daß
durch diese Worte ein Fleck auf Turnus fällt: er stirbt
als ein Held [1].

Turnus ist wie Dido eine tragische Gestalt. Wie sie
durch göttliches Eingreifen einer tragischen Schuld
verfallen, wie sie durch höhere Mächte in eine Leidenschaft verstrickt [2], die den Untergang herbeiführt, wie
sie von hoher Ruhmesliebe erfüllt, die diesem Untergang
Größe verleiht. Und doch erreicht Turnus die Königin
an Würde und tragischer Wirkung vielleicht nicht ganz.
Nicht an ‚*magnitudo animi*‘ fehlt es ihm, wie die heroische Hinwendung zum Tode beweist, nicht an ‚*pietas*‘

---

[1] Im letzten Vers der Äneis:
> Vitaque cum gemitu fugit indignata sub umbras

scheint etwas von dem friedlosen Schicksal des von Dämonen Getriebenen eingefangen. Daß es sich hier um die
Übersetzung eines Homerverses handelt, die vielleicht
sogar vorvirgilisch ist, steht mit einer solchen Deutung
nicht in Widerspruch. Es gehört zu den Kunstabsichten
des zitierenden Dichters, alten Formen neue Wirkungen
zu entlocken. Auch beim Tode der Camilla dient der
gleiche Vers dazu, das Ende eines Lebens zu bezeichnen,
das eine Verkörperung rastlosen Kampfes ist.
[2] Die Leidenschaft des Kampfes, die Liebe zu Lavinia
tritt ganz zurück.

wie sein Verhalten zu den Göttern, seiner Heimat, seinem Vater und die Schicksalsergebenheit am Ende zeigen, nicht an ‚*humanitas*‘, wie sein Mitgefühl mit seinen Waffengefährten und sein Opfertod lehren. Die drei Kardinaltugenden der Äneis sind in ihm wie in Dido oder Äneas verkörpert. Aber sie treten nicht mit solchem Glanz hervor. Ihm fehlt der edle Schein des Menschlichen, der auf Dido und Äneas ruht. Seine Kampfesleidenschaft, obwohl aus dem Sehnen nach Ehre und Ruhm genährt, ist zusehr von der Höllenfurie beherrscht, als daß das Mitgefühl für ihn in demselben Maße gewonnen werden könnte wie für Dido, die ihrem großen Herzen folgt. Und dann schadet ihm, daß Äneas sein Gegner ist. Er wird von einem Träger höherer Werte vernichtet, während zwischen Dido und Äneas eine Art von Gleichgewicht besteht und alle Unterlegenheit der Königin ihrer weiblichen Natur zugutezuhalten ist.[1] Trotzdem ist ein hohes Maß von tragischer Wirkung erreicht worden. Der tiefe, zehrende Schmerz über die verlorene Ehre und den verlorenen Sieg, der aus dem Adel seiner Seele quillt, verleiht auch seinem Schicksal den dunkeln Glanz echter Tragik. Etwas von der Größe des Achill ist in ihn übergegangen, und es bedurfte beträchtlicher Voreingenommenheit, daß dies bisher nicht erkannt und die tragische Gewalt der zweiten Äneiashälfte nicht gewürdigt wurde, deren Wirkung ja mit der Gestalt des Turnus unlösbar verknüpft ist.

---

[1] „Die tragische Kollision aber ist umso bedeutungsvoller, je tiefer und zugleich je gleichartiger die kollidierenden Mächte sind" (Kierkegaard, Der Reflex des Antik Tragischen im Modern Tragischen).

III. KAPITEL: KUNSTPRINZIPIEN

1. Die Symbolik des Gefühlsablaufes

Servius bemerkt zu Äneis XI 183: ,,Asinius Pollio sagt, daß Virgil bei der Beschreibung des Tages immer eine Redewendung gebrauche, die der jeweiligen Situation angemessen sei." Richard Heinze gebührt das Verdienst (S. 366 ff.), den richtigen Kern dieser Feststellung gegenüber der völligen Verkennung Ribbecks (Prolegomena 116) und Georgiis (Äneiskritik 145f.) erwiesen zu haben. Ich glaube aber, daß man über die Beispiele eines allgemeinen Zusammenhanges zwischen der Schilderung des Tagesanbruchs und der epischen Situation, die Heinze anführt, hinausgehen und, sozusagen dem Servius auf einer höheren Ebene folgend, hie und da auch in den Worten selbst, mit denen der Aufgang des Tages beschrieben wird, eine symbolische Verknüpfung mit der Bewegung der Handlung beobachten kann. Dies eben hatte Servius versucht, aber die Beispiele, die er für die Theorie des Pollio anführt und z. T. diesem, sei es mit Recht oder Unrecht, in die Schuhe schiebt, sind wirklich ganz albern[1]. ,Extulerat

---

[1] Mit Ausnahme der Bemerkung des Servius Danielis zu XII 114: ,Quia res perturbatae secuturae sunt, diem quoque cum fervore oriri facit'. Die Beispiele sind bei Ribbeck und Georgii zusammengestellt.

lucem' (XI 183) auf das folgende *,efferre*' der Toten und *,Surgebat Lucifer*' (II 801) auf das *,de patria discedere*', ,also' *,surgere*' des Äneas zu beziehen, zeugt von jener befremdenden Art der Interpretation, die die Lektüre des Servius so unerquicklich macht. Aber es lassen sich bessere Beispiele finden. So stehen die Verse X 256

> *Et interea revoluta ruebat*
> *Matura iam luce dies n o c t e m q u e f u g a r a t*

in Beziehung zu dem Verscheuchen der Bedrängnis der Trojaner durch das Erscheinen des Äneas. Wie der ,Geschichtsmorgen' im Anfang von VII ist es ein symbolischer Morgen, der hier aufgeht. Es liegt etwas von dem Glanz des mozartischen ,Die Strahlen der Sonne vertrieben die Nacht' über der Szene[1]. Und der Aufgang des Lucifer am Ende des zweiten Buches, den Servius so verschroben mit dem Auszug des Äneas verknüpft, enthält in der Tat einen tiefen symbolischen Bezug: in dem Augenblick geht der Stern der Venus auf, da Äneas Troja verläßt: *,Quem Venus ante alios astrorum diligit ignis*' (VIII 590). Die ruhmvolle Geschichte der Gens Iulia beginnt [2].

Diese Art innerer Verknüpfung reicht über die Beschreibung des Tagesanbruches weit hinaus, und darin liegt die eigentliche Bedeutung jener Bemerkung des Pollio. Sie ergreift *alle* Beschreibungen, sie durchzieht das ganze Gedicht. Ich habe gezeigt, in welch tiefem Sinn die ver-

---

[1] Die Befreiung aus der Gefahr wird dann nochmals symbolisch in dem Gleichnis der Kraniche ausgedrückt, die den Regenstürmen ,sub nubibus atris' entfliehen (X 264).
[2] In der Odyssee geht der Morgenstern in dem Augenblick auf, da Odysseus zu seiner Heimatinsel gelangt (13, 93 f.).

wundete Hindin (IV 68 ff.), der zu Tode getroffene Löwe (XII 4 ff.) und die Alpeneiche (IV 441 ff.) nicht nur Gleichnisse von Situationen, sondern Symbole von Schicksalen sind. Es wäre des weiteren nicht schwer auszuführen, wie die meisten Gleichnisse der Äneis von der Bewegung der Handlung getragen werden, wobei ich nicht die äußere Bewegung meine, sondern die innere, die das Geschehen begleitet. Denn das ganze virgilische Gedicht läßt sich als ein Gefühlsablauf verstehen, als eine Kurve gleichsam von Stimmungen und Empfindungen. Ich möchte darin geradezu das Grundphänomen der virgilischen Kunst sehen, und ein adäquates Verstehen scheint mir nur möglich, wenn man sich dieses recht eindringlich klar gemacht hat. So könnte man z. B. nachweisen, wie das Ameisengleichnis (IV 401 ff.), das weder bei Homer noch bei Apollonius ein Vorbild hat, nicht nur homerisch-gegenständlich die Vorbereitungen zur Ausfahrt des Äneas schildert, sondern in seiner dunklen Färbung und schleppenden Schwere den Seelenzustand der Dido symbolisiert, die diesem Tun zusehen muß, so wie das Dianagleichnis nicht nur den Aufzug der Dido beschreibt, sondern zugleich die Regungen des Äneas verrät. Beziehungen ähnlicher Art sind unendlich häufig und die Blindheit der Erklärer ist so groß, daß hier auf Schritt und Tritt Entdeckungen zu machen sind. Die folgenden Beispiele, die eine so große und schöne Materie nicht erschöpfen können, möchten daher vor allem als Anregungen zu weiteren Beobachtungen aufgefaßt werden, zur weiteren Vertiefung in die Form des Gedichtes, in seinen poetischen Geist.

230

Ich möchte zuerst an zwei Beispielen zeigen, wie die Erzählung sich dem Gefühlsablauf anschmiegt und wie der Dichter darauf bedacht ist, fein abge tönte Übergänge und innere Verknüpfungen zu schaffen.

Auf den odysseischen Sturm des ersten Buches folgt die Landung in einem odysseischen Hafen, dem ,Phorkys- hafen', den Virgil übernahm, weil er der schönste Lande- platz im Homer ist, der ruhige Gegensatz zu dem be- wegten Meer, der odysseischen Irrfahrten Ziel und Ende, der Hafen schlechthin. Er hat dabei die Züge weg- gelassen, die bei Homer für die Handlung notwendig waren, den Ölbaum, an dessen Stamm gelehnt Odysseus und Athene über den Freiermord beraten werden, und die Einzelheiten der Nymphengrotte, in der die Ge- schenke der Phäaken verwahrt werden sollen. Anderes hat er hinzugefügt. Als größte Abweichung fällt vielleicht in die Augen, daß seine Landschaft einen ernsteren, monumentaleren und heroischeren Charakter hat. Die Felsen sind von ganz anderer Wucht als die homerischen: Homer: ,,An dem Hafen sind zwei schroffe Küstenvor- sprünge zur Bucht hin sich senkend, die das große Gewoge widrig wehender Winde draußen ab- halten.''

Virgil: ,,Hier und dort starren gewaltige Felsen, doppelte Klippen drohend zum Himmel empor.''

> *Hinc atque hinc vastae rupes geminique minantur*
> *In caelum scopuli.*

Sie entstammen gar nicht der Beschreibung des Hafens von Ithaka, sondern es sind die unheimlichen Felsen

der Skylla und Charybdis (Od. 12, 73): „Klippen, die
eine erreicht den Himmel mit spitzem Haupt" [1].
In der gleichen Neigung zu monumentalisierenden
Pathos sind die Verse hinzugefügt (164):

> *Tum silvis scaena coruscis*
> *Desuper horrentique atrum nemus imminet umbra.*

Die Steigerung der ‚Größe' und des Pathos, der Zug
zum Erhabenen ist an sich ein Stilunterschied, der
durchweg zu beobachten ist. So ist z. B. auch der Verzweiflungsmonolog des Äneas (1, 94) pathetischer als der
des Odysseus. Aber hier haben die düsteren Farben noch
einen inneren Grund. Der ‚schwarze Hain', der ‚mit
schaurigem[2] Schatten droht', durch den Kontrast der
‚lichtflimmernden Szenerie' der Bäume[3] noch verstärkt,

---

[1] Das mosaikartige Zusammenfügen homerischer Verse
und Versstücke, die unablässige Kontamination setzt
nicht nur ein profundes Homerstudium, sondern geradezu
die Präsenz des ganzen Homer voraus. Wie Dante den
Virgil, so kannte dieser den Homer auswendig.
Das ‚minantur' überbietet selbst diese homerischen
Felsen. ‚Drohende' Felsen als Symbol des Unheimlichen
auch im Tartarus des Äneasschildes (VIII 668):

> Te Catilina minaci
> Pendentem scopulo.

Im Didobuch malt das Himmelstarren des Gerüstes und das
‚Drohen' der Mauern einen unheilschwangeren Zustand
(IV 88):

> Pendent opera interrupta minaeque
> Murorum ingentes aequataque machina caelo.

[2] Robert Seymour Conway, P. Vergilii Maronis Aeneidos
liber primus, Cambridge 1935, erklärt ‚horrenti': ‚bristling
and quivering', a typical example of the Vergilian economy
of saying one thing by a word which itself suggests another
thing also, here the effect upon the spectator who cannot
help trembling too.
[3] Sainte-Beuve: ‚Un beau et vaste mouvement de lumière
dans le paysage, et qu'Homère lui-même a bien connu

ist wohl nicht nur eine Vorbereitung darauf, daß Äneas in der geschützten Bucht die geretteten Schiffe dem feindlichen Zugriff entziehen wird (I 310 f.) — mit einer solchen Erklärung hätte sich die rationalistische Virgil-philologie begnügt —, sondern wie in den gewaltigen Felsen, die drohend zum Himmel ragen, ist darin der wilde und unheimliche Eindruck[1] geschildert, den das unbekannte Land dem Ankömmling darbietet, ja eine leise Vordeutung auf die Gefahren, die ihm wirklich drohen[2]. Wie der stille Hafen einen Kontrast bildet zu dem vorausgegangenen Sturm, so leitet der ,dunkeldrohende Hain' leise zum folgenden über. D. h. mit großer Kunst ist die virgilische Szene dem Charakter und der Stimmung der Handlung angepaßt und mit dem Gang des Geschehens nach rückwärts und vorwärts verknüpft worden. Beide Beziehungen fehlen bei Homer. Die Schilderung des Phorkyshafens schließt an

---

quand d'un mot il a peint le mont Pélion agitateur des feuilles'. Es ist jedoch nicht ganz richtig, daß Virgil, wie Sainte-Beuve und andere bemerken, aus dem einen Ölbaum Homers einen ganzen Wald gemacht habe. Der Wald findet sich schon in der Landschaft Ithakas, zu der der Phorkyshafen gehört: Od. 13, 196. 246 ff.

[1] In der Harpyienepisode gehören die Worte (III 229):

In secessu longo sub rupe cavata
Arboribus clausi circum atque horrentibus umbris

ebenfalls zum unheimlichen Kolorit der Szene wie in der Schilderung des Amsanctustales, wo Allekto zur Hölle fährt (VII 565):

Densis hunc frondibus atrum
Urget utrimque latus nemoris.

[2] Sollte umgekehrt in der Schilderung der lieblichen Nymphengrotte eine zarte Vordeutung auf die Verlockungen liegen, die den Äneas erwarten? Solche irrationale Beziehungen mag der feinhörige Dichter wohl empfunden haben.

keinen Seesturm an, sondern an die schnelle und un-
gestörte Märchenfahrt des Phäakenschiffes. Und Ithaka
ist für Odysseus das Gegenteil dessen, was Karthago
für den Römer bedeutet.

Ferner liegt vor allem darin eine künstlerische Absicht,
daß die Beschreibung von den drohenden Felsen, dem
spitzen, schroffen ‚hinc atque hinc‘ über den immer noch
unheimlichen, aber durch ‚silvis scaena coruscis‘ auf-
gehellten Wald zur lieblichen Nymphengrotte überleitet, um dann mit dem sanften Wiegen der Verse zu
schließen[1]:

> *Hic fessas non vincula navis*
> *Ulla tenent, unco non alligat ancora morsu.*

Die Bilder folgen, wie sie den Einfahrenden erscheinen:
die Felsen — der Wald — die Grotte — der Halteplatz,
gleichzeitig aber stellen sie eine gleitende Abstufung
vom Drohend-Wilden zum Lieblich-Lockenden dar:
es ist die Ankunft vom stürmischen Meer, die Sänftigung
der wogenden Bewegung und zugleich die Sänftigung
in den Seelen der Schiffbrüchigen, die in Bild und Klang
dargestellt wird. In ihnen zeichnet sich die Gefühlskurve
ab, die das Geschehen begleitet. Die Änderung in der
Anordnung der Bestandteile des homerischen Phorkyshafens hat hierin allein ihren Grund[2].

Die virgilische Landschaft ist also nicht um ihrer selbst

---

[1] Scaliger: ‚versus ipsis aquis dulcior‘.
[2] Homer hat folgende Reihenfolge: die beiden vorspringen-
den Steilküsten — den ruhigen Hafen, wo die Schiffe ohne
Haltetau liegen — den blätterbreitenden Ölbaum — die
Grotte. Von einer allmählichen Beruhigung und Aufhellung,
die hier auch gar nicht am Platze gewesen wäre, ist nichts
zu finden.

234

willen da, sie hat kein in sich ruhendes Dasein wie bei Homer. Auch ist sie nicht nur Szenerie und Hintergrund, sondern sie hat vor allem gefühlssymbolische Bedeutung. Sie ist eine Ausstrahlung des Geschehens und selber ein Teil der inneren Handlung. Es zieht fast immer ein doppeltes Geschehen an uns vorüber: ein äußeres und ein inneres, und das innere nicht allein durch ausdrückliche Winke, sondern durch symbolische Kunstmittel anzudeuten, ist eines der Hauptanliegen des Dichters.

Den Gegensatz zur karthagischen Landung bildet die Ankunft der Trojaner in Italien. Dem Seesturm entspricht die ruhige Fahrt von Caeta zur Tibermündung:

> Es wehen die Lüfte in die Nacht und der weiß glänzende Mond weigert nicht die Fahrt, unter seinem zitternden Licht erglänzt das Meer.

> VII 8: *Adspirant aurae in noctem nec candida cursus Luna negat, splendet tremulo sub lumine pontus.*

Und dann folgt die Ankunft an jenem gesegneten Morgen:

> Schon rötete sich das Meer von den Strahlen, vom hohen Äther erglänzte safranfarben Aurora im Rosengespann. Da ruhten die Winde. Es legte sich plötzlich jeglicher Hauch, und im zähen Meere ringen die Ruder. Da erblickt Äneas vom Wasser einen gewaltigen Hain. Durch ihn bricht lieblich fließend der Tiber in schnellen Wirbeln und gelb von zahlreichem Sand hinaus ins Meer. Rings umher und droben sänftigten bunte Vögel, des Flußbetts gewohnte Gäste, die Luft mit Gesang und flogen durch den Hain. Er befiehlt den Gefährten zu wenden und den Bug des Schiffes zu Lande zu kehren und froh fährt er zum schattendunklen Fluß.

VII 25: *Iamque rubescebat radiis mare et aethere*
                                                   ab alto
Aurora in roseis fulgebat lutea bigis,
Cum venti posuere omnisque repente resedit
Flatus et in lento luctantur marmore tonsae.
Atque hic Aeneas ingentem ex aequore lucum
Prospicit. Hunc inter fluvio Tiberinus amoeno
Verticibus rapidis et multa flavus harena
In mare prorumpit. Variae circumque supraque
Adsuetae ripis volucres et fluminis alveo
Aethere mulcebant cantu lucoque volabant.
Flectere iter sociis terraeque advertere proras
Imperat et laetus fluvio succedit opaco.

Vom Zauber des Lieblichen, Morgendlichen, Idyllischen
ist die Tiberlandschaft umkleidet. Im Gesang der Vögel
klingt die Szene melodisch aus. Nur in dem letzten
Worte, das absichtsvoll an den Schluß gesetzt ist, damit
der dunkle Ton nicht ganz fehle, mag etwas wie eine leise
Vordeutung auf die Gefahren liegen, die auch hier
drohen. Das Wort ‚*opaco*' dämpft jedenfalls den Kontrast
zu den folgenden Versen, die die gewaltigen Kämpfe
bereits ankündigen. In dem lichten Ton aber und der
Melodie der Verse symbolisiert sich die zarte Nähe, die
Liebe, die den Dichter mit der römischen Landschaft
verbindet: der Charakter des Bukolischen ist seit Theokrit das Zeichen einer liebenden Sehnsucht, die den
Menschen der Städte zur reinen Landschaft zieht. In
dem leuchtenden Morgen, der über dem Flusse liegt, ist
die Atmosphäre der unberührten Natur eingefangen,
die noch nichts von der Geschichte weiß, wie die Idylle
schon in den Eklogen für Virgil ein Gleichnis der Flucht
aus Zeit und Geschichte war.

Als weiteres Beispiel der symbolischen Verknüpfung der Landschaft mit der Erzählung möchte ich die Beschreibung des Atlas auf der Fahrt des Merkur zu Äneas anführen (IV 246 ff.). Der Isländer Gislason darf wie an manchen andern Stellen das Verdienst für sich beanspruchen, in seiner Arbeit über ‚Die Naturschilderungen und Naturgleichnisse in Virgils Äneis' (Dissertation Münster 1937), die Frage nach dem inneren Zusammenhang der Beschreibung mit der Handlung zum erstenmal klar gestellt zu haben. Seine Antwort freilich kann nicht befriedigen. Er verweist auf die Verwandtschaft des Mercur mit Atlas, auf die Virgil selbst aufmerksam macht (IV 258: *Materno veniens ab avo Cyllenia proles*) und auf die Kontrastwirkung des Atlas zu dem folgenden Bild des prunkvoll geschmückten Äneas (IV 261 ff.). Beides ist richtig. Aber den Hauptpunkt hat er nicht erkannt. In den Versen (IV 246—51) ist die Gewalt des dunkeln Schicksals symbolisiert, das sich den Liebenden naht. Das erhabene Bild des harten und leidenden Riesen:

> *Atlantis, cinctum adsidue cui nubibus atris*
> *Piniferum caput et vento pulsatur et imbri*
> *Nix umeros infusa tegit, tum flumina mento*
> *Praecipitant senis et glacie riget horrida barba,*

ist wie ein musikalisches ‚Motiv', in dem sich versinnbildlicht, was Merkur in seiner Botschaft überbringt. Atlas ist ein Symbol für die Grausamkeit der Götter und die Härte des Schicksals. Auch er ist ein Beispiel für jenes Verhängnis, das über den Menschen steht und das sich nun an Dido erbarmungslos vollziehen wird. Die Fahrt des Gottes wird also nicht durch eine „Landschaftsbeschreibung' episodisch unterbrochen, wie es dem Stil des homerischen Epos entspräche, sondern das, was sich in der Seele des Lesers regt, sobald der Auftrag Jupiters laut wurde, wird in einem Symbol zusammengeballt. Der dunkle Ton, der die Beschreibung beherrscht, kündigte sich schon vorher in der Rüstung des Gottes an. Sie ist von dem gleichen Color tragicus gefärbt wie das Bild des Atlas. Aus dem homerischen Bringer des Schlafes (Od. 5, 47: er nahm den Stab, mit ihm bezaubert er der Menschen Augen, deren er will, und weckt die Schlafenden auch wieder auf), ist der Bringer des Todes, der Hermes Psychopompos, geworden, und das wird gleich zweimal hervorgehoben:

> *Tum virgam capit, hac animas ille evocat Orco*
> *Pallentis, alias sub Tartara tristia mitti*
> *Dat somnos adimitque et lumina morte resignat.*

Und die Bewegung hat sich umgekehrt: bei Homer steht das ‚Bezaubern der Augen' an erster, das Erwecken an zweiter Stelle. Bei Virgil schließt es dreimal mit dem dunkleren Ton: *sub Tartara tristia mittit, adimitque, et lumina morte resignat.* Mercur erscheint als der Bringer des Todes: des Todes der Dido, dies ist der geheimere Sinn. Darum hat Virgil den freundlichen Gott Homers durch den chthonischen Hermes des orphischen Hymnus ersetzt[1]. Und dieser dunkle Zug setzt sich in der

---

[1] In dem 57. orphischen Hymnus sieht Norden (zu Äneis VI 749) ‚wahrscheinlich Virgils unmittelbare Vorlage': αἰνομόροις ψυχαῖς πομπὸς κατὰ γαῖαν ὑπάρχων ἃς κατάγεις, ὁπότ᾽ἂν μοίρης χρόνος εἰσαφίκηται, εὐιέρῳ ῥάβδῳ θέλγων ὑπνοδώτιδι πάντα καὶ πάλιν ὑπνώοντας ἐγείρεις.
Sollte Norden recht haben, was zweifelhaft bleiben muß, so hätte Virgil auch in diesem Falle die Reihenfolge umgekehrt, um dem düsteren Charakter der Szenenfolge zu genügen.

Schilderung des Atlas fort, ja er verstärkt sich in ihr. Die erbarmungslose Härte des göttlichen Fatums wird in einem Sinnbild sichtbar. Die Beschreibung, obwohl gegenständlich von dem Übrigen geschieden, gehört doch der gleichen ‚Gefühlseinheit' an, die in dem Befehl des Gottes an Äneas und schließlich im Tode der Dido kulminiert. Was in der logischen und praktischen Ordnung getrennt ist, gehört in der Gefühlsordnung, die die Ordnung der Kunst ist, in der ästhetischen Welt aufs engste zusammen.

Wie das leidenschaftlich bewegte siebente Buch friedlich idyllisch anhebt, so beginnt das ruhigere achte mit der lebhaften Bewegung der Kriegsvorbereitungen, die sich im Herzen des Äneas in Sorge verwandeln. Der Dichter arbeitet mit kontrastierenden Hintergründen, um die Szenen ihrer Bewegung oder Ruhe, in ihrem gespannten Ernst oder ihrer gelösten Heiterkeit, ihrem Dunkel oder ihrem Licht umso stärker hervortreten, durch den Kontrast sich gegenseitig steigern zu lassen[1]. Die Unrast der Gedanken des Äneas wird im Gleichnis der zitternden Sonnenreflexe an einer getäfelten Decke verdeutlicht, das dem Apollonius Rhodius dazu diente, das unruhig vibrierende Herz der liebenden Medea zu malen (III 755 ff.). Hier fügt es sich der Stimmung mit jener inneren Musikalität ein, die das Geheimnis Virgils ist: es dient der Überleitung von der Bewegung des Buchanfanges zu der hilfreichen Traumerscheinung des Tiber

---

[1] Die bewegten Bücher II, VI, VII, IX, X, XI beginnen ruhig, die ruhigeren I, V, VIII bewegt. In den tragischen Büchern IV und XII ist der dramatische Charakter von Anfang an in leidenschaftlicher und lebhafter Bewegung ausgedrückt und wird dann durchgehend festgehalten.

und dem idyllischen Szenencharakter, der das Buch weithin beherrscht. In sanft gleitendem Übergang vollzieht sich die Beruhigung des wilden Gewoges der Sorgenflut im Herzen des Äneas (VIII 19: *Magno curarum fluctuat aestu*) zu der feierlichen Erscheinung des Gottes und zum Gebet des Helden. Das Gleichnis ist erfüllt von einer Stimmung, der nichts tragisch Leidenschaftliches, sondern fast etwas Beschaulich-Heiteres innewohnt, und so vermittelt es zwischen dem Drängen und der Ruhe, indem es eine Bewegung malt, die zugleich Ruhe ist. Darum ist es geeignet, den Übergang vom Dunklen zum Hellen, vom Krieg zum Frieden, von der Geschichte zur Idylle herzustellen. Auch ein so kleiner, scheinbar nebensächlicher Zug wie das ‚*aut radiantis imagine lunae*‘ (v. 23) ist aus dieser musikalisch verbindenden Tendenz zu Apollonius hinzugefügt, in der Absicht, das Gleichnis dem Charakter des *nächtlichen* Friedens noch mehr anzupassen[1]. Wie anders hat Homer

---

[1] Dies also ist der innere Grund der Hinzufügung des Mondes, der nicht, wie Mehmel, Virgil und Apollonius Rhodius, Hamburger Arbeiten zur Altertumswissenschaft 1, 1940, meint, nur durch die Homerstelle Od. 4, 45 hineingeraten ist. Das klar verständliche Gleichnis entspricht im übrigen dem des Apollonius genau. Mit Befremden liest man bei Mehmel, daß das Gleichnis seit Servius erklärungsbedürftig geblieben sei, das ‚unglückliche repercussum‘ müsse das Auftreffen und Zurückprallen zugleich ausdrücken, derselben Sache werde zugemutet, einmal zurückwerfende Spiegelfläche, dann Spiegelbild auf der Fläche und schließlich zurückgeworfener Lichtschein zu sein usw. Es ist mir nicht gelungen, mich in so komplizierte Gedankengänge hineinzufinden. Die Schwierigkeit entsteht erst, wenn mit Mehmel und einigen Kommentaren Einwirkung des Lucrez (IV 211 ff.) vermutet wird, die in keiner Weise vorliegt. ‚Radiantis imagine lunae‘, des ‚Mondes strahlendes Bild‘ bezieht sich, wie kein unbefange-

die Sorgen des Agamemnon geschildert: „Wie wenn der Gatte der schönlockigen Hera blitzt, unendlichen Regen bereitend oder unendlichen Hagel und Schneesturm oder des Krieges grauenvoller Mund, so stöhnte Agamemnon oftmals auf in der Brust aus tiefstem Herzen und es erzitterte das Zwerchfell." Es ist klar, daß Virgil ein solches Gleichnis an dieser Stelle nicht hätte verwenden können, wie andererseits auch dem Gleichnis des Apollonius die kompositionelle Funktion der Überleitung fehlt.

Für die Kunst der zarten Übergänge und der sorgsamen Verknüpfung lassen sich viele Beispiele anführen. Ich habe bereits dargestellt, wie das Hengstgleichnis die Reiterschlacht bildmäßig vorbereitet (o. S. 174), wie die beiden Gleichnisse in der Wagenaristie des Turnus durch die thrakische Bildsphäre und die sich steigernde Bewegung unter sich und mit der ganzen Szene verknüpft sind (S. 198f.), wie das Bild des Simois, der die Leichen der trojanischen Helden mit sich fortwälzt, im Monolog des Äneas den Untergang des Schiffes im Sturme vorwegnimmt (S. 59), wie sich das innere Feuer des Turnus zum äußeren Brand steigert (S. 174) und die

---

ner Leser je bezweifelte und wie die Kommentare belegen, auf den Mond selbst, nicht auf sein Spiegelbild. Es ist daher ganz abwegig, die Spiegeltheorie des Lucrez hier hereinzuziehen. Durch die Sonne oder den Mond wird das zitternde Licht des Wassers auf die Decke geworfen. Ich wüßte nicht, wie man dies klarer ausdrücken könnte als Virgil es tat. Auch kann ich das Argument Mehmels nicht verstehen, daß der Mondschein zu dem zurückgeworfenen Licht nicht passe. Wer hätte nicht schon die zurückgeworfenen Reflexe einer Wasserfläche bei Mondlicht beobachtet?

wachsende Flut des ausbrechenden Krieges in die Bewegung der Gleichnisse übergreift (S. 55 f.).

Die Schilderung des Tempelreliefs im karthagischen Junotempel endet mit Penthesilea (I 490 ff.). Die Amazonenkönigin ist nichts anders als die innere Vorbereitung (des Lesers wie des Äneas) auf das Erscheinen der Dido, das unmittelbar folgt.

Der zweite Italikerkatalog, die Aufzählung der Bundesgenossen des Äneas, endet mit dem Bild des Triton (X 209):

> *Hunc vehit immanis Triton et caerula concha*
> *Exterrens freta, cui laterum tenus hispida nanti*
> *Frons hominem praefert, in pristim desinit alvus:*
> *Spumea semifero sub pectore murmurat unda.*

Auch dies ist ‚bildliche‘ Vorbereitung: es leitet zu der verwandten Erscheinung der Meeresnymphen über, die wenige Verse später aus den Fluten tauchen (X 219).

Die bösen Zeichen, die der Dido das nahende Verhängnis künden, Symptome ihrer tragischen Zerstörung (IV 452 ff.), setzen sich in der Beschreibung der Praktiken der Zauberin und Priesterin des Hesperidentempels (IV 480 ff.), in der Magie der Dido und den Gebeten der Priesterin an Erebus, Chaos und die dreigestaltige Hekate (IV 504 ff.) fort. Die drei sich steigernden Schilderungen liegen auf gleicher Linie. Sie hängen nicht rational, aber formal und gefühlsmäßig aufs engste zusammen. Sie sind Ausdruck der Hinwendung zu den Mächten des Todes, die sich in Dido vollzieht.

Die Darstellungen von Kunstwerken sind — wie die Schilderungen der Landschaften — von tieferen symbolischen Beziehungen durchtränkt, als man bisher wußte.

242

Heinzes Feststellung: „Der Inhalt des Dargestellten steht überall in Beziehung zum Inhalt des Gedichts (S. 400)" ist in viel tieferem Sinne wahr, als er selber ahnte, und unter dem ‚Inhalt des Gedichtes' muß mehr als das äußere Geschehen jenes innere verstanden werden. Unter den Geschenken, die Äneas der Dido machen will, nennt der Dichter zuerst (I 648):

> *Pallam signis auroque rigentem*
> *Et circumtextum croceo velamen acantho,*
> *Ornatus Argivae Helenae, quos illa Mycenis,*
> *Pergama cum peteret inconcessosque Hymenaeos,*
> *Extulerat.*

In diesen Versen liegt eine Vordeutung auf die ‚*inconcessi hymenaei*' der Dido und des Äneas und auf das unheilvolle Schicksal, das mit solchem Bund verknüpft ist: die Gewänder der Ehebrecherin sind ein böses Omen[1], der Unglücksbund zwischen Paris und Helena wird sich wiederholen, und wie damals werden die Herrscher und ihre Völker die Folgen zu tragen haben. Zugleich sind die Verse eine Vorbereitung auf die unmittelbar folgende Szene, wo Venus durch die Geschenke und den Amor, der sie überbringt, Dido der Liebe verfallen läßt und so jene ‚unerlaubte Ehe' einleitet. Die mit solcher Symbolik belasteten Geschenke werden dann auch in

---

[1] Auch in der Prophezeiung der Sibylle erscheint die Beziehung auf Helena als Zeichen des Unheils (VI 93):
> Causa mali tanti coniunx iterum hospita Teucris
> Externique iterum thalami.

Das Verschütten des Weines durch Bitias in der Szene des Festmahles ist ebenfalls ein schlimmes Omen (I 738 f.), ohne daß es ausdrücklich gesagt würde. Bei Apollonius I 472 ist die gleiche Geste Ausdruck einer Hybris, die gleichfalls Verderben ankündigt.

der Schlußszene des Buches noch mehrfach erwähnt (I 657 ff.).

Auch sonst sind die Geschenke, die in der Äneis gemacht werden, von symbolischer Bedeutung erfüllt. So bemerkt Mehmel (a. O. S. 50): „Die Geschenke, die Helenus und Andromache beim Abschied geben — besonders die Waffen an Äneas und seine Leute, die Pferde, Krieger und Ruderer, und daß Andromache dem Geschenke gibt, der jetzt Hektors Sohn, ‚Astyanax‘ ist, dem „Ascanius — wirken außer als Ausdruck der Freundschaft und Liebenswürdigkeit wie symbolisch: als übergäben sie Trojas Tradition Äneas und den Seinen."
Ebenso sind die Königsinsignien des Priamus (Szepter, Krone und ‚Trabea‘, wie die Kommentare erklären), die Ilioneus dem Latinus überreicht, Ausdruck dessen, daß die Herrschaft des Priamus über das ‚größte Reich des Ostens‘ (VII 217) an Italien übergeht, von dem das Geschlecht der Dardaniden in seinem Ahnherrn Dardanus einst seinen Ausgang nahm[1]. Der Danaidenfrevel, der auf dem Wehrgehenk des Pallas dargestellt ist, das ‚nefas‘, die ‚cruenti thalami‘ stehen in innerer Beziehung zu der ‚Bluthochzeit‘, die Turnus feiern wird. Sie werden in dem Augenblick beschrieben, da Turnus dem erlegten Gegner den Waffenschmuck raubt: Mit dem Wehrgehenk holt er sich den Tod.

Die Bildwerke am Daedalustempel, die Äneas betrachtet (VI 14 ff.), hat Eduard Norden in seinem Kommentar

---

[1] Das Gespräch zwischen Latinus und Ilioneus beginnt mit der Erwähnung des Dardanus (VII 195: Dicite, Dardanidae, und 205 ff.) und endet mit Priamus und seinen Insignien, die nun nach Italien zurückkehren.

zum sechsten Buche eingehend analysiert. Er hat sich sehr bemüht, den Dichter von dem Vorwurf zu reinigen, daß hier Dingen breiter Raum gewährt werde, die mit der Handlung nichts zu tun hätten, glaubte aber zugeben zu müssen, daß die Verknüpfung nicht ganz gelungen sei. Zur Entschuldigung verweist er vor allem darauf, daß hier ein ‚Stück italischer Urgeschichte‘ vorliege. Aber weder er noch Heinze, der ihm im wesentlichen folgt (S. 399 f.), haben bemerkt, daß in den Schilderungen sich das Schicksal des *Äneas* symbolhaft spiegelt: nicht wörtlich, aber doch in tiefem und zartem Bezug. Einmal ist Daedalus wie so viele im Gedichte, wie Antenor, wie Diomedes, wie Andromache und Helenus, wie Dido und Euander, einer von denen, denen das bittere Schicksal des ‚Elends‘, der Landvertriebenheit zuteil wurde: dies allein schon verbindet ihn mit Äneas und verknüpft sein Los auf das engste mit dem Hauptthema des Gedichtes: der Suche nach einer neuen Heimat. Dann aber ist die Verknüpfung noch sehr viel spezieller. Schon der erste Vers der Episode:

Daedalus, ut fama est, fugiens Minoia regna (VI 14)

gemahnt an das andere gefährliche Reich, aus dem Äneas entkam[1], und wer vermöchte nicht in dem schönen Vers, der sich auf Ariadne bezieht:

---

[1] Dies trifft umsomehr zu, als Virgil bei der Abfassung des VI. Buches anscheinend die libysche Fahrt als unmittelbar vorangehend betrachtete. Dies hat man aus VI 338, wie ich glaube, mit Recht geschlossen, wo entgegen dem Bericht in V von Palinurus erzählt wird: ‚qui Libyco nuper cursu ... exciderat puppi‘ (vgl. Norden im Kommentar, Heinze, S. 146, 1). Wenn man sich das IV. Buch unmittelbar vorher vorgetragen denkt, konnte niemand die Beziehung verkennen.

Magnum reginae sed enim miseratus amorem,

einen Widerklang der Liebe des Äneas zu Dido zu empfinden[1], eine Spiegelung jenes

Multa gemens magnoque animum labefactus amore

und des späteren

Nec minus Aeneas casu concussus iniquo
Prosequitur lacrimis longe et miseratur euntem,

wer nicht in der Liebe des Daedalus zu Icarus, die so
ergreifend geschildert wird, eine Erinnerung an Anchises
zu erblicken, zu dem zu gehen, Äneas sich anschickt,
einen Bezug auf die innige ,*pietas*‘, die hier wie dort die
schmerzlich Getrennten verbindet, und damit auf das
geheime Grundmotiv des sechsten Buches, das eben die
,*pietas*‘ in ihren verschiedenen Formen ist? Die Beziehung zu der Szene am karthagischen Junotempel,
die jedem Leser der Äneis als ,,Parallele‘ einfällt, ist
also sehr viel tiefer und bedeutender, als man glaubte:
in beiden Fällen tritt dem Äneas sein eigenes vergange-
nes Schicksal entgegen, das eine Mal unmittelbar, das
andere Mal — in dem geheimnisvollen sechsten Buch —
symbolhaft verhüllt. Äneas wird beide Male als ein von
schmerzlicher Erinnerung Erfüllter gezeigt, auch in VI,
wo es nicht ausdrücklich gesagt wird, und beide Male
wird er aus den Betrachtungen durch die Dazwischen-
kunft einer dritten Person, hier der Sibylle, dort der
Dido, herausgerissen.

Als Kunstwerk im weiteren Sinne kann man auch das
Lied des Jopas betrachten, das dieser beim Festmahl in

---

[1] ,Regina‘ ist Ariadne ja nicht gewesen, schon die Wahl des
Wortes ist durch den geheimen Bezug auf Dido zu erklären.

Karthago vorträgt (I 740—46). Georgii, an dessen wahl-
verwandtem Geist die Beschäftigung mit Servius nicht
spurlos vorübergegangen ist, bemerkt hiezu (Äneiskritik S. 99): ,,Die antike Virgilkritik müßte ebenso
stumpf gewesen sein, wie sie scharf, ja überscharf ist,
wenn der langweilige Gesang des Jopas nicht angegriffen
worden wäre. Eine Erinnerung an diese Kritik bewahrt
uns gelegentlich, freilich mit unbegreiflicher Verdrehung,
als ob bei Virgil das Gegenteil der Fall wäre, Macrob.
Sat. 7, 1, 14: ,*Nonne, si quis aut inter Phaeacas aut apud
Poenos sermones de sapientia erutos convivalibus fabulis
miscuisset, et gratiam illis coetibus aptam perderet et in
se risum plane iustum moveret?*' [1] Wer wollte darnach die
Verteidigung gegen dieselbe Kritik in dem Scholion
des Servius zu unserer Stelle verkennen: ,*Bene philo-
sophica introdutiitur cantilena in convivio reginae adhuc
castae; contra inter nymphas (ubi solae feminae erant,
Servius Danielis) ait ,Vulcani Martisque dolos et dulcia
furtia*'[2] (Georg. IV 346)'. Die brüchige Beweisführung,
die das Buch Georgiis zu einem grotesken Zeugnis
philologischer Geistesverirrung macht, interessiert uns
hier nicht. Aber ist der Gesang des Jopas wirklich so
,langweilig'? Warum hat Virgil nicht eine mythologische

---

[1] ,Würde man nicht, wenn man bei den Phaeaken oder bei
den Puniern in die Geschichten, wie sie bei einem Gastmahl
üblich sind, Gespräche einmischen wollte, die aus der
Philosophie herausgerissen sind, die Anmut, die solchen
Gesellligkeiten angemessen ist, zerstören und sich mit
Recht lächerlich machen?'
[2] ,Trefflich wird bei dem Gastmahl der noch keuschen
Königin ein philosophisches Lied eingeschoben, bei den
Nymphen dagegen (wo nur Frauen zugegen waren) singt
er von den Listen des Vulcan und des Mars und dem süßen
Betrug.'

Darstellung gewählt? Eine frivole Göttergeschichte, in der Art, wie sie Demodokos vorträgt (Od. 8, 266 ff.), wäre hier in der Tat kaum am Platze gewesen. Aber hätte es nicht eine andere Geschichte, etwa aus der phönizischen Vorzeit sein können? Warum hat Virgil das naturphilosophische, kosmologische Thema vorgezogen, das durch den Gesang des Orpheus bei Apollonius I 496 ff. angeregt sein dürfte? Ich glaube, weil ihm nur eine solche Darstellung dem Seelengeschehen angemessen zu sein schien, das sich in Dido vollzieht. Sehen wir uns die wenigen Verse näher an.

Erscheinen sie nicht eingefügt in die Bewegung der geheimnisvollen Bezauberung der Königin durch den Liebesgott, in die Atmosphäre, die die Szene erfüllt, in die Tragödie, die in dieser Nacht anhebt? Sind sie nicht lockend und schwermütig und von einer tiefen Traurigkeit erfüllt, wie das andere, das hier geschieht, der Anfang namentlich und der Schluß:

> ,*Hic canit errantem lunam solisque labores*‘
> ,*Oceano properent se tinguere soles*
> *Hiberni vel quae tardis mora noctibus obstet*.‘

Liegt nicht in der irrenden Luna und den ,*labores*‘ des Sol ein leiser, ein unendlich zarter Bezug auf die Schicksale der Dido und des Äneas, ihre ,Irrfahrten‘, die vergangenen und die künftigen im eigentlichen und im gleichnishaften Sinn[1], so wie das Buch ja dann auch mit den ,*errores*‘ des Äneas endet (I 754):

---

[1] Dido: Venus über ihr Schicksal I 341:
    Longa est iniuria, longae ambages.
IV 211: Femina quae nostris errans in finibus urbem
    ... posuit

Insidias, inquit, Danaum casusque tuorum
Erroresque tuos: nam te iam septuma portat
Omnibus errantem terris et fluctibus aestas.

Sol und Luna erscheinen für einen Augenblick als
Symbole der Liebenden[1], so wie sie an anderer Stelle
als Apoll und Diana, als Sonnengott und Mondgöttin,
in der Verhüllung der Gleichnisse geschaut werden (bei
den Begegnungen des Heldenpaares, vgl. S. 113). Die
Beziehung der Luna auf Dido kehrt noch einmal wieder
in dem Gleichnis der Begegnung im Seelenreich (VI 451):

Quam Troius heros
Obscuram qualem primo qui surgere mense
Aut videt aut vidisse putat per nubila Lunam.[2]

I 628: Me quoque per multos similis fortuna labores
      Iactatam hac demum voluit consistere terra.
Noch in der Unterwelt erscheint sie ‚in einem großen Walde
irrend' (VI 450).
Labores des Äneas: I 10. 241. 373 usw.
[1] Die Geschichte dieser Menschheitsmetaphorik zu schrei-
ben, wäre eine höchst anziehende Aufgabe. Der phönizische
Mythos von Baal und Astarte (Sonne und Mond, sollte der
‚weise' Virgil auch an diesen Bezug gedacht haben?) gehört
ebenso hieher wie Heinrich Heines ‚Die Nordsee' oder das
Dialoggedicht aus dem Westöstlichen Divan: ‚Die Sonne
kommt ein Prachterscheinen', wo Hatem das Rätsel
Suleikas deutet, die die Sonne, von der Mondsichel um-
klammert, aufgehen sah:

    Auch seis ein Bild von unsrer Wonne!
    Schon seh ich wieder mich und Dich,
    Du nennst mich, Liebchen, Deine Sonne,
    Komm, süßer Mond, umklammre mich!

Die volkskundliche Literatur bringt auffallend wenig Belege über die Liebe von Sonne und Mond. Ich finde nur
erwähnt Schönwerth, Sagen aus der Oberpfalz II 58 und
Henne am Rhyn 32. Sie sind gewiß viel zahlreicher.
[2] Vgl. auch IV 80:

    Post ubi digressi lumenque obscura vicissim
    Luna premit suadentque cadentia sidera somnos,
    Sola domo maeret vacua.

Da Dido zum erstenmal erscheint, ist sie — im Gleichnis — Diana, und da sie dem Äneas auf immer ent-
schwindet, Luna, und wo ihr tragisches Schicksal in
einem Sinnbild gezeigt wird: die Hindin, die gleichfalls
in die Sphäre Dianens gehört: dergleichen zarte Verknüpfungen sind für die Kunst Virgils bezeichnend.
Und wie die leidvolle Schwere des ersten Verses, der
vom Lied des Jopas erzählt, einen inneren Bezug hat
auf das Schicksal des Heldenpaares, so gehören auch die
,Sonnen, die eilen, im Ozean unterzutauchen', in den
Gefühlsbereich der ,Seligen Sehnsucht', die sich im
Herzen der Dido regt, und die ,*mora quae tardis
noctibus obstat*' steht in geheimnisvoller Beziehung zu
der ,Verzögerung der Nacht', die Dido erstrebt: das
Gefühl der Liebenden ,Möchte diese Nacht niemals
enden' klingt leise aus dem Lied des Jopas hervor — es
ist ja einer jener langen Winternächte[1], von denen er

Auch hier besteht ein irrationaler Zusammenhang zwischen
der verlassenen Königin und dem Mond, der sein Licht
verliert. Auch die uralte Verbindung zwischen Mond und
Tod empfahl das Symbol des Mondes in dem tragischen
Buch. ,,Niemals gehe ich im Mondenlichte spazieren,
niemals, daß mir nicht der Gedanke an meine Verstorbenen
begegnete, daß nicht das Gefühl von Tod, von Zukunft
über mich käme" (Werthers Lotte).
[1] Anders Mehmel a. O. S. 91 und früher schon M. H. Potter
im Classical Journal 1926, die die Ankunft des Äneas in den
Sommer verlegen. Ich vermag IV 52: Dum pelago desaevit
hiems et aquosus Orion nur auf den Winter zu beziehen.
wie es auch Claudius Donatus p. 326, 31 (ed. Georgii),
Heinze, S. 346, 3, R. Mandra, The time element in the
Aeneid of Vergil, Williamsport 1934, und Pease, P. Vergilii
Maronis Aeneidos liber quartus, Cambridge Mass. 1935,
tun. Der Vers kann wegen des ,a quosus Orion' nicht auf
die Etesien gehen (wie Mehmel meint), weil die Etesien
zwar sehr heftige, aber trockene Winde sind, wie jeder
weiß, der die Sommermonate auf einer der Kykladen oder

singt —, und gleich im übernächsten Vers — wer vermöchte die innere, ‚musikalische‘ Verbindung abzustreiten, sobald sie einmal erkannt ist? — wird jenes Gefühl, jenes Sehnen der Liebenden geschildert:

> *Nec non et vario n o c t e m sermone t r a h e b a t*
> *Infelix Dido longumque bibebat amorem.*

Es ist die Nacht, die sich unauslöschlich in ihr Herz gräbt, die sie dann zu wiederholen begehrt:

> *Nunc eadem latente die convivia quaerit*
> *Iliacosque iterum demens audire labores*
> *Exposcit pendetque iterum narrantis ab ore.*

Und wer über die innere Evidenz hinaus nach einer äußeren Stütze für die Richtigkeit dieser Deutung sucht, wird eine solche in der Übereinstimmung mit dem ‚Vorbild‘ des Virgil, dem Gesang des Orpheus bei

---

auf Rhodos verbracht hat. ‚Hiems‘ kann also hier trotz der in dem (mir nicht zugänglichen) Kommentar von Buscaroli (Il libro di Didone Mailand 1932) beigebrachten Belege nicht heißen ‚stürmische Zeit‘, sondern muß ‚Winter‘ bedeuten. Dann kann aber auch I 535:

> Cum subito adsurgens fluctu nimbosus Orion
> In vada caeca tulit,

nicht auf die Zeit des Aufgangs des Orions um die Sommersonnenwende (vgl. Plinius N. H. 18, 268) bezogen werden, abgesehen davon, daß auch hier das Attribut ‚nimbosus‘ die Beziehung auf die Etesien unwahrscheinlich macht. Denn die beiden Verse müssen in der Tat — hierin hat Mehmel recht — zusammengenommen werden. Die Lösung der Schwierigkeit hat A. Constans gefunden, Revue des Etudes Latines 13, 1935, 398 f.: es handelt sich nicht um den Morgenaufgang des Orion (1. bis 10. Juli), sondern um den Spätaufgang (29. November bis 8. Dezember). ‚Ad-

Apollonius finden, der das ‚kosmologische Thema‘ gleichfalls mit der Handlung verknüpft. Auch dort ist der Beginn des Liedes mit dem ‚Streit‘ der kosmischen Elemente aus dem Bezug auf die Situation erwachsen: der Gesang soll die kampfeslustigen Gemüter beruhigen. Dies ist zugleich ein Fingerzeig dafür, daß diese Kunst der Verknüpfung, die sich bei Virgil allenthalben aufzeigen läßt, als eine Weiterentwicklung hellenistischer Dichtkunst anzusehen ist. Aber wie äußerlich bleibt die Verbindung bei Apollonius, wie sind die Verse Virgils demgegenüber von Atmosphäre umgeben, von der Gefühlsqualität getragen, die die Szene erfüllt.

So ist das Lied des Jopas ganz in die Stimmung getaucht, die den Schluß des ersten Buches beherrscht: nicht als rationalistische Allegorie, aber als poetisches Element verwandter Seelentönung. Wie in einem Spiegel symbolhaft aufgefangen, wiederholen sich in den kos-

---

surgens‘ in I 535 bezieht sich nicht nur auf den Aufgang des Orion, sondern auch auf das Anschwellen der Wogen, wie Conington-Nettleship (dort auch weitere Beispiele für diese irrationale Gedrängtheit virgilischer Ausdrücke) und R. S. Conway, Vergilii Maronis Aeneidos liber primus, Cambridge 1935, erklären. ‚Adsurgens‘ ist einfachem ‚surgens‘ nicht ohne weiteres gleichzusetzen, obwohl es Valerius Flaccus 5, 566 einmal als Synonym verwendet:
Qualibus adsurgens nox aurea cingitur astris.
Es bezeichnet bei Virgil sonst immer das feindliche Andringen: IX 348. X 208. X 797. Orion erscheint also nicht nur als Sternbild, sondern zugleich als dämonische Kraft, als Dämon, der in und mit dem Meere wirkt, der ‚sich plötzlich mit der Flut feindlich heranhebt‘. Denn ‚subito‘ muß ebenso wie ‚fluctu‘ in gleicher Weise auf ‚adsurgens‘ wie auf ‚in vada caeca tulit‘ bezogen werden. ‚Fluctu‘ ist Abl. instr. (so z. B. auch Conington), nicht Abl. originis, wie u. a. Mehmel annimmt. Orion als Meeresdämon X 763 f.

mischen Geschehen, von dem Jopas singt, die ‚*labores*‘
und ‚*errores*‘ des Helden und der Königin, und in den
Wintersonnen, die sich nach dem Ozean sehnen und in
den langen Nächten, die nicht enden wollen, die Vor.
gänge in der Seele der Dido, die geheimen Regungen
ihrer Sehnsucht. An diesem Beispiel wird deutlich, was
dichterische Symbolik ist: alles, was Jopas singt, ist in
sich sinnvoll und abgeschlossen und verlangt keineswegs eine allegorische Erklärung, aber gleichwohl ist
in dem Lied auf das ‚andere‘ geheimnisvoll hingewiesen.
Das Lied wird zur Metapher von Gefühlen. Die Worte
schwimmen in dem Licht, das über dem nächtlichen
Festmahl liegt, es ist in ihnen etwas von der Bezauberung, die sich auf die Seele der Königin senkt. Und dies
umsomehr, weil es hier Musik ist, zum einzigenmal in der
Äneis, die aus der goldenen Leier des Jopas tönt. Aber
diese ‚Musik‘ nicht im wörtlichen, sondern im gleichnishaften Sinn, diese innere Musik, ist überall im Virgil,
und der Gesang des Jopas ist nur ein Beispiel. Es gibt
bei dem Dichter über den rational faßbaren Sinnes-
einheiten so etwas wie poetisch-musikalische Gefühlseinheiten, die nicht nur durch ihre Rhythmik und
Melodie, sondern auch durch die Sprache ihrer Bilder
zusammengehalten werden.
Das eigentliche Element des Poetischen wie jeder Kunst
ist jener Seelenbereich, den die Musik am reinsten gestaltet und erfüllt. Darum strebt jede Kunst darnach,
‚reine Kunst‘, ‚Musik‘ zu werden. Der englische Kritiker
Walter Pater hat dies in einer der förderlichsten Arbeiten
zur Aufhellung der Prinzipien ästhetischer Kritik, dem
Aufsatz über Giorgione, auseinandergesetzt. ,,Die idealen

Beispiele der Poesie und Malerei", heißt es dort, „sind die, in denen alle Bestandteile so eng ineinander verwoben sind, daß das Stoffliche (oder Gegenständliche) nicht mehr auf den Verstand allein, das Künstlerische (oder die Form) nicht mehr auf das Auge oder Ohr allein wirkt, sondern wo Stoff und Form ein- und dasselbe geworden, eine untrennbare Einheit bilden, als ein Ganzes auf jene geistige Vorstellungskraft wirken, bei der jeder Gedanke und jedes Gefühl zugleich mit seinem sinnlichen Abbilde als Zwilling geboren wird. Am vollständigsten wird dieses Ideal in der Musik erreicht, durch die Einheit von Stoff und Form. Musik ist der reinste Typus und Maßstab aller Kunst. Deshalb dürfen wir uns alle Künste, obgleich jede ihre unübertragbare Wesenheit in sich trägt, doch in stetem Ringen nach dem höchsten Gesetz der Musik begriffen denken, nach einem Ideal, welches die Musik allein vollkommen zu erreichen vermag, und eine der Hauptaufgaben der ästhetischen Kritik besteht darin, den Grad festzustellen, bis zu welchem jedes Kunsterzeugnis dem höchsten musikalischen Gesetze in diesem Sinne entspricht."

Diesen Seelenbereich für die Dichtkunst erobert zu haben [1], darin besteht die schöpferische Tat des Virgil. Bei ihm zum erstenmal in der Geschichte der abendländischen Dichtung ist neben der rational faßbaren Einheit des Gegenständlichen und der ebenfalls vorwiegend rationalen Einheit des Architektonischen die

---

[1] In griechischem Bereich kann in dieser Beziehung namentlich Sappho als bedeutende Vorläuferin Virgils gelten.

poetisch-musikalische Gefühlseinheit deutlich zu fassen.
Virgil hat dieses neue Einheitsprinzip in die Dichtung
eingeführt und mittels seiner die poetische Materie
zuerst in den Hirtengedichten, dann im Lehrgedicht
vom Landbau, schließlich im Epos durchformt[1].

Seine Entdeckung ist der Entdeckung jener Maler zu
vergleichen, die das Licht als malerisches Prinzip ent-
deckten und dadurch eine Wende in der Geschichte der
Malerei herbeiführten. Sie hat Ortega y Gasset in seinem
Essay ,,Der Gesichtspunkt in der Kunst'' folgendermaßen beschrieben:[2] ,,Ein neuer Gegenstand schleicht
sich unter die Elemente des Bildes ein, dessen magisches
Vermögen ihm erlaubt, ja ihn sogar verpflichtet, überall
zu sein und das ganze Bild auszufüllen, ohne deshalb
die übrigen Gegenstände zu verdrängen. Der Maler muß
die Gesamtheit seines Werkes eingetaucht sehen in den
überschwenglichen Gegenstand ,Licht'. Dies gilt für
Ribera, Caravaggio und den jungen Velazquez. Noch
wird die Körperlichkeit gesucht nach dem ererbten
Herkommen, aber schon gilt das Interesse nicht ihr in
erster Linie. Der Gegenstand an sich beginnt an Interesse
zu verlieren und schickt sich in die Rolle, nur noch als
Halt und Grund zu dienen für das auf ihn fallende Licht.
Es ergibt sich eine magische Solidarität und Vereinheitlichung aller hellen Teile gegenüber den dunklen''.
Was das Licht seitdem für die Malerei ist, das ist die

---

[1] Die Kunst innerer ,musikalischer' Bewegung beschränkt
sich nicht auf die Poesie. Merkwürdigerweise tritt sie auch
bei Livius hervor, wie zuerst Friedrich Klingner gesehen
hat (Die Antike 1, 1925, 95 ff.)
[2] In deutscher Übertragung ,Merkur' 1948.

‚Stimmung' seit Virgil für die Dichtkunst. Wie das Licht sich den malerischen Gegenständen anschmiegt und sie verwandelt und transzendiert, so die Stimmung, das Gefühl das Gegenständliche der Dichtung. Homer dagegen stellt sich, wenn man im Vergleich fortfahren darf, zu den älteren Malern, die die Gegenstände mit der ‚Hand', mit der ‚taktilen Dichte des Blicks', als ‚Nahbild' malen. Er ist bestrebt, die Gegenstände und Situationen scharf abgegrenzt, plastisch, greifbar darzustellen. Virgil sieht sie als ‚Fernbild'. Er übergießt sie mit Licht und hüllt sie in Musik. Er bettet sie in einen Gefühls- und Bewegungsstrom ein. Seine Dichtung steht der malerischen und musikalischen Seele der romanischen Völker, insbesondere Italiens, näher als ihrem rationalistischen Geist, namentlich dem französischen, mit dessen Zerrbild man ihn in Deutschland lange Zeit mehr oder weniger identifizierte. Sein Gedicht ist ein Strom von Stimmungen, die zart ineinander übergehen und wie ein musikalisches Gebilde in fließender Entfaltung die Seele melodisch bewegen und von einer Gefühlsqualität zur andern hinüberlenken. Licht, Malerei, Musik sind jedoch nur Analogien, nur Hilfsvorstellungen, mit denen wir uns das Grundphänomen der virgilischen Dichtkunst anschaulicher machen können. Wir dürfen dabei nicht vergessen, daß die poetische Gefühlsbewegung ein Gebilde sui generis ist. Diese Bewegung im einzelnen nachzuzeichnen, ist eine Hauptaufgabe der Virgilkritik, sie in ihren feinen Schwingungen zu fühlen und in ihrer geistreichen Symbolik zu begreifen, der tiefere Reiz der Lektüre des Dichters.

2. Formen des Gefühlsablaufes

Für die subtilere Erkenntnis der virgilischen Kunst ist es wichtig, die Kurve des Gefühlsablaufs, von dem die Erzählung getragen ist, gleichsam nachzuzeichnen. Aufs große gesehen verläuft sie in einer auf- und abwogenden Bewegung, in immer neu sich steigernden Wellen[1]. Schon Heinze hat in der ‚allmählichen Steigerung‘ ein ‚Grundgesetz der virgilischen Technik‘ erkannt. Er hat dieses Prinzip in der Anordnung der Bücher IX—XII, in dem Aufbau der Iliupersis und in der Erzählung der Wettspiele des fünften Buches nachgewiesen. In der Reihenfolge der Allektoszenen, in den Aristien des Turnus sowie im Aufbau einiger Gleichnisse wurde es oben aufgezeigt. Es wäre ein Leichtes, es beispielsweise in der Entfaltung des Seesturmes im Unterschied zu Homer oder in der Schilderung des ausbrechenden Aetnas (III 570 ff.) im Unterschied zu Pindar deutlich zu machen, von denen Virgil hier abhängig ist. Doch aufschlußreicher als Beispiele zu häufen, ist es, Genaueres darüber festzustellen, worin eigentlich diese Wellen der Steigerung bestehen, in welchem Rhythmus und welcher Form sie anschwellen und ausklingen und wie sie sich über das Gedicht verteilen.

Schon das Prooemium, an das der Dichter wie an alle besonders exponierten Stellen sichtlich die größte Sorgfalt wandte, ist hierfür charakteristisch. Es beginnt lebhaft und gedrängt und doch schwillt die Bewegung noch

---

[1] Stadler: „Man kommt in der Werkwelt Vergils von der Vorstellung des Meeres, der Brandung, der Wellen nicht los.“

an über die Schicksale des Helden zu Land und Meer
und im Kriege bis zu dem Vers

> *Vi superum, saevae memorem Iunonis ob iram,*

um dann in dem Ergebnis der Kämpfe und Leiden
feierlich und bedeutungsvoll auszuklingen, zuerst dem
näheren

> *Dum conderet urbem inferretque deos Latio*[1]

und dann dem größeren, ferneren

> *Genus unde Latinum Albanique patres atque altae*
> *moenia Romae.*

Auch dieser Vers stellt eine kunstvolle Steigerung dar,
nicht nur eine zeitliche Abfolge: das Latinergeschlecht
— die Väter von Alba (hier schwingt schon die Vorstellung eines Senates und einer Geschlechterordnung
mit) — die ‚Mauern des hohen Rom'.

Ein pathoserfülltes Crescendo und Accelerando und ein
feierlicher, leuchtender Abschluß, in dem die Bewegung
wie eine Woge am Strande schäumend ausrollt: das sind
die beiden Phasen, die die Form des Prooemiums bestimmen, und damit ist die Grundform der virgilischen
Gefühlsbewegung umrissen. Der Gipfel der Steigerung
liegt genau in der Mitte:

> *Vi superum, saevae memorem Iunonis ob iram.*

Der folgende Abschnitt *Urbs antiqua fuit* bis *Tantae
molis erat,* der auf das Prooemium und den Musenanruf
folgt, zeigt eine ähnliche Bauform. Nach dem ruhigen

---

[1] Dies ist nicht einfach ein Hysteron proteron, wie die
Kommentare vermelden, sondern ebenfalls eine Steigerung:
die Tat, die Götter nach Latium zu bringen mit dem weiten
Horizont, den dies Faktum symbolisch umschließt, ist be-
deutsamer als die bloße Gründung der Stadt.

Beginn im epischen Ton steigert sich die Erzählung im Zeitmaß und in der musikalischen Dynamik, in der Wucht der Gedanken und in der Pathetik der Bilder zu dem

> Sic volvere Parcas.

Dies ist die Mitte des Abschnitts und der Gipfel der Steigerung, hier liegt die tiefste Ursache des Grimmes der Juno. Dann fällt die Kurve der Bewegung langsam ab über die anderen Ursachen ihres Zornes bis zu den dunkeln und schweren Abschlußversen, die das Fazit ziehen, in denen sich die Bewegung verlangsamt und gleichsam verdichtet:

> Viele Jahre hielt sie sie von Latium fern und sie irrten vom Schicksal umhergetrieben auf allen Meeren umher: eine solche mühevolle Last war es, das römische Volk zu gründen.

> *Arcebat longe Latio multosque per annos*
> *Errabant acti fatis maria omnia circum:*
> *Tantae molis erat Romanam condere gentem.*

Je elf und elf Verse stehen sich gegenüber: zuerst der karthagische Plan der Juno, der an der Bestimmung der Parzen scheitert, und dann das Eingreifen der Göttin, das aus diesem Scheitern resultiert.

Ein drittes Mal wiederholt sich diese Form der Gefühlsbewegung in der Rede der Juno: sie nimmt ihren Anlaß von der ruhig und ‚freudig' dahinfahrenden Trojanerflotte — der Kontrast dient immer auch der Steigerung — und wächst dann zu der in ihrem Geiste wild anschwellenden Vorstellung der rachedurstigen Pallas, die den Blitz auf die Flotte der verhaßten Argiver schleuderte:

Ihn, der aus durchbohrter Brust Flammen hauchte,
ergriff sie mit wirbelndem Sturm und heftete ihn auf
ein spitzes Riff.

Illum exspirantem transfixo pectore flammas
Turbine corripuit scopuloque infixit acuto,

um dann schließlich in den immer noch leidenschaftlichen, aber doch gemesseneren Worten auszuklingen,
in denen die Gefühlsbewegung zusammengefaßt und der
Schmerz der in ihrem Machtwillen und ihrer Ehre ge-
kränkten Göttin ausgesprochen wird (I 46—49).
Hierauf folgt als gewaltigste Welle der Seesturm, ein-
gerahmt von der düster anhebenden Szene zwischen
Juno und Aeolus, und der heiter ausklingenden zwischen
Neptun und den Winden[1]. Dann folgt in abklingender
Wellenbewegung die Landungsszene, die in der Hoff-
nungsrede des Äneas gipfelt, und daran schließt sich
die Götterszene mit den Reden der Venus und des
Jupiter. Auch in diesen Reden haben wir das Anschwellen nach der Mitte zu[2] und den gleichen Rhythmus des Ausklingens[3]. Die Wellen der Steigerung sind
ihrerseits zu einer einzigen gewaltigen Bewegungseinheit
verbunden, die im großen die gleiche Form aufweist:

---

[1] Die Steigerung des Sturmes selbst hat Gislason in seiner
Dissertation über die Naturschilderungen in der Äneis,
Münster 1937, beschrieben.
[2] Höhepunkt der Venusrede: I 241: *quem das finem rex*
magne laborum? (genau in der Mitte der Rede); Höhepunkt
der Jupiterrede: die Gründung Roms I 275—277, ebenfalls genau in der Mitte.
[3] Bildhaftes Ausklingen der Venusrede: das glückliche
Schicksal des Antenor, dem es vergönnt war, in Italien
eine neue Heimat zu gründen (die glückliche Fahrt des
Antenor korrespondiert mit der unglücklichen des Aias
Oileus in der Junorede), der Jupiterrede: der durch
Augustus in Fesseln geschlagene ,Furor impius'.

Anschwellen nach der Mitte zu, die im Seesturm und der Katastrophe der Trojaner erreicht ist, und erhabener Ausklang in der Götterszene.

Der klare Bau dieser ersten Szenengruppe des Gedichtes darf jedoch nicht zu der Auffassung verführen, es ließen sich die Bücher der Äneis weiterhin in solche Szenengruppen einteilen, die vielleicht unter sich wieder nach dem gleichen Rhythmus der Grundform geordnet wären. Die Tendenz zu solcher Gruppenbildung besteht zweifellos, aber sie ist nicht immer zu so klarer Gestalt gediehen, und man darf in der aufgestellten Grundform des Gefühlsverlaufes nicht ein Schema sehen, dem sich nun jede Szene, jede Rede in unterschiedsloser Strenge fügte. Aber überall, wo ein geschlossener Gefühlsverlauf vorliegt — wobei der Begriff der Geschlossenheit nur relativ zu verstehen ist, weil für das Epos die Offenheit der Form, das endlose Aneinanderreihen gerade charakteristisch ist —, läßt sich diese Form feststellen. Die Einheit, die einen solchen Gefühlsverlauf aufweist, kann man vielleicht am besten als Gefühlseinheit oder mit einem Ausdruck Schillers als Empfindungseinheit bezeichnen. ,,Wir unterscheiden in jeder Dichtung'', sagt er in seiner Rezension über Matthisons Gedichte, ,,die Gedankeneinheit von der Empfindungseinheit, die musikalische Haltung von der logischen, wir verlangen, daß jede poetische Komposition neben dem, was ihr Inhalt ausdrückt, zugleich auch in ihrer Form Nachahmung und Ausdruck von Empfindungen sei und als Musik auf uns wirke.''

Betrachtet man die einzelnen Beispiele dieser ,Empfindungseinheiten', deren Grundform ich beschrieben habe, so wird man finden, daß auf die Gestaltung der Schlußphase, das ‚Ausrollen der Woge' besondere Aufmerksamkeit verwendet wurde. In einer Dichtungsform, in der der Gefühlsverlauf das wichtigste ist, kann es nicht anders sein. Denn in den Schlüssen fließen die erregten Gefühle zu Akkorden zusammen, in denen die Erinnerung der gesamten seelischen Bewegung nachzittert. Von der gefühlsmäßig ‚richtigen' Gestaltung des Schlusses hängt für die poetische Wirkung viel ab. Es ist eine Synthese des Ganzen.

Betrachten wir einige Beispiele der Gestaltung solcher Schlüsse. Nehmen wir z. B. die erste Rede des Äneas, die der geschilderten Grundform des Gefühlsverlaufes genau entspricht. In leidenschaftlicher Schwellung steigt sie an bis zu dem

> *Mene Iliacis occumbere campis*
> *Non potuisse tuaque animam hanc effundere dextra,*

um dann mit dem pathetisch erhabenen Bild des Simois zu schließen, der die ,,Schilde und Helme der Helden und ihre gewaltigen Leiber" (Steigerung der Glieder) mit sich fortwälzt. Die Woge rollt schäumend aus. Ein Bild beschließt den Gefühlsverlauf.

Das Bestreben, eine Empfindungseinheit mit einem schönen Bild zu beenden, charakterisiert auch die meisten Gleichnisse, wo dieses Kunstprinzip am deutlichsten zu erkennen ist, wenn man die homerischen Vorbilder daneben hält. So endet das Hengstgleichnis mit dem prächtigen

> *Luduntque iubae per colla per armos* (XI 497),

während das entsprechende Gleichnis der Ilias nicht mit dem analogen Bilde schließt (6, 506), das Bienengleichnis:

> *Fervet opus redolentque thymo fragrantia mella* (I 436),

das Gleichnis von der Sturmfahrt des Mars-Turnus:

> *Spargit rapida ungula rores*
> *Sanguineos mixtaque cruor calcatur harena* (XII 339),

das Löwengleichnis, das den Mezentius charakterisiert:

> *Lavit improba taeter*
> *Ora cruor* (X 727),

das Gleichnis des Bergsturzes:

> *Exsultatque solo silvas armenta virosque*
> *Involvens secum* (XII 688),

das Gleichnis der Berge:

> *Vertice se attollens Appenninus per auras* (XII 703),

das Gleichnis der thrakischen Winde:

> *Sonitumque ferunt ad litora venti* (XII 455),

das Gleichnis des Kampfes der beiden Stiere:

> *Gemitu nemus omne remugit* (XII 722).

Homer pflegt seine Gleichnisse, am gegenständlich Einzelnen haftend, mit einem konkreten Detail zu beschließen, das sich von dem Vorhergegangenen nicht wesentlich unterscheidet, Virgil dagegen mit einem Bild, das dem musikalischen Bedürfnis nach einem schönen Ausklang Genüge tut, indem es das Vorangegangene zu irgend einer Art von Lösung bringt, sei es mehr in der Richtung einer Ballung und Verdichtung, eines rauschenden Ausklingens, oder eines Leichter- und Hellerwerdens, eines gleichsam verhallenden Entschwindens.

Nicht selten ist die abschließende Phrase so gestaltet, daß man sie vielleicht am treffendsten als Pointe be-

zeichnen könnte. So gipfelt die Bewegung im Dianagleichnis in dem daktylischen Vers, der die göttliche
Erscheinung beschreibt

> *Illa pharetram*
> *Fert umero gradiensque deas supereminet omnes,*

während der ruhigere Schluß die geheime ‚Spitze‘ enthält (o. S. 112):

> *Latonae tacitum pertemptant gaudia pectus.*

Das Hindinnengleichnis steigert die Bewegung der
Flucht, beruhigt und verlangsamt sich aber dann in
den Worten, in denen das Gleichnis dunkel und schwer
ausläuft:

> *Haeret lateri letalis arundo.*

Das Kesselgleichnis schließt mit dem Bild des schwarzen
Rauches, in dem sich das kommende Verderben symbolisch verdichtet:

> *Volat vapor ater ad auras* (VII 466).

In diesen und ähnlichen Fällen tut sich am Ende des
Gleichnisses ein anderer, größerer Horizont auf. Der
Kreis des Einzelnen und Gegenwärtigen, den Homer
nicht verläßt, wird durchbrochen, es eröffnet sich die
‚unendliche Perspektive‘, die der symbolische Gegenstand nach Goethes Wort erschließt.
Wie die Gleichnisse, so haben auch einige Szenen und
Szenengruppen und eine Reihe von Aufzählungen die
Tendenz, mit einem besonders eindrucksmächtigen Bild
zu schließen. Der erste Sinnabschnitt des Didobuches
schließt mit dem Bild der verlassenen, zum Himmel
starrenden Mauern, in denen sich das Scheitern des

Werkes der Königin ankündigt und über das Einzelne
hinaus das dunkle Schicksal Karthagos geheimnisvoll
in den Gesichtskreis tritt (IV 88):

> *Minaeque*
> *Murorum ingentes aequataque machina caelo.*

Auch sonst dienen solche symbolische Pointen, wie man
diese Form nennen könnte, dazu, den Eindruck eines
zerbrochenen oder zum Untergang verurteilten Schicksals durch ein abschließendes Bild zu steigern. Hierher
gehört das tragisch erhabene Bild vom Tod des Priamos
am Tiefpunkt des zweiten Buches (II 557):

> *Iacet ingens litore truncus*
> *Avolsumque umeris caput et sine nomine corpus,*

das zerbrochene Schwert des Turnus vor seinem Ende
(XII 741):

> *Fulva resplendent fragmina harena,*

das Bild, in dem der Untergang Trojas am Ende des
Traumes symbolisch zusammengefaßt wird, in dem
Hektor dem Äneas erscheint (II 296):

> *Sic ait et manibus vittas Vestamque potentem*
> *Aeternumque adytis effert penetralibus ignem,*

wo das ewige Feuer der Vesta ganz im späteren römischen Sinne das Symbol der trojanischen Herrschaft
ist, die nun ihre Stätte verläßt.

Der Katalog der Unheilsbringer im Vorhof des Orkus
endet mit der über alle vorgenannten Gestalten hinaus-
gesteigerten Figur der Discordia. Die Hervorhebung
der Discordia erklärt sich daraus, daß sie im politischen
Bereich die gefährlichste Höllenmacht ist. Sie hat un-

mittelbar Bezug auf ein Grundthema des Gedichtes:
die Bändigung des *Furor impius.*

Die Aufzählung der Unglückszeichen, die Dido ängstigen
(IV 450—472), schließt mit dem unheilschwangeren
Gesicht der Furien, die als die finsteren Boten des Toten-
reiches gleichsam auf ihr Opfer warten:

> *Ultricesque sedent in limine Dirae.*

Die Tempelreliefs der Szenen aus dem trojanischen
Krieg am karthagischen Junotempel steigern sich an
tragischer Intensität von der allgemeinen Schlacht über
das Ende des Rhesus und des Troilus zum Untergang
des Hektor (I 485—487), erreichen aber dann in Penthe-
sileas Gestalt, die ‚mitten aus Tausenden hervorleuchtet‘,
einen strahlenden Abschluß, der zugleich zu Didos Erscheinen überleitet.

Die Aufzählung der etruskischen Hilfsvölker des Äneas
endet mit dem durch die Pracht der Bewegung und die
Musik der Verse besonders herausgehobenen Bild des
Triton (X 209—212).

Die ersten Worte der Venus an Äneas schließen mit
einem Bild von barockem Pathos (I 324):

> *Aut spumantis apri cursum clamore prementem.*

Die Jagd des Heldenpaares steigert sich von den Wild-
ziegen und Hirschen zu dem Eber und Löwen, den sich
Ascanius herbeisehnt (IV 158 f.). *Leonem* ist das letzte
Wort der Jagdbeschreibung, wie *Romae* das letzte Wort
des Prooemiums.

Diese Schlüsse zeichnen sich dadurch aus, daß sie ein
besonders prächtiges, rauschendes, mächtiges Bild beschwören. Aber es gibt auch andere Möglichkeiten, den

266

Schluß ‚musikalisch' wirkungsvoll zu gestalten. Als Beispiel möge die erste Bittrede der Dido dienen. Von dem Ausdruck des ersten Entsetzens und den heftigen Anklagen gegen Äneas steigert sich diese Rede über die Erwägung, daß die stürmische Jahreszeit die Fahrt verbiete, zu der Erinnerung an die Liebesgemeinschaft und von da zu dem Gedanken, daß durch ihren Liebesbund ihre äußere Existenz gefährdet und ihre innere vernichtet wurde. Denn durch ihn wurde ihre Selbstachtung und ihr Ruhm zerstört, auf dem ihr Dasein ruhte:

> *Te propter eundem*
> *Exstinctus pudor et qua sola sidera adibam*
> *Fama prior.*

Und noch weiter steigernd beschwört sie das furchtbare Schicksal, das ihr am Ende droht: Pygmalion wird die Stadt zerstören und Jarbas wird sie als Gefangene fortführen. Nach dieser Gipfelung aber biegt die Rede am Ende um und klingt, den innersten Bezirk ihrer Seele erschließend, in dem zarten Wunsch nach einem Kinde aus, das dem Äneas gliche. Von der Gedankenführung aus erscheint das als die letzte Steigerung, als der rührendste und wirksamste Appell, aber von der Führung der musikalischen Bewegung her gesehen ist es eine Milderung, eine Beruhigung gegenüber den erregten, immer mächtiger sich steigernden Bildern, die vorangingen, und zwar nicht ein Ruhiger- und Schwererwerden im Erhaben-Pathetischen, wie z. B. am Ende der ersten Szenengruppe in der Götterszene oder in der ersten Äneasrede im Bild des Simois, sondern ein Ausklingen im Innig-Zarten. Die bewegte Melodie sänftigt sich zu einem gedämpfteren, süßeren Klingen.

Das Schlußstadium der Gefühlsbewegung ist hier also nicht durch ein leuchtenderes Pathos charakterisiert, sondern durch ein Leiserwerden, ein Senken der Stimme, ein Verklingen.

Diese Sänftigung als Schlußform findet sich dann wieder im Didobuch, wo der erhabene Untergang der Königin mit seinem wilden Gewoge ausklingt in der liebevollen Geste der Schwester, im Blick der Königin, die das Licht des Himmels sucht, und in der Erscheinung der Iris, die den Tod sänftigt[1]; im sechsten Buch, wo der Klang innigster Wehmut, der die Erscheinung des todgeweihten Jünglings Marcellus umgibt, sich den beiden ‚Wogen‘ der Heldenschau anschließt, die in Augustus und den berühmten Versen von der Sendung des römischen Volkes gipfeln; im fünften Buch, wo der rauschend-fröhlichen Meeresfahrt Neptuns die leise Bezauberung des Palinurus durch den Gott des Schlafes folgt, der das Steuer fest in Händen haltend, ein Symbol treuer Pflichterfüllung, ins Meer gleitet. Diese Form des Schlusses findet sich auch in der magischen Stimmung, in der das erste Buch ausklingt: die innigsten Geheim-

---

[1] Die erhaben heitere Welt der Götter dient wie bei Homer dazu, das düstere Geschehen aufzuhellen, Ruhepunkte einzustreuen, an denen die schmerzerfüllte Bewegung sich auf Augenblicke in olympischen Frieden, der Ernst in heiteres Spiel löst. Solche Momente der Lösung und Erlösung sind, außer der Erscheinung der Iris, die Fahrt des Neptun über die Wogen nach dem furchtbaren Seesturm des ersten Buches, die noch prächtigere Meeresfahrt des Gottes im fünften Buch, die lichtvolle Erscheinung der Venus im ersten und im achten Buch usw.

nisse des Daseins, Tod und Liebe, beherrschen die Ausgänge der Bücher I, II (Creusa), III (Anchises), IV (Dido), V (Palinurus), VI (Marcellus), X (Lausus-Mezentius), XI (Camilla) und XII (Turnus).

Wenn man statt der musikalischen Analogie die malerische zu Hilfe nimmt, könnte man die eine Art der Schlüsse mit dem strahlenden Licht des Tages, die andere mit der milden Glut der untergehenden Sonne oder dem sänftigenden Lichte des Mondes vergleichen: die abendlichen Lichter in Didos Halle, der nächtliche Meeresfrieden, das purpurne Licht des Elysiums bestimmen darum auch die Atmosphäre der Schlüsse des ersten, fünften und sechsten Buches.

Es kommt also nicht nur darauf an, die Intensität der Stimmungsentwicklung zu bestimmen, gleichsam ihre Tonstärke, sondern auch die Gefühlsfarbe, die Nuance und Qualität des Lichtes. Alle betrachteten Stimmungsentwicklungen lassen sich auch als ein Dunkler- oder Hellerwerden begreifen, und damit gewinnen wir einen weiteren Gesichtspunkt, nach dem sich die Gefühlsbewegung ordnen läßt. Der Strom der virgilischen Erzählung erscheint nicht nur dynamisch als eine Wellenbewegung, in der die Wogen steigend anschwellen und rauschend oder leise verklingen, sondern auch als eine gewaltige Bewegung des Lichtes. Das ganze Gedicht entfaltet sich in einem Rhythmus von Licht und Schatten. Alle Beispiele von zart nuancierten Stimmungsübergängen, die im vorigen Kapitel behandelt wurden, lassen sich im Sinne einer solchen Licht- und Farbentwicklung deuten und sind in ihrer künstlerischen Bedeutung erst ganz verständlich, wenn man sie in die größeren Verläufe dieser Lichtbewegung hineinstellt. Der Grad dieses Dunkler- und Hellerwerdens, die Lichtstärke, der Farbton bestimmt sich nach dem Ort innerhalb des größeren Zusammenhanges.

Eine Betrachtung des Gedichtes unter diesem Gesichtspunkt würde die wertvollen Ergebnisse Conways und Stadlers über den Bau der Äneis nach einer wesentlichen Seite vervollständigen. Sie kann im Rahmen dieses Buches nicht durchgeführt werden, jedoch soll wenigstens ein Überblick über das erste, siebente und achte Buch zeigen, in welcher Richtung sich eine solche Betrachtung bewegen könnte. Dunkle und immer dunklere Wellen führen im ersten Buch zum Seesturm und zu der Landung der Schiffbrüchigen an feindlichem Strand, die dann durch immer lichtere abgelöst werden: die lichteste ist die Rede Jupiters, des heiter-erhabenen Gottes, der die künftige Größe Roms verkündet. Daran schließen in einem neuen Crescendo auch im irdischen Geschehen Wellen des Lichts, die immer stärker in das Dunkel brechen. Von der Venusbegegnung über die Didobegegnung zum glanzvoll-feierlichen Festmahl am Ende des Buches, wo sich Karthager und Trojaner vereinen, vollzieht sich ein klares Fortschreiten, eine immer stärkere Aufhellung. Die Venusbegegnung beginnt mit der lichtvollen Erscheinung der Göttin, der die dunkle Klage des Helden um sein Schicksal und die Erzählung der Venus über das dunkle Schicksal der Dido folgt. Die beiden Schicksale werden schon hier einander angenähert. Die Rede der Göttin aber endet in froher Verheißung und die Szene schließt mit einem Bild voll Duft und Pracht: die Göttin selbst entschwebt nach

Paphus und froh ,,besucht sie ihre Stätte, wo ihr Tempel steht und hundert Altäre von sabäischem Weihrauch glühen und von frischen Kränzen duften".

Die Didoerzählung wendet sich von der schmerzvollen Versenkung des Äneas in die Darstellungen des trojanischen Krieges über die strahlende Erscheinung der Königin im Bilde Dianens zu der Begegnung, wo Äneas von Venus ,mit dem purpurnen Licht der Jugend umgossen' einem Gotte gleich erscheint, und endet rauschend in der Opferung an die Götter, der prunkvollen Entsendung der Tiere an die Genossen am Meer (I 633) und der Prachtentfaltung bei der Zurüstung des Mahles, die vom Purpur und Silber zum goldenen Geschirr sich steigert, worin eingeschmiedet sind der ,Väter tapfre Taten, die lange Reihe der Ereignisse, die durch so viele Helden geführt wird, seit dem Ursprung des alten Geschlechtes'. Das Festmahl krönt das Buch als rauschendes Schlußbild, aber in den ,erhabenen' Schluß flicht sich der ,innig zarte' ein: Äneas sendet nach dem Knaben Ascanius, daß er Iliones Szepter und das Geschenk der Helena bringe, das sie zu ihrer Hochzeit mit Paris von Leda erhielt — schon klingt der Gedanke an Vermählung leise an —, doch statt des Ascanius kommt, von Venus gesendet, wie in einem eingeschalteten Göttergespräch mit Juno beschlossen war[1], Amor,

---

[1] Auch dieses Gespräch endet mit einem süßen hellen Klang, entsprechend der Gefühlsentwicklung des Buches (I 691):

> *At Venus Ascanio placidam per membra quietem*
> *Inrigat et fotum gremio dea tollit in altos*
> *Idaliae lucos, ubi mollis amaracus illum*
> *Floribus et dulci adspirans complectitur umbra.*

der große Gott, und die unglückliche Königin nimmt
ihn auf den Schoß:

> *Inscia Dido*
> *Insideat quantus miserae deus.*

Noch rauschender wird die Bewegung, auf das Mahl
folgt das Symposion, die Leuchter an den goldenen
Decken werden entzündet, Fackeln flammen auf, Licht
erfüllt die nächtlichen Hallen (I 725 ff.). Da verstummt
das Tosen, Dido ergreift das Wort und ruft höchst be-
ziehungsvoll, außer dem Freudenspender Bacchus, die
‚bona Juno‘ an, die Göttin also, die eheliches Bündnis
begünstigt, *cui vincla iugalia curae*, wie es an anderer
Stelle heißt. Und dann beginnt das Lied des Jopas die
Seelen zu bewegen, dessen Stimmungsgehalt früher erläutert wurde: tiefer und immer tiefer wird die Bezauberung. Dido trinkt ‚langwährende Liebe‘ und sehn-
süchtig begehrt sie, die Schicksale des Helden zu er-
fahren, und so wendet sich der Schluß des Buches
wieder ins Dunkel zurück: es schließt mit den Schicksalen des Helden, der von Trojas Fall und siebenjähriger
Irrfahrt zu erzählen beginnt. So endet das Buch nicht
strahlend, sondern geheimnisvoll schwer: hinter dem
Licht steigen düstere Schatten auf, es regt sich ein
Vorgefühl der Leiden, die der Königin und dem Helden
verhängt sind. So ist die Beleuchtung hier in Wahrheit
ein eigentümliches clair-obscur. Auch sonst tritt, ganz
besonders in den Schlüssen, diese Verflechtung des
Dunklen und des Lichten hervor, und auch hierin er-
weisen sie sich als Synthese aller vergangenen Gefühle,
als nachschwingende Erinnerung und Ahnung des
Künftigen.

272

Wie die lichten Bücher an ihrem Ende von dunkeln Schatten überspielt sind, so klingen die dunkeln, ‚tragischen' Bücher in freundlicheren Bildern aus. Das siebente Buch, das das Hereinbrechen der höllischen Mächte und den Triumph der Kriegsfurie schildert, schließt licht. Selbst am Ende der Nacht des troischen Untergangs geht der Stern der Venus heilverkündend auf; am Ende des vierten Buches sänftigt die Erscheinung der Iris den Tod der Dido, am Ende des neunten Buches wäscht der freundliche Tiber das Blut des Turnus nach der Schlacht ab und die Erzählung der grausamen Kämpfe findet so einen milderen Abschluß (IX 816 ff.).

Die Stimmungsentwicklung des siebenten Buches läuft der des ersten im Gegensinne parallel. Während das erste Buch vom Dunkel zum Licht schreitet, aber dunkel schließt, geht das siebente den umgekehrten Weg. Im ersten Drittel herrscht das ‚Licht' vor. Die Szenengruppen dieses Teiles enden folgendermaßen: die erste mit der freudigen Landung an der Tibermündung, die zweite mit der Verkündigung der Weltherrschaft des latinischen Stammes (VII 96 ff.), die dritte mit dem Wolkenzeichen Jupiters, das das Tischorakel und die Ankunft am Schicksalsort bestätigt (141 ff.), die vierte mit dem Beschluß des Bündnisses und der Hochzeit zwischen Lavinia und Äneas, deren Nachkommenschaft die prophezeite Weltherrschaft verwirklichen soll (259 ff.). Das sind klar sich steigernde Stufen einer Entwicklung, die in raschen, glücklichen Schritten ihrem Ziele zugeht und dieses scheinbar erreicht. Der Vers (VII 285):

Sublimes in equis redeunt pacemque reportant

beschließt leuchtend den Abschnitt.

Dann aber setzt im zweiten Drittel des Buches in den drei Allektoszenen, deren kunstvolle Steigerung früher geschildert wurde, die Gegenbewegung ein. An diese tragische Wendung der Erzählung aber schließt sich als letztes Drittel, als krönender Abschluß des Buches der brausende Aufzug der Italikerheere an, das prachtvolle Schlußbild, das die aufgestörte Leidenschaft ins Erhabene verklärt. Das Grauen des drohenden Krieges wird durch das Bild der leuchtenden Heldenkraft Uritaliens verdrängt (VII 641):

> Öffnet nun den Helikon, ihr Göttinnen, und erhebt eure Lieder, welche Könige zum Kriege gerufen, welche Streitscharen jedem folgten und die Gefilde füllten, in welchen Helden das erhabene italische Land schon damals blühte, von welchen Waffen es strahlte.

> *Pandite nunc Helicona deae cantusque movete,*
> *Qui bello exciti reges, quae quemque secutae*
> *Complerint campos acies, quibus Itala iam tum*
> *Floruerit terra alma viris, quibus arserit armis.*

Der Aufbau des ‚Katalogs‘ der heranziehenden Aufgebote zeigt deutlich ein Ansteigen vom Schweren, Dunklen zum Leichten und Lichten, vom dumpf Drohenden zum heldenhaft Strahlenden. Von dem finsteren Mezentius ausgehend, entfaltet sich die Reihe der italischen Fürsten über Aventinus, den ungeschlachten Sproß des Hercules, die gewaltigen Brüder des Tiburtus, Catillus und Coras, die wie „zwei Zentauren, der Wolken Söhne, von hohen Bergesgipfeln herabsteigen", und Caeculus, der die wolfshelmbewehrten Praenestiner zum Kampfe führt, zu den Faliskern unter Messapus, die ihrem Führer mit Kampfgesängen folgen: hier lichtet sich schon das Dunkel und zugleich wird die Bewegung immer mächtiger, und nun häuft sich beim Aufzug der Völker des Clausus das Gedränge der Namen, das Gleichnis von den Wellen im libyschen Meer und dem dichten Gewoge der Ährenfelder des Hermostales oder auf Lykiens blonden Gefilden, gibt der Steigerung gewaltigen Ausdruck: hier ist der dynamische Höhepunkt, die Spitze der Welle erreicht und nun folgt nach der Aufzählung der Völker des Halaesus, Oebalus, Ufens und Umbro das prachtvolle Ausrollen der Woge, die Krönung in den drei jugendlichen Helden: Virbius, Sohn des Hippolytos, Turnus und Camilla. In der Lichtgestalt der Volskerkönigin ist der ganze Glanz und die jugendliche Blütenkraft Uritaliens Gestalt geworden: als Königin und Kriegerin, als Kind der reinen Natur und als Dienerin Dianens erscheint sie, die Symbole des Purpurmantels und der goldenen Spange, des Köchers und der Hirtenmyrte drücken ihr Wesen aus. Die Hirtenmyrte mit der Speerspitze beschließt den Katalog und das Buch als ein Sinnbild des italischen Hirtenvolkes, das sich nun zum Kampfe erhebt:

Et pastoralem praefixa cuspide myrtum.

In der Gestalt der Camilla wird das Dunkel des Verhängnisses, das den Äneas in den Krieg zwingt, am stärksten überwogen und aufgehoben in der Apotheose italischer Heldenschaft. Aber auch dieser Schluß ist ein clair-obscur, denn hinter dem Glanz steht die gewaltige Bedrohung, die sich gegen Äneas erhebt.

In andern Büchern ist das Gesamtbild der Lichtbewegung vielleicht nicht ganz so deutlich, so z. B. im achten Buch, dessen Komposition und ‚Einheit' den Erklärern seit jeher viel Kopfzerbrechen gemacht hat. Wellen- und Lichtbewegung sind auch hier zu erkennen, aber die Bewegung ist nicht so geordnet, daß einer größeren Gruppe dunkler Wellen eine Gruppe lichter folgt oder umgekehrt, sondern kleinere Wellen lösen sich in verschränkter Folge ab. Das Buch beginnt mit der Kriegsfahne, die Turnus an Laurentums Burg aussteckt, und mit dem rauhen Klang der Hörner. Daraus wächst die ‚Sorgenflut' im Herzen des Äneas, woran sich das Gleichnis der flimmernden Lichter anschließt als Übergang zur nächtlichen Erscheinung des Tiber und zum tiefen Frieden der urrömischen Landschaft. Auf der Verschränkung dieser beiden Stimmungscharaktere beruht der eigentümliche Reiz des Buches: dem Motiv des Idyllischen und dem dunkeln Auflodern urtümlicher Kraft, Frieden und Krieg. Auf die freundliche Fahrt und den Empfang bei Euander folgt wieder eine dunkle Welle, die Erzählung des Königs von Cacus und Hercules, die jedoch im Sieg des Halbgottes über den flammenspeienden Unhold, einem mythischen Vorbild des Sieges des Äneas und des Triumphes des Augustus, und im Lobgesang auf Hercules einen leuchtenden Ausklang findet. Zweimal steigt dann die Erzählung an: einmal zu dem Bericht Euanders über die Urgeschichte Italiens, die in den Kriegen ‚der ausonischen Schar und der sikanischen Völker' (VIII 328) gipfelt, und dann im Gang durch die römische Landschaft, der in die Schilderung des Kapitols einmündet, wo die Bauern die *dira religio* des Ortes erkennen und ahnungsvoll den Jupiter die schwarze Ägis schwingen sehen. Dann aber sänftigt sich die Erzählung: wir werden an die Stätte des Forums geführt, wo die Rinderherden brüllen, und treten ins einfache Haus des Euander ein, wo die Helden sich zur Ruhe begeben. „Die Nacht umarmt die Erde mit dunkeln Schwingen":

Nox ruit et fuscis tellurem amplectitur alis.

Wie schön leitet diese mütterlich innige Gebärde zum Zauber der Liebesszene zwischen Vulcan und Venus über, das Licht verklärt sich zu einem höheren Strahlen. Der Gott gewährt die Bitte, die Waffen zu schmieden, und aus der Liebesnacht steigt die Erzählung in zartem Übergang über das Gleichnis der Frau, die in tiefer Nacht aufsteht, um die Arbeit der Spinnerinnen zu leiten — mit welch feinem Griff ist das Gleichnis in seiner gehaltenen Stille dem stillsten Augenblick der Erzählung angepaßt und in seinem altrömischen Kolorit[1] dem patriarchalisch altrömischen Charakter des Buches eingefügt — zu der Schmiede Vulcans. Hier wogt wilde Bewegung mit urtümlicher Gewalt auf. Der zweite ‚Charakter' des Buches tritt wieder hervor und verdrängt den ersten, die dämonische Urgewalt cyklopischer Gestalten erscheint wie schon zuvor in Cacus, der ein Sohn des Vulcan ist, in den Cyklopen Brontes, Steropes und Pyracmon. Kunstvoll sind die Arbeiten

---

[1] VIII 408: *Cum femina primum*
Cui tolerare colo vitam tenuique Minerva
Impositum, cinerem et sopitos suscitat ignes,
Noctem addens operi, famulasque ad lumina longo
Exercet penso, castum ut servare cubile
Coniugis et possit parvos educere natos.

277

der Cyklopen in der Weise angeordnet, daß sie sich ins
Dunklere wenden: von dem Blitz des Zeus schreitet die
Erzählung über den Streitwagen des Mars zu der Ägis
der ‚erbitterten‘ Pallas Athene fort und lenkt die Ge-
danken und Gefühle nach und nach auf die Waffen des
Äneas und den kommenden Krieg. Und dann folgt die
Bereitung der Rüstung des Helden. Die Erzählung
schwillt dann in der nächsten Szene zur Berufung des
Äneas zum Führer der Italiker an und verdunkelt sich
sogleich wieder zum Schmerz und der Sorge über den
Krieg (VIII 520 ff.) und — insgeheim — der Sorge um
das Schicksal, das dem Pallas droht. Die folgende
Himmelserscheinung, die zunächst von unheilvoller
Vorbedeutung scheint, hellt doch auch das Geschehen
wieder auf, weil sie auf die verheißenen Waffen und
damit auf den Sieg gedeutet wird. Und daran schließt
der Abschied: noch stärker wird der ‚dunkle‘ Strom
der Sorge und er gipfelt in dem ergreifenden Abschied
Euanders und dem Blick der Mütter, die den ausziehen-
den Kriegern folgen, eine der unvergeßlichen Seelengebärden Virgils (592):

> *Stant pavidae in muris matres oculisque sequuntur*
> *Pulveream nubem et fulgentis aere catervas.*

Daran aber schließt die Übergabe der Waffen an Äneas
durch Venus und als großes leuchtendes Schlußbild die
Schildbeschreibung, die den Triumph Roms zum
Gegenstand hat. Die Beschreibung geht, darin an den
idyllischen Grundcharakter des Buches zart anknüpfend,
von dem Bild der Wölfin und des Zwillingspaares aus
und steigt dann über dunkle Wogen zu dem goldstrah-
lenden Bild der Schlacht von Actium:

Totumque instructo Marte videres
Fervere Leucaten auroque effulgere fluctus.

Die Schlacht ist der dramatische Höhepunkt, der Gipfel
der Beschreibung, an den sich als rauschender Abschluß
der Augustustriumph schließt. Dem Tiberstrom des
Buchanfangs antworten die Ströme Nil, Euphrat,
Rhein und Araxes am Ende. In dem dunklen Schluß-
vers aber kommt noch einmal der Gedanke an die
Schwere des geschichtlichen Auftrags zur Geltung, den
Äneas als Erfüller des römischen Schicksals, als symbolischer Repräsentant des römischen Volkes, auf sich
nimmt:

Attollens umero famamque et fata nepotum.

Überblicken wir das gesamte Werk, so läßt sich gleichfalls eine große Bewegung von Licht und Schatten
erkennen. Das erste Drittel des Gedichtes (I—IV) ist
in Dunkel gehalten: der Anfang gipfelt im Seesturm
und das Ende im Tod der Dido. Es enthält für den
Helden die bittersten Schläge: den Untergang der
Heimat, den Tod der Gattin, des Vaters und der Geliebten. Die Höhe und Mitte des Gedichtes (V—VIII)
dagegen strahlt im Licht: der Anfang enthält die Spiele,
die nach dramatischer Steigerung (Ruderrennen—
Wettlauf—Faustkampf—Bogenschießen) in der ‚abschließenden Phase' des Ludus Troanus ausklingen,
in dem die Erzählung an Leuchtkraft und innerer
Bedeutung zunimmt: hier wird symbolisch die römische
Jugend verherrlicht, die zu des Dichters Zeiten den
Ludus Troanus ausführte. Das sechste Buch enthält
die Verkündigung des römischen Ruhms, das Schluß-

bild des siebenten die Verherrlichung der italischen Völker, das Schlußbild des achten den Triumph des Augustus als den Höhepunkt der römischen Geschichte. Die strahlendsten und verklärtesten Bilder des ganzen Gedichtes, zu denen neben den genannten auch die Ankunft an der Tibermündung, die nächtliche Tiberfahrt, die Fahrt von Sizilien nach Italien über das mondbeglänzte Meer und die elysischen Gefilde gehören, sind in diesem Teil des Gedichtes vereinigt. Das letzte Drittel (IX—XII) ist wieder in dunkleren Farben gehalten: es enthält in wechselnden Situationen die Tragik des Krieges. Dunkel—Licht—Dunkel: dies also ist der Rhythmus, der das Epos in seiner Gesamtheit beherrscht. Im einzelnen jedoch ist das Licht immer vom Dunkel überschattet und aus der Finsternis bricht immer wieder das Licht hervor. Schmerz und Freude, Sieg und Untergang, Durchbruch der Leidenschaft und Triumph des Geistes, der Idee, sind nicht nur in kunstvoller Verschränkung verflochten, sondern sie durchdringen sich gegenseitig. In dieser Verschattung des Lichten und in der immer neuen Aufwühlung des Ruhigen und anderseits in der Sänftigung des Wilden und Aufhellung des Dunklen kommt das Bestreben des klassischen Kunstwerks zur Geltung, durch den Kontrast die Eigenart eines jeden Baugliedes im architektonischen Gefüge klarer und größer hervortreten zu lassen, und vor allem spricht hieraus der Sinn des Dichters für Maß und Ausgleich, für Harmonie und Ponderation. In diesem Ineinanderklingen eröffnet sich der Blick vom Einzelnen immer wieder auf das Ganze: das Ganze der Welt und der Menschen- und Völkerschicksale. Denn in einem sehr tiefen Sinn gemischt und vielfältig sind alle diese Stimmungen, alle diese Stufen von Licht und Schatten wie Akkorde, in denen die dunklen und die hellen Töne zusammenklingen, gemischt auch darum, weil es dem seelischen Verlauf der Gefühlsentwicklung eigentümlich ist, daß in den späteren Stadien die früheren geheimnisvoll enthalten sind.

Darin aber, daß der Schmerz durch die Freude, das Dunkle durch das Helle, das Scheitern des Schicksalsplanes durch sein schließliches Triumphieren zum Ganzen geweitet und hinter dem einen das andere transparent wird, zeigt sich das Streben der virgilischen Kunst, in jedem Augenblick das Ganze erahnen zu lassen. Und dies ist ja die Tendenz, die einem jeden Kunstwerk innewohnt. Denn das Kunstwerk ist im Ganzen wie in jedem seiner Teile ein Symbol des Alls, wie es Goethe in seiner Wunderhornbesprechung andeutet. Zugleich aber ist hier bei Virgil ein religiöser Sinn am Werk, für den kein Lebensgebiet, kein Menschen- oder Völkerschicksal, keine Kraft, die das Leben bewegt, kein Gefühl, das es durchstrahlt oder verdunkelt, als ein Isoliertes, allein Gültiges besteht, sondern neben und hinter dem Einzelnen wird das ‚Andere‘ geschaut, hinter der Freude der Schmerz, hinter der Liebe der Tod und hinter dem Tod die Liebe, und alles Einzelne ist in eine göttliche Welt eingeordnet, wo Schönes und Trübes, vom Geist Erleuchtetes und von Leidenschaft Verdunkeltes, Menschlich-Dämonisches und Menschlich-Göttliches durch sein Gegenteil beschränkt und erweitert wird. So hängt der Schönheitsbegriff Virgils, der wie der Schönheitsbegriff des

Klassischen überhaupt ein harmonisches Gleichgewicht der Gegensätze erstrebt, aufs tiefste mit der Weltansicht des Dichters zusammen, die von einem kosmischen und geschichtlichen Zusammenhang weiß, wo nicht einseitig das Dunkel herrscht oder das Licht, sondern die Gegensätze sich zu einem höheren Ganzen vereinen, das sich als spannungsreiches, immer neu sich verlierendes und neu sich herstellendes Gleichgewicht darstellt.

I N D E X

Acca 58

Achill 68, 185[1], 188, 193, 203, 207[1], 210

Aeneas: 'Charakterentwicklung' 95ff., 186 – Christliche Züge 88f., 90– Gefühl für Tragik 85 – Geschichtliche Haltung 63, 65 – Liebendes Mitgefühl 67, 73ff., 85, 89ff., 95, 180 – Pflicht 65ff., 203 – 'Stoizismus' 75, 89ff. – Symbol des ordnenden Geistes 31, 34[1] – Symbol der augusteischen Zeitstimmung 61 – Symbol der Romidee 31, 69[1], 196, 205, 206 – Symbol eines neuen Heldentums 168, 193, 204, 205 – Tragik 67, 73ff., 85ff., 89ff. – und Hektor 61 – und Dido 80 – und Turnus 26, 166[1], 167f., 172f., 186, 196, 203

Aeneis:

Gefühlsablauf: Angleichung der Formen an den G. 53f., 55, 59f., 104[2], 109, 173f., 176[1], 198[2], 203[1], 228ff., 277 – Ausklingen und Gestaltung von 'Schlüssen' 55[1]. 60[1], 63, 80, 111, 134 – Bildliche Vorbereitung 59, 104[2], 174f., 242, 277f. – Gefühlseinheiten 239 – Gipfelung in der Mitte 98[2], 257ff. – Gleitende Abstufung 234, 277f. – Lichtbewegung 269ff. – Sänftigung und Dämpfung 58f., 149, 267ff. – Steigerung 47ff., 51, 55f., 68, 173, 174, 184, 257ff., 273ff. – Wellenbewegung 257ff.

Gleichnisse 38, 51ff., 54f., 76ff., 79, 99ff., 112f., 129ff., 154ff., 167ff., 174, 183ff., 197f., 199, 239f., 241, 277

'Klassisches' Kunstwerk 6, 28, 54, 60, 116, 197, 281ff.

Kampfesschilderungen 169ff.

Komposition: als Ausdruck gedanklicher Ordnung 28, 62, 63 – dramatische und epische Elemente 53f., 111, 176 – Dreiteilung 62, 98[2], 280 – Ganzes und Teile 41, 53f., 114[2], 135, 191, 257ff. – Gegenläufigkeit der Aeneas- und Turnushandlung 186 – Gegenläufigkeit der Dido- und Turnushandlung 224

– Gegenläufigkeit von I und VII 56, 273 – Kontrast 28f., 31, 80, 100, 166, 168, 194, 196, 200, 239, 259 – Konzentration 70, 136, 186[3], 195 – Korrespondenz des Dido- und Turnusbuches 161[2], 166, 184, 186, 190ff., 210[1], 214, 220, 224, 226 – Tragische Umkehr 100f., 128

Symbolik: Symbolische Ausdrücke: Vieldeutigkeit und irrationale Gedrängtheit 52[1], 75[1], 82f., 253ff. – Symbolische Gestalten: s. Aeneas, Antonius, Augustus, Cacus, Dido, Juno, Jupiter, Turnus – Symbolische Gesten: 81, 146[1], 180, 278 –

Symbolische Gleichnisse und Bilder: Apollo 112f., 249 – Arbeitende Matrone 277 – Atlas 237ff. – Bacchantin 50 – Daedalus 245ff. – Danaidenfrevel 244 – Diana 99ff., 249 – Eicne im Sturm 75ff. – Feuer 174f., 241 – Gefällte Esche 79 – Hengst 174, 241 – Kunstwerke 242ff. – Landschaften 234ff. – Leichenwälzender Fluß 59[1], 60, 241 – Lichtreflexe 198[2], 239[1]f. – *princeps rei publicae* 34ff., 38 – Schiff 82 – Sonne und Mond 248ff. – Steinlawine und ewige Berge 215ff. – Styx 189[1] – Tiere 167ff. – Totenvogel 220 – Überwallender Kessel 154ff. – Vermählung von

Paris-Helena 243 – Verwundete Hindin 131ff., 250 – Verwundeter Löwe 183ff. – Wind und Sturm 231f., 52ff., 55f., 82, 83, 198[2], 199, 201ff., 241

Symbol und Allegorie 36f.

Symbolverknüpfung 55f., 112, 174, 198f., 203[1], 250

Verwandte Symbole an analogen Funktionsstellen 55, 135f.

Themen: Bändigung des Dämonischen 31, 32, 38, 151ff. – Bürgerkriege 26, 162 – Deutung des Lebens 5, 40, 83 – Deutung der Geschichte: Kampf und Sieg der Romidee 5, 26 – Deutung der Politik 26, 31, 123 – Erinnerung an Troja und Suche nach einer neuen Heimat 59, 60, 62, 68, 245 – Odyssee und Ilias 41ff. – Rom und Karthago 25f. – Rom und Italien 26, 177, 204

Tragik 27, 40, 63, 65, 97, 178, 208

Aeolus 33, 34[1]

Ajas 182, 209

Aischylos 188

Alexander 32[1]

Allekto 47ff., 153, 214

Amata 27, 48, 49[1], 188, 207

Amphibolie 139, 140[1], 141, 161[1]

Anchises 246

Andromache 60, 70, 245

Antenor 245

Antonius 31, 35, 37, 97[1]

Apelles 32[1]

Apollonius Rhodius 15, 24, 128, 189, 239, 251

Aristoteles 54[1], 88, 137

Ascanius 49, 160, 266

auctoritas maiorum 16
Atlas 237f.
Agusteisches Zeitalter 18ff.,
  35f., 61
Augustinus 31, 76f., 90, 123
Augustus 31, 35, 39, 144

Baudelaire 122
Bergson 11
Böcklin 80f.
Burckhardt 65, 123

Cacus 37
Camilla 58, 173, 196, 198,
  226[1], 275
Caravaggio 255
Catilina 35, 46
Cato Censorius 97[1]
Cato Uticensis 34ff.
Christentum 66, 88f., 90
Cicero 35, 39, 45[1], 94
Croce 11
crispare 194[2]
cura 73[1]
Curtius, E. R. 21, 28

Dante 16, 20, 46, 160, 232[1]
Daedalus 245ff.
Dardaniden 244
Dehmel 160
Dichtkunst und Philosophie
  40, 93ff.
Dido: Frömmigkeit 117f. –
  Landvertriebenheit 245 –
  Menschlichkeit 118, 143 –
  Pflichtgefühl 65, 143, 146
  – Schuldbewußtsein 143,
  146 – 'Selbstliebe' 88,
  137f. – Spannung im
  Charakter 95, 171 – Sym-
  bol der Liebenden 149 –
  Symbol des Dämonischen
  31, 168 – Symbol Kartha-
  gos 123ff., 149 – Tragik
  117, 119ff., 128, 130[1],
  133, 137ff., 145f., 150 –

und Aeneas, s. Aeneas –
  und Kleopatra 97[1] – und
  Medea 128 – und Turnus,
  s. Turnus
Diomedes 186, 245
Discordia 48, 265
Donat 14, 109[1]
Drances 182

Eliot, T. S. 22[1]
Ennius 18, 48, 52, 175f.
Eteokles 188
Euander 27, 97, 144, 245
Euripides 50, 128
Euryalus 27, 58, 158, 160,
  173

Fama 136[3]
Furius Antias 185[3]
Furor impius 32, 158, 162,
  266

Gellius 15, 94[3], 101f.
Goethe 10, 12, 26, 27[1], 41,
  54, 82[1], 93, 132, 148[1],
  151, 155[1], 170, 173[1], 249[1],
  264, 281
Grillparzer 93
Gundolf 37[1], 133

Hebbel 6, 27, 74
Hegel 123, 205
Heine 80, 249[1]
Hektor 61, 70, 181, 186[1],
  203, 218ff.
Helena 153[2]
Helenus 60, 245
Hölderlin 75[2]
Hofmannsthal 16, 112, 114[2],
  122
Homer: und Virgil 5, 15,
  42ff., 60, 63ff., 65, 67f.,
  69f., 79, 134, 136, 155,
  163ff., 170, 172, 186[1],
  189, 192f., 194[1], 203f.,
  218, 231ff., 240f., 255f.,

268[1] – homerische und virgilische Gleichnisse 79, 104, 108, 134, 155, 168f., 176[1], 199, 201ff., 263 – Bewahrung H.s in der Aeneis 15f. – Ilias und Odyssee 23, 64, 71f.
Horaz 18, 35, 83
Humboldt 12[2]

impotentia 49
inanis 80[1]
iustitia 45
Iris 58, 150, 214

Jopas 246f., 272
Juno: Symbol des Dämonischen 31 – Symbol Karthagos 27
Jupiter: Symbol der serenitas 30 – Symbol der Romidee 30 – Symbol des ordnenden Geistes 29, 31, 34[1]
Juturna 206ff., 211
Iwanow 27[2]

Kallimachos 153[2]
Kant 66, 132[1]
Kierkegaard 227[1]
Kleopatra 59, 97[1]
Kleanthes 30[1]
Kunstbetrachtung: antike und moderne 11f. – rationalistische 10ff.

Laokoon 27, 173[1]
Latinus 27, 55f., 188, 207
Lausus 27, 58, 158, 180
Lavinia 188
Lessing 94[2]
Livius 183, 255[1]
Lucan 173

Macrobius 15, 247
Marc Aurel 94

Menelaos 180[1]
Mezentius 27, 59, 161, 180, 198[1]
Mommsen 205
mos maiorum 17

Naevius 18
Neptun 33ff.
Nietzsche 66[2], 75[2], 115, 185[3]
Nisus 58, 160, 173

Oedipus 100, 186
Oper 23[1], 24[1]
Orion 250[1]
Orontes 67
Ortega y Gasset 255
ostentatio 93

Palinurus 74[2]
Pallas 58, 84, 158, 160, 180
Panaitios 90, 94
Patroklos 180, 220
Penthesilea 104[2], 242, 266
Petrarca 82[1]
pietas 36[1], 67, 246
Pindar 257
Planck 155[1]
Plato und Platonismus 39, 82, 213
Pollio 228
Pongs 7
Probus 101f.

Quintilian 132[2]

Rache 143f.
Raffael 34[1]
Ribera 255
Rolland, Romain 24[1], 30
Romidee 39, 204
Römischer Pflichtgedanke 65ff.
Römisches Zeitgefühl 63ff.
Rousseau 66[2]

Sainte-Beuve 14, 15[1], 34[1], 42, 53[1], 57, 102, 111[2], 232[2]
Sallust 44, 159
Samniten 183
Sappho 254[1]
Scaliger 15, 103, 105, 234[1]
Scheler 145[1]
Schelling 93
Schiller 26, 54, 66, 111, 261
Schlegel 53
Schopenhauer 88
Seneca 75[2], 93, 171
serenitas 30
Servius 11, 41, 67[1], 76f., 93, 137[1], 139, 171, 226, 228, 247
Sibylle 50[1], 60
Silvia 49
Sophokles 100, 101[1], 182, 186, 209
Staiger 54[2]
Statius 23[1]
Stoa 30[1], 66[2], 75, 89ff., 213
stridere 78[3]

Tacitus 97[1]
Taine 18f.
Theokrit 15, 236
Tolumnius 206
Turnebus 116[1]
Turnus: Frömmigkeit 165, 186 – Feuer als Symbol seines Wesens 175 – Liebe 188[1] – Maßlosigkeit 162[1], 187 – Menschlichkeit 74[2] – Milde 181 – nicht 'Staatsfeind' 158f., 206 – Schuldbewußtsein 195, 215,

223f. – 'Selbstliebe' 88, 159, 160f. – Stoizismus 213 – Symbol des Dämonischen 31, 158, 160, 161f., 168, 189 – Symbol 'homerischen' Heldentums 157, 193 – Symbol der Italiker 177, 204 – Tragik 65, 156f., 163, 181, 188, 189f., 209, 224 – Unterschied zu Hektor 181, 192f., 207, 211, 218f. – und Aeneas, s. Aeneas – und Dido 161[2], 166, 184, 186, 190ff., 210[1], 214, 220, 224, 226

Valéry 75[2]
Velazquez 255
Venus 28, 211[1]
Vesta 265
Vico 11
Virgil: Bedeutung für die Geschichte der Poesie 7ff., 254ff. – Blick für Tragik 85f. – als Geschichtsdeuter 204f. – Kern seines Wesens in Aeneas dargestellt 85 – Mittler zwischen der antiken und der christlich-mittelalterlichen Welt 89, 95 – Religiosität 121f., 281 – Wesensgegensätze 171
Voßler 13[1]

Winckelmann 34[1]
Wölfflin 53
Wolf, F. A. 54

Druckfehler

S. 84, 8. Zeile v. o.: löste statt löst
S. 114, 4. Zeile v. o.: Virgil statt Vrigil

S. 120, 8. Zeile v. u.: 'nur' zu streichen
S. 155, 2. Zeile v. u.: 9,4 statt 9,3

INHALT

Einleitung: Die Aufgabe 5

I. Grundthemen

  1. Die erste Szenengruppe von I als symbolische
     Antizipatition des Ganzen 23
  2. Die ersten Szenengruppen von I und VII als
     Eingangssymbole der odysseischen und der
     iliadischen Äneishälfte 41

II. Hauptgestalten

  1. Äneas 57
  2. Dido 99
  3. Turnus 153

III. Die Symbolik des Gefühlsablaufes als Grund-
     prinzip der virgilischen Dichtkunst 228

Index 283